mi hijo adolescente ya tiene

sexo

¿ahora qué hago?

mi hijo adolescente ya tiene

sexo

¿ahora qué hago?

Cómo ayudar a los adolescentes a tomar
decisiones más seguras, sensibles y
confiables, cuando ya han dicho que sí

Maureen E. Lyon, Ph. D. y Christina Breda Antoniades

AGUILAR

Título original: *My Teen Has Had Sex. Now What do I do?*
Publicado originalmente por Fair Winds Press, de Quayside Publishing Group.

De esta edición:
   D.R. © Santillana Ediciones Generales, S.A. de C.V., 2010
   Av. Universidad 767, Col. Del Valle,
   03100, México, D.F.

Primera edición: agosto de 2010

ISBN: 978-607-11-0575-2

Traducción: Vicente Herrasti
Diseño de portada: Marcelo Campomanes
Diseño de interiores: Patricia Pérez

Impreso en México

Índice

Sobre este libro

Si está leyendo este libro, lo felicitamos. Si usted recién se ha percatado de que su adolescente es activo sexualmente, o si sospecha que lo es (o que pronto lo será), al escoger este libro ha dado un paso importante para guiarlo en los años venideros.

Probablemente se sienta un tanto conmocionado, especialmente si ha pasado poco tiempo desde que descubrió que su adolescente ya no es virgen. No está solo. Incluso los padres de más amplio criterio padecen cierto grado de temor cuando su pequeño da esos pasos tan grandes que conducen a la vida adulta. Por si fuera poco, la preocupación aumenta dado el hecho de que, desde hace mucho tiempo, la cultura norteamericana ha dado una imagen del sexo prematrimonial que va del riesgo menor a lo francamente peligroso, pasando por el tabú. Simultáneamente, se acepta que estamos ante una conducta casual, frecuente y previsible.

Nuestra filosofía es que el sexo es una parte normal, natural, de las relaciones humanas, incluso en el caso de los adolescentes —suponiendo que éste se da en el contexto de una relación sana en que ambas partes son igualmente respetadas, tienen las mismas expectativas y pretenden darse apoyo tomando en cuenta sus respectivos sentimientos.

También creemos que los adolescentes deben ser tratados con respeto y dignidad; al darles información médica precisa y atractiva que provoque un intercambio profundo, los padres tendrán la capacidad de ayudarlos a convertirse en adultos que toman decisiones inteligentes, seguras e informadas sobre la sexualidad.

Ahora bien: ¿cómo definimos lo inteligente, seguro e informado cuando se trata de la toma de decisiones relativas a lo sexual? No hay una sola respuesta. Para una persona inmersa en una situación determinada, la definición puede limitarse a recomendar la abstinencia. Para otros, en situaciones diferentes, podría tratarse de algo completamente distinto. A pesar de todo, por lo general, "inteligente, seguro e informado" significa que los adolescentes están tomando medidas para proteger su salud, así como su bienestar físico y emocional.

Nuestro punto de vista

Es natural que los padres se preocupen, sin importar si su hijo es hombre o mujer. En tanto que reconocemos que las madres y las hijas son los lectores más probables de esta obra, madres y padres por igual se preocupan por sus adolescentes de ambos sexos. Los muchachos, aunque suelen retratarse como dueños de un deseo sexual eterno y emocionalmente distante, enfrentan muchos de los mismos retos que las adolescentes cuando hablamos de relaciones sexuales. Al igual que las chicas, los varones corren el riesgo de contraer enfermedades de transmisión sexual; pueden resultar gravemente afectados en caso de que se produzca un embarazo y resultar dañados emocionalmente cuando una relación íntima termina o no satisface sus expectativas. Por lo tanto, a lo largo de este libro nos referiremos a los temas que afectan a ambos sexos por igual, por lo que alternaremos los géneros refiriéndonos a los chicos en unos ejemplos y a las chicas en otros. También es necesario mencionar que dirigimos nuestro mensaje a los padres, aunque estamos seguros de que los maestros, cuidadores y otros adultos se beneficiarán al leerlo.

Además, asumimos que cierto número de adolescentes serán gays, lesbianas, bisexuales, transgénero o indecisos (GLBTI). En muchos casos, los consejos para padres de adolescentes GLBTI serán prácticamente iguales a los de su contraparte heterosexual, pero existen diferencias que serán abordadas en recuadros especiales a lo largo del libro. También recomendamos que consulte otras fuentes relativas a los adolescentes GLBTI, algunas de las cuales hemos enlistado en el apartado correspondiente.

También damos por hecho que existe una sana relación entre el padre y el adolescente. Si su adolescente es dado a la confrontación o en extremo problemático, usted requerirá ayuda de algún consejero familiar o de otros libros que se ajusten a las necesidades de los adolescentes y sus padres. Sabemos que, para algunos padres, nuestra perspectiva neutral respecto a los valores relacionados con la sexualidad será prácticamente imposible de aceptar. Si usted tiene problemas especialmente graves en relación con la sexualidad de su adolescente (o si su adolescente es reacio a asimilar positivamente los consejos), no se dé por vencido: busque asesoría para usted, de manera que logre aceptar la realidad del caso y así ponga al adolescente en contacto con alguien que provea la información y los recursos para tener relaciones sexuales más seguras y sanas.

Finalmente, a lo largo de este libro nos referiremos al sexo y a la actividad sexual. Como leerá en el capítulo 3, el definir esos términos es tremendamente complejo. Los adolescentes de hoy tienen sus propias ideas sobre qué constituye al sexo, y lo más probable es que usted tenga las suyas también. De cualquier modo, al hablar de sexo en este libro nos referimos a las relaciones sexuales vía vaginal o anal, y al hablar de actividad sexual nos referimos a cualquier actividad en que los genitales de al menos uno de los involucrados son estimulados.

También notará que utilizamos la frase "infecciones de transmisión sexual" (ITS), en lugar del concepto más popular, es decir, "enfermedades de transmisión sexual" (ETS), siguiendo la tendencia dominante entre los profesionales de la salud. Las razones de ello son: el término "enfermedad" implica que hay síntomas visibles o notorios, en tanto que "infección" se refiere meramente a la presencia de un elemento patógeno. Dado que las ITS suelen presentarse sin que existan síntomas —o con síntomas imposibles de detectar—, optamos por el término más amplio. Si usted se siente más cómodo diciendo "enfermedades de transmisión sexual" al hablar con su adolescente, ciertamente puede hacerlo.

Nuestras herramientas

La vida no tiene un guión. No podemos "soplarle" sus líneas ni empujarlo al escenario en que su adolescente ha decidido actuar, por lo que es difícil que tras 30 minutos de hablar con su hijo o hija reciba usted una sonora ovación en reconocimiento.

La razón de esto reside en que toda conversación depende de las personalidades de los individuos que en ella participan, del buen o mal humor o de las peculiaridades de la situación y otros factores. Ante este problema, nos hemos negado a redactar un guión unitalla para conducirlo en las discusiones relativas al sexo y la sexualidad. Sin embargo, incluimos ejemplos de charlas en los recuadros titulados "Una manera de decirlo..". Al leer estos recuadros, tenga en cuenta que son sólo eso: una manera de decir las cosas. Usted debe adaptarlos para que se ajusten a las necesidades de su adolescente.

11

Si busca ayuda para adaptar la conversación a la edad de su adolescente, acuda a las secciones intituladas "Justo para su edad". Allí se ofrece consejo basado en la edad de su adolescente (los hemos dividido en tres grupos: los menores de 15 años, los que tienen entre 15 y 17 años y aquellos que pasan de los 18). Utilice estos consejos como guías generales —en los adolescentes se presentan diferencias en el grado de madurez y, por lo tanto, su hijo o hija quizás no corresponda cabalmente con el grupo de su edad. Adáptelas para lograr mejores resultados.

También hemos incluido varias secciones de preguntas y respuestas tituladas "Pregunte al experto". Una vez más, es posible que estos consejos no se ajusten a su situación particular, pero esperamos que sean una guía útil.

Hemos hablado con adolescentes, padres, profesionales médicos y tutores de adolescentes (auxiliándonos con los 18 años de experiencia clínica del Dr. Lyon) en un intento por detectar los retos (y las oportunidades) que probablemente encontrará como guía de su adolescente. Algunos de nuestros consejos serán aplicables en su caso y otros no. Si tiene una preocupación específica, es posible que tienda a saltarse las páginas en busca de ayuda rápida. Esta es una reacción natural, pero asegúrese de dar marcha atrás y leer todo el libro, de principio a fin. Una vez comenzado el viaje en que guiará a su adolescente sexualmente activo, se encontrará, sin duda, con temas y cuestiones en los que no había reparado antes.

También visite nuestro sitio web (www.myteenhashadsex.com) para obtener mayor información o para hacer contacto con los autores. Entretanto, esperamos que disfrute el libro y que lo encuentre útil para ayudar a su adolescente.

Sinceramente,

Maureen Lyon, Ph.D.
Christina Breda Antoniades

Las limitaciones de la investigación

En este libro nos referiremos a la investigación existente en el rubro de la conducta y las percepciones. Dichos estudios arrojan considerables revelaciones sobre cómo piensa la gente, cómo se comporta y cómo responde ante determinadas situaciones. Si se estudian con atención, estas investigaciones funcionan como referencia para los padres que no tienen mucho conocimiento del mundo en que se desarrollan sus adolescentes. Con esa ayuda, usted se dará una idea de qué está pensando o haciendo su adolescente para así actuar en consecuencia. No olvide que las investigaciones se refieren a la conducta de grandes grupos de personas. Su adolescente puede o no ajustarse a los parámetros promedio, pero asegúrese de tomar en cuenta todo lo que sabe de *su* hijo o hija.

Capítulo 1

De acuerdo: usted acaba de descubrir que su adolescente está teniendo sexo. Tal vez encontró un condón en la basura o halló un mensaje de texto comprometedor que no da lugar a duda. O es posible que su hija adolescente le haya preguntado sobre los métodos de control natal después de un "susto". Repentinamente, le guste o no, se enfrenta con el hecho de que su adolescente es sexualmente activa.

La primera reacción tal vez consista en buscar un cerrojo inviolable para confinar a la adolescente en su habitación hasta que cumpla 30 años; también en comenzar el griterío que derivará en la clásica exigencia de que su hijo se entregue al estudio y deje en paz a la novia que tanto le desagrada a usted. En su fuero interno, es posible que se lamente por el hecho de que su hijo o hija hayan entrado a esta nueva etapa de la vida. ¡Qué ganas de que el niño siguiera siéndolo, aunque fuera un poco más!

Probablemente se sienta enojado, triste, asustado e incluso culpable tras el descubrimiento. Por otra parte, quizá considere que el asunto es natural y acepte las cosas con resignación, comprendiendo que su adolescente da un paso natural en el camino a la vida adulta.

No importa si usted concibe el problema como un reto más de la paternidad, como una crisis mayor o como una cuestión intermedia en que intervienen una gran cantidad de factores, incluyendo la edad y madurez de su adolescente, su propio sistema de valores, su experiencia como adolescente e incluso la manera como descubrió los hechos.

Cualesquiera que sean sus emociones, saber de la actividad sexual de su adolescente pondrá en acción inmediata la maquinaria parental para ayudarle a navegar en las aguas emocionales y fisiológicas de la sexualidad futura.

El primer paso consiste en tomar el toro de sus emociones por los cuernos, lo que implica considerar cómo se siente usted al respecto, por qué se siente así, consultar su escala de valores y, finalmente, hacer las paces con la realidad.

¿Cómo se siente?

Tal vez su adolescente tenga 16 años y sea sexualmente maduro, pero no olvidemos que estamos hablando de su bebé, por ello no debe extrañarnos que usted reaccione emocionalmente tras la noticia. Antes de actuar, es buena idea explorar sus propias emociones.

Primero, entienda que sus sentimientos no son ni correctos ni incorrectos. Su reacción dependerá en gran medida de las circunstancias. La madre de un muchacho de 16 años reaccionará de forma distinta si se compara con la madre de una chica de la misma edad. Un adolescente muy impulsivo —de esos que tienen fama de cruzar la calle antes de mirar si vienen coches— provocará mayor alarma que un adolescente más maduro y prudente. Si las noticias le han llegado delicadamente gracias a algún miembro de la familia, es probable que su reacción sea muy diferente a la que tendría si se encuentra a su adolescente en la cama con el novio.

Es posible que el factor determinante de su reacción se halle en su sistema de valores y creencias y en su experiencia como adolescente. Para un padre que no tuvo inhibiciones durante esa época de la vida, quizá no resulta tan sorpresivo el que su hijo sea sexualmente activo. Este padre interpretará las cosas como algo perfectamente natural y previsible. En consecuencia, le será más fácil aceptar la realidad y concentrarse en la necesidad de ayudar a su adolescente a tomar decisiones sexuales inteligentes. Por otra parte, puede ser que el adolescente que antaño fuera desinhibido, se haya convertido en un padre altamente preocupado si siente culpa por haber sido sexualmente activo durante la adolescencia.

En el caso de los padres provenientes de entornos conservadores o muy religiosos, las noticias quizá sean extremadamente perturbadoras. Los padres creen que sus hijos violan un código moral o religioso, o que su adolescente navega prematuramente en las aguas de la vida adulta. Bajo esas circunstancias, el padre se siente enojado, avergonzado o temeroso por el bienestar físico, emocional y espiritual del adolescente.

Existen infinitas reacciones intermedias entre ambos extremos. ¿Cómo se siente usted?

- ¿Enojado?
- ¿Triste?
- ¿Impresionado?
- ¿Desilusionado?
- ¿Temeroso por el bienestar físico, emocional y espiritual de su adolescente?
- ¿Culpable?
- ¿Aliviado?
- ¿Alguna otra emoción? ¿Cuál?

Profundice

Cuando haya entendido cómo se siente, es necesario pensar en las causas de ese sentimiento. Al comprender las causas, ponga sus emociones en perspectiva y trabaje para hacer las paces con ellas. Así, al hablar con su adolescente, podrá explicarle mejor por qué se siente de esa manera.

¿Por qué me siento así?

- ¿Las acciones de mi adolescente violan mis creencias religiosas o mis convicciones morales?
- ¿Tuve una experiencia sexual temprana que me lastimó emocionalmente, y ahora me preocupa que mi adolescente sienta algo parecido?
- ¿Me preocupa un eventual embarazo o la posibilidad de que mi adolescente contraiga una infección de transmisión sexual?
- ¿Concibo la sexualidad de mi hijo como una señal de que éste no ha adoptado mi escala de valores?
- ¿Interpreto el comportamiento de mi adolescente como evidencia de que soy mal padre o madre?
- ¿Me molesta haber sido engañado por mi adolescente?
- ¿Me preocupa la opinión de otros miembros de la familia?
- ¿Me preocupa que mi adolescente se haga mala fama en la comunidad?
- ¿Me avergüenza el tipo de actividad en que mi hijo está involucrado?
- ¿Me siento desilusionado porque la conducta de mi adolescente no coincide con la que yo esperaba de su actitud?
- ¿Me incomoda la idea de que mi niño crezca pues me hace sentir viejo?

Las respuestas dependerán de su situación particular. Suponga, por ejemplo, que explora sus emociones y descubre que lo que en principio parecía ira es en realidad miedo. Tal vez sus planes de estudiar una carrera universitaria se vieron frustrados cuando usted se embarazó y teme que le suceda lo mismo a su adolescente. Comprender esto provocará que usted se muestre menos demandante en el sentido de que su hijo refrene su sexualidad, concentrando su atención en que él o ella eviten un embarazo. Por otra parte, si un análisis profundo de sus emociones revela el temor de haber fallado como padre, es probable que deba emprender una introspección para explorar el tipo de padre que realmente es, y aprender más sobre las realidades que imperan en el mundo de los adolescentes y el sexo.

Sentimientos incómodos, pero no irracionales

Para algunos padres, confrontar la adolescencia de sus hijos detona una lucha emocional que tiene que ver más con las experiencias del padre que con las del joven.

Por extraño que parezca, no es raro que los padres se sientan celosos de la sexualidad de un adolescente. Después de todo, suelen estar entrando a la edad madura —etapa en que la vida sexual y las relaciones románticas sufren cambios, no siempre positivos—, mientras que sus adolescentes entran en una etapa promisoria y llena de posibilidades. La sexualidad de un adolescente puede despertar nostalgia por los días idos en que el padre era joven y experimentaba la sexualidad por vez primera, o por los días en que disfrutaba libremente, o nostalgia que deviene en un renovado interés en los propios deseos sexuales. Algunos padres se sorprenden al verse presa de los celos, aunque dichos sentimientos no deben considerarse patológicos. Son reacciones normales y razonables.

En ocasiones, los padres experimentan sensaciones de impotencia y abandono cuando el afecto del adolescente se proyecta en un tercero. También esto es normal.

Los padres que sufrieron algún tipo de agresión sexual en el pasado tal vez descubran que, al lidiar con la sexualidad de sus hijos, surgen sentimientos o asuntos no resueltos que provocan ansiedad o depresión. Algunas víctimas de agresión sexual requieren de consejo profesional para enfrentar esos sentimientos.

Para obtener una visión detallada de las respuestas parentales a la adolescencia de los hijos, recomendamos la lectura de *Crossing Paths: How Your Child's Adolescence Triggers your Own Crisis*, de Laurence Steinberg, en colaboración con Wendy Steinberg.

REVISE SU ESCALA DE VALORES

Es común que los conflictos surgidos alrededor de la sexualidad adolescente se presenten cuando la conducta implica una transgresión a los valores de los padres. Si usted tiene fuertes reservas en el tema de la sexualidad, las probabilidades sugieren que esas perspectivas, en especial la religiosa, han sido transmitidas a los hijos a lo largo de toda la vida y bajo diversas formas: las películas que permitimos ver a los adolescentes o el tipo de música que nos parece objetable. Idealmente, ustedes han discutido los valores familiares y sus posturas sobre el sexo y la sexualidad a lo largo de los años. Estos intercambios se presentan desde las primeras etapas de la vida del adolescente y son muy importantes dado que son bombardeados con mensajes sexuales de los medios, por no hablar de otros factores —como la omnipresente pornografía, por ejemplo— que definen el concepto de sí mismos y del mundo que los rodea (entraremos en detalles sobre este tema en el capítulo 3).

Si no ha meditado o hablado con su adolescente respecto de los valores o creencias familiares, ha llegado el momento de comenzar a hacerlo. Piense en sus convicciones. Aun cuando su adolescente haya decidido que usted y él no comparten el mismo sistema de valores y creencias (situación que suele cambiar con el paso del tiempo), valdrá la pena haber explorado los propios sentimientos para ser capaz de articular correctamente sus ideas.

Hágase las siguientes preguntas:
- ¿Me parece objetable el sexo fuera del matrimonio?
- ¿Me parece negativo el sexo fuera de una relación sólidamente cimentada?
- ¿Considero que los menores de cierta edad o de cierto grado de madurez no deben tener sexo?

¿Mis objeciones se basan en...
- la religión? De no ser así, ¿en qué se basan mis objeciones?
- el sexo con una pareja en particular?
- cierto tipo de conductas sexuales?

¿Existen conductas que por ningún motivo puedo aceptar?
- De existir, ¿cuáles son?

RESPETE LOS VALORES DE SU ADOLESCENTE

Recuerde que su adolescente aún desarrolla su propio sistema de valores y que éste puede cambiar de un momento a otro. Algunos adolescentes ven el sexo como un asunto sin mayor importancia el día de hoy, pero al obtener mayor información y experiencia llegan a verlo bajo una luz distinta (o quizás no).

Los padres y maestros pueden alentar a los adolescentes a desarrollar valores al conversar hondamente con ellos sobre el sexo y las relaciones. Esto no significa que usted obligue a su hijo a adoptar sus valores, aunque es muy probable que estos valores sean, precisamente, los que usted desea transmitir a su hijo adolescente; ellos deben determinar por sí mismos qué les parece "incorrecto" para evitar o dejar esas conductas, o qué les parece "correcto" para guiar su conducta de manera responsable.

Si usted es una persona con creencias religiosas muy estrictas que entran en conflicto con los valores de su adolescente, quizá no le sea fácil respetar el derecho que su hija o hijo tiene para conformar su propio sistema de valores. Usted puede encontrar luz y consuelo hablando con su sacerdote, ministro, rabino o cualquier otro guía espiritual. También resulta útil sumar al adolescente a la conversación, pero sólo cuando esté seguro de que el intercambio consistirá en un debate racional, abierto, y no en un regaño franco o sermón.

TOME EN CUENTA LAS
REALIDADES DE LA VIDA COTIDIANA

De manera que su adolescente ha tenido sexo. ¿Podemos convencerlo de que no lo haga de nuevo? ¿Debe usted aceptar la realidad y dejar de lado la idea de hacerlo cambiar? La respuesta es previsible: depende.

Por lo general, no recomendamos que el objetivo sea que su adolescente deje de hacer las cosas para siempre (ni siquiera por los próximos cinco años). Nuestra recomendación consiste en que el adolescente ha de esperar lo suficiente como para pensar las cosas muy bien antes de actuar. Esto resulta especialmente importante en el caso de adolescentes que se han entregado a la actividad sexual de manera impulsiva, sin pensar bien las cosas. Al hablar con su hijo sobre la experiencia, lo ayudará a alcanzar conclusiones personales respecto de la pertinencia de ser sexualmente activo en el presente.

Algunos adolescentes concluirán pronto que no están listos para ser sexualmente activos y esperarán antes de experimentar otra vez. A otros les será necesario emprender una discusión calma y profunda para llegar a las mismas conclusiones basándose en diversos motivos (nos hemos topado con adolescentes que argumentan estar muy ocupados o demasiado concentrados en la escuela como para tener una relación sexual). No faltarán los adolescentes que consideren correcta su decisión de ser sexualmente activos, con o sin la comprensión de sus padres. Pero incluso en ese caso, el simple hecho de detenerse a pensar las cosas ayuda a que actúen responsablemente cuando tengan actividad sexual.

EDÚQUESE

Al entender la realidad del sexo adolescente usted podrá juzgar las actividades de su adolescente en perspectiva. Para ello, conviene que lea el capítulo 3, pero como adelanto le pedimos que tome en cuenta lo siguiente:

- En Estados Unidos, la edad promedio de iniciación sexual es de 16.9 años para los hombres y 17.4 años para las mujeres (aunque muchos expertos consideran imposible calcular este rubro con mediana certidumbre).
- Cuarenta y ocho por ciento de los estudiantes de preparatoria reportan haber tenido relaciones sexuales por lo menos una vez.[1] El porcentaje se incrementa a más de 60 por ciento entre los estudiantes mayores a los 18 años; y disminuye hasta 33 por ciento en el caso de los estudiantes de tercero de secundaria.

---

[1] *Trends in the Prevalence of Sexual Behavior*, Youth Risk Behavior Surveillance (YRBS), Centers for Disease Control, 2007.

- Tener sexo una vez no significa que los adolescentes mantengan la actividad sexual en todo momento. De los adolescentes que afirmaron haber tenido sexo, únicamente 35 por ciento afirmó ser activo sexualmente al momento de la entrevista, queriendo decir con ello que habían tenido actividad sexual durante los tres meses anteriores.
- Aunque el porcentaje de adolescentes que han tenido sexo se ha reducido sistemáticamente entre 1991 y 2001, es notorio que dicha tendencia se ha estancado en los últimos años (los expertos investigan las causas de este fenómeno).
- Quince por ciento de los preparatorianos han tenido cuatro o más parejas sexuales en su vida.
- Cincuenta y cinco por ciento de los adolescentes varones y cincuenta y cuatro por ciento de las mujeres afirman haber tenido sexo oral con alguien del sexo opuesto.

Tome en cuenta el contexto

Para ejercer una influencia real sobre las decisiones sexuales de su adolescente, debe usted saber qué sucede en su vida. Si su hija de 17 años ha tenido una relación exclusiva durante un año y decide tener relaciones sexuales con su novio, lamentamos informarle que quizá está emprendiendo una batalla perdida. En cambio, una adolescente que sostuvo una relación casual es capaz de decidir, con su ayuda, que no está lista para tener más relaciones por el momento.

También debe tomarse en cuenta el tipo de relación que existe entre los padres y los adolescentes. Si usted no ha sostenido una conversación abierta, franca y respetuosa sobre la actividad sexual pasada de su adolescente, es poco razonable creer que se sentará así como así a conversar tranquilamente acerca de este tema en particular. Nada impide que su adolescente acepte la plática sin objeciones, pero incluso esta apertura puede resultarle sospechosa o incómoda, dado el cambio tan abrupto. Sea paciente, explique sus razones para no hablar del tema en el pasado y ponga en práctica los *tips* que este libro ofrece para favorecer la comunicación.

Si logra convencer a su adolescente de que el objetivo de la charla es emprender un intercambio respetuoso pensando en su bienestar físico y mental, estará recuperando el tiempo perdido. De no ser así, es probable que requiera ayuda externa, ya sea de un consejero o de un médico especialista en problemas de la adolescencia (consulte "Cómo encontrar un médico" de la página 121, y nuestra sección de fuentes recomendadas al final de este libro).

Justo para su edad: ¿Cuál es la reacción que cabe esperar, según la edad del adolescente?

Menos de 15 años: Si su adolescente es menor de 14 años y usted está triste porque ella ha tenido sexo, sus instintos lo conducen por el camino correcto. Casi todos los expertos coinciden en que los niños menores de 14 años no son suficientemente maduros para tener relaciones sexuales. Para los adolescentes de 14 años, las preocupaciones que usted, como padre, pueda externar, resultan coherentes, dado que la mayoría de los muchachos de esta edad consideran que las relaciones sexuales son especialmente complicadas, tomando en cuenta su nivel de madurez. Recuerde que, aun cuando usted tenga razón y su hija no esté lista para el sexo, su capacidad para controlar lo que ella hace con su cuerpo es limitada. Al evaluar sus emociones, ponga especial atención en qué factores de la conducta de su adolescente le preocupan más. Podría ser que a usted le preocupara que su adolescente no cuente con la experiencia y la información necesarias para tomar buenas decisiones sobre el sexo; o que su adolescente sea emocionalmente inmaduro para manejar la intensidad de una relación sexual. O podría tratarse de cualquier otra cosa. El caso es que, estando al tanto de las preocupaciones específicas, le será más fácil exponer su opinión al adolescente, más tarde quizás, cuando esté listo para hablar del tema.

También debe considerar el contexto en que la actividad sexual se desarrolla. Una ocurrencia aislada podría preocuparnos menos que un patrón de conducta obvio, así como los encuentros sexuales indiscriminados y reiterativos preocupan más que los sucedidos en el contexto de una relación. Finalmente, tome en cuenta el factor sorpresa: si las noticias le llegan de la nada, sin antecedente alguno, su respuesta puede ser más emotiva de lo esperado. El simple hecho de comprender este punto ayuda a matizar emociones amplificadas para dedicar la atención al asunto principal.

De 15 a 17 años: Con un adolescente que se encuentre más cerca de los 15 años que de los 17, es muy probable que usted se enfrente a situaciones que le resulten sorpresivas. Sin embargo, debe ser consciente de que a los 17 es más probable que los adolescentes ya hayan tenido sexo (consulte el capítulo 3 para averiguar más sobre estos parámetros de la sexualidad adolescente). Si siente ira, desilusión o tristeza a consecuencia de la noticia, vuelva a analizar la raíz de sus emociones y luego actúe para asegurarse de que sus peores temores no se convertirán en realidad. Eduque a su adolescente en torno a temas capitales como el embarazo y las infecciones de transmisión sexual, y asegúrese de que ella piense con claridad respecto de su bienestar emocional.

De 18 años en adelante: Si todavía piensa que su adolescente es muy joven para llevar una vida sexualmente activa, tal vez tenga razón. Sin embargo, a esta edad, en la mayoría de los casos, el sexo es un paso natural, y es probable que su adolescente ya sea capaz de lidiar con los altibajos de este tipo de relación tan bien como cualquier adulto (en más de un sentido, su adolescente *es* un adulto). Si su reacción ante los hechos es fuerte y emotiva, es importante encontrar los motivos. Existe la posibilidad de que la reacción tenga que ver más con usted que con el chico o la chica, en cuyo caso es usted quien debe preocuparse por solucionar su situación. Si le cuesta trabajo aceptar la nueva realidad, está bien admitirlo frente a su adolescente, quien probablemente se muestre contento al saberlo.

La historia de Cathy

Cathy, estudiante de los últimos años de preparatoria, fue criada en el seno de una familia religiosa. Tras seis meses de salir con su novio, Thomas, ella sintió que estaba enamorada. Hasta ese momento no habían tenido relaciones, pero las cosas ya pasaban de los besos inocentes. Sin quererlo tal vez, la madre de Cathy le había enviado el mensaje de que el sexo era algo sucio y desagradable, por lo que Cathy se sintió sorprendida y enojada al descubrir que sentía fuertes deseos sexuales —y que estos deseos eran placenteros. Quizás el sexo no sea tan malo después de todo. "Me mintieron", pensó. "No está mal hacerlo ni tengo por qué evitarlo".

Su conducta entró en clara contradicción con los valores familiares en que la habían criado —que el sexo sólo debía tener lugar después del matrimonio, con el único objetivo de tener hijos. Cathy percibió la contradicción entre lo que le habían enseñado y lo que sentía.

Optó por confesar lo sucedido a su sacerdote, quien le recomendó frenar sus deseos. "Es amor de niños", dijo, "y lo que piensas hacer está equivocado desde el punto de vista moral". La respuesta del sacerdote dejó a Cathy con la sensación de que le habían faltado al respeto y de que sus convicciones religiosas se debilitaban. No obstante, ella persistió dentro de los parámetros de su ámbito religioso y pidió consejo a su maestro de religión, un sacerdote que le inspiraba confianza. Cara a cara, sin juicios de por medio, él le hizo las siguientes preguntas: ¿la trataba bien su novio?, ¿confiaba en él?, ¿disponían de la suficiente intimidad?, ¿había considerado el riesgo de un embarazo?, ¿había pensado en cómo se sentiría si la relación terminara más adelante?

Conforme exponía su caso al sacerdote, su mente fue aclarándose. Comenzaba a sentirse más segura de que el sexo fuera del matrimonio no era necesariamente reprobable desde el punto vista moral, pero le preocupaba llevar la relación a un nuevo grado de intensidad. Thomas estaba a punto de enlistarse en el ejército. ¿No sería posible que, al tener sexo, la separación inminente resultara más dolorosa? ¿Y qué pasaría si salía embarazada? Thomas y ella conocían parejas que habían tenido que casarse a consecuencia de un embarazo accidental. Thomas ya había afirmado en una ocasión que no se sentía listo para el matrimonio —y, francamente, tampoco ella lo estaba. ¿Qué haría si llegara a quedar embarazada?

El maestro de religión de Cathy nunca le dijo qué hacer, pero hablar con él ayudó a que la muchacha aclarara sus ideas. Se sintió agradecida por el respeto que el hombre había mostrado en el trato hacia ella y por el hecho de que abordara su deseo de intimidad sexual como algo normal.

Convencida, Cathy optó por detener las cosas antes de llegar a la relación sexual propiamente dicha. Pasado el tiempo, Thomas se unió al ejército y fue asignado a una unidad de ultramar. Tres meses más tarde, Cathy terminó la relación después de conocer al joven que, a la postre, se convertiría en su marido.

TRABAJE EN EL TEMA DE LA ACEPTACIÓN

Conforme su adolescente sea mayor, es más probable que usted deba aceptar su independencia; de lo contrario, estaría corriendo el riesgo de afectarlo por entero. Cierto, usted todavía tiene influencia en él o ella, pero en realidad está entrando a una etapa de la vida en que la negociación se vuelve norma; no espere dar órdenes para verlas cumplidas sin más ni más.

Aun así, es importante que usted utilice su influencia para procurar que su adolescente tome decisiones informadas, para ayudar a que desarrolle valores y para que se sienta apoyado por el solo hecho de que usted esté ahí, listo para afrontar cualquier situación. Ser padres de adolescentes sexualmente activos implica el darles tiempo y libertad para tomar decisiones correctas sin dejar de proveer límites y demás elementos necesarios para su seguridad. Al igual que sucede en todo aspecto relacionado con ser padre de un adolescente, le recomendamos que se adhiera a tres principios básicos: respete la independencia de su adolescente, sea justo y sea honesto.

Esto no significa que usted debe cambiar su sistema de valores, sino que debe aceptar el hecho de que los valores de su hijo son distintos, y que él o ella tiene derecho a ellos. Si sus valores chocan, debe revisar sus convicciones —"Pienso que es un error tener sexo a tu edad"— y procurar, en última instancia, apoyar la decisión de su adolescente —"Quiero que estés seguro, de modo que aquí me tienes para hablar si lo necesitas".

Por supuesto que llegarán momentos en que la independencia no es asunto prioritario. Abundaremos en este tema en el capítulo 7 pero, en general, la necesidad de protección a los adolescentes resulta más importante que la independencia, sobre todo tratándose de las siguientes situaciones:

- si el adolescente es menor de 14 años;
- si se encuentra inmerso en una relación destructiva o abusiva;
- si tiene sexo con alguien que tiene cuatro años o más que él o ella (o si hay tres o más años de diferencia, en el caso de los adolescentes menores de 16 años);
- si se involucra en actividades sexuales de alto riesgo;
- si tiene actividad sexual mientras está bajo el efecto del alcohol o las drogas.

Además, debe tener presente que los niños que sufrieron abuso sexual anteriormente, suelen enfrentar enormes retos cuando llegan a la adolescencia y requieren de ayuda profesional en el tránsito a la sexualidad madura.

Comparta, pero con cuidado

Es importante reevaluar sus emociones y su sistema de creencias, pero es normal que, llegado el momento, usted sienta la necesidad de hablar con alguien. Ya se trate del otro padre de su adolescente, de un amigo de la familia o de cualquier otro adulto, el tener un hombro en que llorar o un confidente considerado es fundamentalmente para obtener apoyo emocional.

Para algunos padres, la solución reside en buscar a alguien confiable que no sea muy cercano al adolescente. También puede conseguir apoyo en grupos religiosos, asociaciones de padres, consejeros familiares, el médico familiar, el pediatra o un médico especializado en adolescentes.

Sin embargo, es posible que se presenten asuntos espinosos. Usted está obligado a proteger la intimidad de su adolescente y debe comprometerse a no traicionar su confianza. Por ejemplo, es muy común que la adolescente ruegue a mamá que no le diga a papá que ya es sexualmente activa, o que un hijo varón pida al padre guardar el secreto. Aceptar o no la petición dependerá de su historia familiar —nos referimos a la relación con el otro padre, así como a la relación existente con el adolescente mismo— y de sopesar los riesgos y beneficios que implica decir las cosas (violando la confianza del adolescente) o guardar el secreto.

Por lo general, las parejas comparten los valores esenciales. De hecho, este suele ser uno de los factores que alienta toda unión, pero eso no significa que usted y el otro padre de su adolescente reaccionarán de la misma manera al enfrentarse a la sexualidad de su hijo o hija. Es normal que, en una situación determinada, uno de los padres sea más protector o presente objeciones morales más contundentes que el otro.

Si usted y el otro padre no logran ponerse de acuerdo respecto de cómo educar a su adolescente sexualmente activo, es razonable procurar hacer las cosas solo o buscar ayuda externa. En cualquier caso, la clave consiste en resolver primero su propio conflicto, de manera que no afecte la interacción con su adolescente y que usted logre ayudarlo eficazmente. La terapia de pareja o los cursos para padres ayudan a que los padres superen sus conflictos personales.

CONTROLE LA SITUACIÓN

Si alguna vez ha perdido los estribos desde el punto de vista emocional, ya estará al tanto de que controlar los sentimientos es por demás benéfico para usted. O, para decirlo de otro modo, es mucho menos doloroso que enfrentar las crisis que una respuesta emocional exagerada acarrea. Comprender y controlar sus emociones es increíblemente importante si desea tener una conversación respetuosa, razonada y efectiva. Esto le dará buenas posibilidades de influir positivamente en su hijo y ayudarle a convertirse en un adulto saludable, responsable y feliz.

A continuación presentamos dos situaciones reales que merecen consideración.

Para quienes necesitan controlarse

Un maestro sorprendió a una adolescente de 15 años, Sara, teniendo sexo oral con un compañero en la escuela. El director llamó a sus padres, quienes tuvieron una reacción explosiva. La madre de Sara le reclamó entre lágrimas; el papá perdió el control y la abofeteó.

Sara enfrentó la ira de sus padres desafiándolos. Al comenzar las sesiones de apoyo se mostró defensiva reclamando el derecho a hacer su voluntad respecto de su cuerpo. En el ambiente de seguridad y tolerancia que caracteriza a estos grupos de ayuda, Sara encontró la oportunidad que necesitaba para explorar sus sentimientos, sin que la ira obnubilara sus ideas. De inmediato bajó la guardia y admitió que el encuentro sexual se había salido de control. Es más: la había hecho sentir asustada e incómoda. Por encima de todo, le preocupaba formarse una mala reputación en la escuela. Con un poco de ayuda, Sara llegó pronto a su propia conclusión: si pudiera regresar el tiempo, probablemente no haría lo que había hecho; además, si volviera a presentarse una situación similar, pondría límites, reflexionaría en las implicaciones de hacerlo o no en un lugar determinado, y pensaría muy bien si la otra persona involucrada es la correcta.

Al asistir a terapia familiar, los padres de Sara pudieron darse cuenta de que el enojo provenía de muchas fuentes: temían que su hija fuera demasiado joven para ser sexualmente activa, temían que se estuviera involucrando en actividades que ellos desaprobaban y les avergonzaba sobremanera que las cosas hubieran sucedido en un lugar público. Con el tiempo, Sara y sus padres fueron capaces de desarrollar confianza, y así lograron hablar de temas difíciles sin alterarse. Sin embargo, debemos señalar que gran parte del tiempo y del esfuerzo de los padres fue dedicado a arreglar los daños que la reacción inicial había provocado; mejor hubiera sido invertir ese tiempo en escuchar y guiar a su adolescente.

Para quienes tienen el control

Lynn sabía que algo molestaba a su hija Jessica. La muchacha de 16 años había permanecido silenciosa durante toda la cena y, al término de ésta, en lugar de apresurarse escaleras arriba para chatear con sus amigos en Internet, había permanecido sentada a la mesa, como dando a entender que quería hablar. Finalmente Jessica arrojó la bomba: ella y su novio llevaban casi un año teniendo relaciones y le preocupaba un posible embarazo.

Lynn, una madre soltera que siempre había recomendado a su hija esperar a ser mayor para tener relaciones sexuales, se sintió conmocionada. Pero con sólo ver el rostro de su hija, Lynn se dio cuenta de que ella necesitaba palabras de aliento y, quizá, un abrazo.

Lynn condujo a Jessica a la sala para poder conversar tranquilamente. Admitió que las noticias de Jessica la habían entristecido, pero le aseguró a su hija que le daría todo su apoyo. Alabó que Jessica hubiera decidido hablar con ella francamente. Luego hizo algunas preguntas para detectar las preocupaciones inmediatas de la adolescente.

- ¿Qué tipo de relaciones sexuales habían tenido?
- ¿Había usado protección?
- ¿Por qué pensaba que podía estar embarazada?
- ¿Cuándo había menstruado por última vez?
- ¿Había experimentado otros síntomas sospechosos?

Sin olvidar el estado emocional de la hija, Lynn se esforzó por darle apoyo, seguridad y trató de no juzgarla. Tras escuchar las respuestas de su hija, Lynn sospechó que su hija no estaba embarazada, pero sugirió la compra de una prueba de embarazo casera, seguida de una visita al médico especialista, sin importar cuáles fueran los resultados de la prueba de embarazo. Así, Jessica obtendría más y mejor información sobre métodos anticonceptivos, además de que podrían hacerle pruebas para detectar una posible infección de transmisión sexual. En ese momento, fue de capital importancia concentrarse en las preocupaciones de salud que agobiaban a la adolescente.

Después, Lynn tendría la oportunidad de evaluar sus propias emociones y hacer las paces con el hecho de que su hija era sexualmente activa. Se percató de que estaba realmente preocupada por el estado emocional de su hija. Lynn había sido manipulada emocionalmente siendo una adolescente sexualmente activa, y deseaba que su hija evitara un dolor equivalente. Para ello, habló más con Jessica, preguntando tranquilamente cómo se sentía al ser sexualmente activa, qué expectativas tenía de la relación, y si Jessica sentía que la relación era saludable desde el punto de vista emocional.

No se dé por vencido

Es obvio que mantener la calma no es fácil, especialmente al calor del momento. Si su adolescente ha iniciado la conversación, o si lo que usted ha descubierto lleva a la confrontación, tal vez no cuente con el tiempo necesario para medir su reacción. Incluso puede descubrirse reaccionando negativamente y temiendo haber estropeado la relación con su hijo o hija.

Cierto: una reacción exagerada cierra puertas, pero en muchos casos éstas vuelven a abrirse. Esto significa que, aun cuando haya hablado con su adolescente y sienta que no lo ha hecho bien, existen buenas oportunidades para recuperar lo perdido. De hecho, es útil ver la situación como una ocasión para abrir o reabrir una discusión con su adolescente. Maneje bien las cosas y podrá convertir una crisis potencial en una experiencia de aprendizaje que durará toda la vida.

Mi adolescente es GLBTI (gay, lesbiana, bisexual, transgénero o indeciso)

Descubrir que su adolescente es sexualmente activo resulta ya suficientemente desalentador, pero descubrir que un niño se ha aventurado en prácticas homosexuales puede ser muy difícil de aceptar para algunos padres.

A veces los padres objetan dichas prácticas sexuales basándose en argumentos morales o religiosos, temen por la seguridad física y emocional de su adolescente o quizás tengan que lidiar con la desilusión que produce saber que la conducta de su adolescente no coincide con lo que la sociedad considera "normal". Incluso algunos adultos que aceptan a los homosexuales la pasan mal, tratando de aceptar que su hijo es gay, lesbiana, bisexual, transgénero o indeciso (GLBTI), porque dicha conducta no coincide con sus expectativas.

Si acaba de descubrir que su adolescente ha tenido un encuentro sexual con alguien del mismo sexo, recuerde que no es imposible asimilar esa situación. Resulta muy útil ubicar el descubrimiento en su contexto. Recuerde que los años de adolescencia constituyen una época de experimentación en todo sentido. Las actividades o sentimientos de su adolescente pueden o no ser indicadores de la conducta futura (y tampoco olvide que los adolescentes que se asumen como GLBTI no necesariamente han tenido actividad sexual, ni con el mismo sexo ni con el otro).

Aunque muchas personas afirman haber conocido su orientación sexual siendo muy jóvenes, no siempre es así. Sea cual sea la orientación sexual de un adolescente, no podemos olvidar que se trata de la misma persona que usted conoció y amó antes de que la orientación sexual o los conflictos de identidad entraran en juego.

Al igual que con un adolescente heterosexual, deberá poner en práctica los consejos referidos en páginas anteriores: entender sus emociones y la causa subyacente, identificar sus valores y reconciliarlos con la realidad. Y recuerde estos tres principios fundamentales: respete la independencia de su adolescente, sea justo y sea honesto.

Comprenda sus emociones

Conforme avance en este proceso, piense cuál es la raíz de los sentimientos que está experimentando. Además de las preguntas que se formularía sin importar la identidad sexual del adolescente, es posible que también quiera explorar asuntos relativos al hecho de que su hijo sea GLBTI (la siguiente lista no es exhaustiva; piense en otros temas que puedan ser importantes en su caso):

- ¿Me preocupa que mi adolescente no tenga el futuro que soñé para él, incluyendo casarse y tener hijos?
- ¿Me molesta que mi adolescente sea GLBTI porque esto contradice mis valores religiosos?
- ¿Me preocupan las infecciones de transmisión sexual?
- ¿Me preocupa qué dirán los familiares, los vecinos o la comunidad en su conjunto?
- ¿Me preocupa que mi hijo no sea feliz?
- ¿Siento culpa porque creo que mi forma de pensar, mi estilo de paternidad, llevó a que mi adolescente fuera gay?
- ¿Me entristece que mi hijo atraviese por lo que parece ser una situación o ajuste difícil?
- ¿Me preocupa que molesten a mi adolescente o abusen de él?
- ¿Me siento poco preparado para ayudar a mi hijo o hija a navegar las aguas de la adolescencia, siendo que su experiencia será muy distinta a la mía?

Las preocupaciones que causaron su reacción negativa inicial pueden resultar falsas. Muchos adolescentes GLBTI se convierten en adultos que tienen hijos y relaciones estables, comprometidas, incluyendo el matrimonio o las sociedades de convivencia, en algunos lugares. Además, la mayoría de los adolescentes gays dice vivir su vida más plenamente al hacerlo de manera honesta —sin importar que la honestidad cause conflicto— y no mintiendo. Tomando en cuenta lo anterior, sus temores sobre la potencial infelicidad del adolescente pueden descartarse.

Aunque la sociedad tiene mucho por avanzar en el sentido de crear un ambiente incluyente, ajeno a la orientación o identidad de género, la aceptación y la comprensión de los GLBTI ha avanzado mucho. Esto lleva a pensar que, muy probablemente, sus temores en relación con el rechazo social sean exagerados. Finalmente, si sus temores provienen de la culpa, usted debe saber que, aun cuando la ciencia no ha llegado a conclusiones definitivas sobre los motivos que llevan a una persona a sentirse atraída por otra del mismo sexo o por una del sexo contrario, todo parece indicar que "la causa" nada tiene que ver con el estilo de paternidad ni con problemas mentales.

Analice sus valores

Al avanzar en el proceso, sus preguntas irán pareciéndose a las que se formularía si su hijo fuera heterosexual. La meta es aclarar cuáles son sus valores y, específicamente, qué conductas le resultan objetables.

Pregúntese lo siguiente:
- ¿Estoy en desacuerdo con el sexo antes del matrimonio, independientemente del género de los implicados?
- ¿Rechazo cualquier expresión de sexualidad entre dos personas del mismo género?
- ¿No estoy de acuerdo con el llamado "sexo casual"?
- ¿Me preocupan las actividades sexuales de alto riesgo?
- ¿Rechazo cualquier orientación sexual que no coincida con la de la mayoría?

Si usted siente fuertes objeciones de tipo moral o religioso en relación con la homosexualidad y su adolescente es GLBTI, deberá elegir entre la rígida adhesión a sus creencias (con el riesgo de alejar a su adolescente) y encontrar la manera de aceptar a su hijo o hija. (Si desea enterarse de la opinión de alguien que ha vivido esto en carne propia, lea *Always My Child*, de Kevin Jennings.)

También es útil hablar con su rabino, sacerdote u otro líder espiritual para ayudarle a aceptar la preferencia sexual de su hijo. Existen programas de apoyo para familias con hijos de identidad sexual variable, como el que brinda el Children's National Medical Center, en Washington, D.C.

Tome en cuenta los sentimientos del adolescente

Hasta ahora se ha enfocado principalmente en qué representa para usted la orientación sexual o de género de su hijo, pero no olvide que el asunto principal versa sobre los sentimientos y preocupaciones de su adolescente. Esto es lo más importante. En la mayoría de los casos, los jóvenes GLBTI no disponen de un padre que haya experimentado lo que ellos experimentan, y menos aún de un padre que pueda inducir una sensación de orgullo por ser GLBTI. Esto favorece la sensación de aislamiento de los GLBTI, por lo que resulta indispensable que usted se concentre por completo en las necesidades del muchacho. También destacamos la necesidad de que los padres que intentan ayudar a su adolescente tejan una red de apoyo, conformada por personas que hayan vivido en carne propia una situación similar y que logren comprender cabalmente la experiencia del menor.

Si usted es heterosexual, piense en lo difícil que fue hacer las paces con su propia sexualidad. Ahora reflexione en lo difícil que ello resulta para alguien que sufre estigmatización social, temor al rechazo familiar, e incluso temor por reacciones violentas o abuso.

Claro que sus necesidades también son importantes. La mayor parte de los padres de adolescentes GLBTI se benefician al hablar con otros que han atravesado por situaciones similares y que se han educado sobre los derechos y realidades de la juventud GLBTI. Al final de este libro, encontrará una lista de organizaciones y diversas fuentes de apoyo y consulta que son de mucha utilidad.

Capítulo 2

ANTES DE HABLAR:
COMPRENDA EL DESARROLLO DE LOS
ADOLESCENTES Y TENGA CLAROS SUS OBJETIVOS

Si ha descubierto recientemente o sospecha que su adolescente es sexualmente activo, es posible que lo invada una sensación de urgencia incontrolable. ¿Usa algún método anticonceptivo? ¿Sabe de las ITS? Su mente comenzará a ordenar: "HABLEN AHORA".

Y deben hacerlo. Su adolescente lo necesita más que nunca. Si lo hace bien, podrá desempeñar papeles importantes: se convertirá en una fuente primaria y confiable de consejo respecto al sexo y los métodos anticonceptivos; se volverá una suerte de caja de resonancia en que los pensamientos de su adolescente se amplificarán; sentirá mayor seguridad al conducir a su hijo por la vía de las decisiones saludables e inteligentes en lo relativo al sexo. Si falla al hablar con él o ella, habrá perdido una oportunidad de oro para tener influencia en las elecciones de su adolescente; le será más difícil ejercer una participación activa en el desarrollo de su hijo hacia una vida adulta y feliz.

Así que, en efecto, debe hablar. Pero antes de hacerlo invierta tiempo identificando claramente sus objetivos.

PREGÚNTESE CUÁLES SON
SUS EXPECTATIVAS

- ¿Espero convencer a mi adolescente de que el sexo antes del matrimonio es moralmente incorrecto?
- ¿Espero convencerlo de que el sexo es peligroso y desagradable, de modo que opte por dejarlo?
- ¿Espero obligarlo, amenazarlo o chantajearlo para que se abstenga de tener sexo de ahora en adelante?

Si respondió positivamente a cualquiera de las preguntas anteriores, hará bien en replantear sus objetivos y los métodos para llevarlos a cabo. No es realista ni útil asumir que puede amenazar o chantajear a cualquiera para que acepte la abstinencia. Quizá logre que, por miedo a desilusionarlo o al castigo, el adolescente detenga su conducta, pero es mucho más probable que deje de hablar del tema con usted y siga siendo sexualmente activo, pero sin el beneficio de su consejo. Y si su adolescente percibe falta de respeto o advierte mentiras, es posible que la relación entre ustedes sufra en el largo plazo.

Su meta: una comunicación abierta

Gracias a la investigación sabemos que, cuando hay una buena comunicación entre los adolescentes y sus madres, por ejemplo, los adolescentes tienden a practicar la abstinencia. Esta comunicación ha de basarse en una discusión abierta, carente de juicios, en que ambas partes se muestren respeto. Y esto ha tener lugar en varias conversaciones, no en una sola. En el mejor de los casos, los adolescentes y los padres se sienten igualmente incómodos al abordar el tema "de las abejitas y los pajaritos"; en el peor de los casos, la conversación resulta completamente inútil.

En lugar de tener una sola conversación prolongada, encuentre momentos adecuados en que pueda hacer llegar el mensaje de que el sexo es un acto adulto con consecuencias serias, de adultos, tanto físicas como emocionales y que, por lo tanto, exige actuar de forma responsable.

Esto no hará que los adolescentes dejen de tener sexo, pero esforzarse por tener una comunicación abierta y continua logrará trascender en muchos aspectos:

- **El vínculo entre padres y adolescentes se fortalece.** Los adolescentes se encuentran inmersos en una transición excitante y llena de retos, que va de la infancia a la vida adulta. Se encuentran en un periodo de crecimiento y evolución para llegar a ser individuos. Al hablar y escuchar, construirán una relación de respeto y confianza que dará a su hijo el apoyo necesario en esta etapa y en la vida adulta.

- **Usted se asegura de que su hijo obtenga información confiable y ayuda médica.** No permita que las decisiones de su hijo se basen en información proveniente de amigos, de Internet o de la escuela. La mayoría es falsa; otras fuentes simplemente no reflejarán sus puntos de vista o valores. Al participar, podrá asegurarse de que su adolescente está obteniendo información fiable, que presenta el sexo con un punto de vista afín al suyo.

- **Permite que los padres alienten la responsabilidad sexual.** La discusión abierta da a los padres la oportunidad de destacar los riesgos, expresar preocupaciones e influir en la conducta de los adolescentes. Los padres pueden ofrecer su guía al sentar límites a la actividad sexual, de manera que los adolescentes tiendan a evitar situaciones que lamenten en el futuro. Practiquen y discutan distintas formas de negarse al sexo o emprender negociaciones simuladas sobre la necesidad de utilizar condón.

- **Ayuda a que los adolescentes vean a sus padres como una fuente de apoyo.** Cuando los padres abren la puerta, los adolescentes la pasan mejor al pedirles consejo cuando se presenta una crisis. Dicha crisis puede ser grande, pequeña o mediana —una de esas que cambian la vida o una de las que resultan meramente formativas.

- **Favorece que los padres den a los adolescentes una visión sana de la sexualidad.** La sexualidad es una parte tremendamente satisfactoria de las relaciones humanas, pero los adolescentes, en especial los GLBTI, suelen recibir un mensaje contradictorio, a veces bienintencionado, en el sentido de que el sexo es peligroso, atemorizante o dañino. Al hablar de sexo, usted dejará a un lado los tabúes y ayudará a que su adolescente se convierta en un adulto sexualmente saludable, feliz y cariñoso.

LA APERTURA NO SIEMPRE ES FÁCIL

Al igual que sucede con la mayoría de las soluciones, siempre existen inconvenientes. El más obvio consiste en que usted ha de liberarse de la natural inclinación que tienen los padres a decidir por sus hijos de cualquier edad. Esto es especialmente difícil si no comparten el mismo esquema de valores.

Afrontémoslo: hablar con los hijos de sexo puede ser desagradable, para usted y para el adolescente. Ambos sentirán la misma aversión al pensar o hablar de la sexualidad del otro. Si el diálogo forma parte de la cotidianidad entre padres e hijos, las cosas serán más fáciles y se sentirán más cómodos. Conviene recordar, especialmente en esos momentos delicados, que a largo plazo los beneficios de hablar con su adolescente son mucho más importantes y duraderos que la incomodidad inicial.

La historia de Lynn

Lynn, una estudiante de 19 años, ha estado saliendo con Nick durante más de un año. Un día llama a sus padres (estando ambos en la línea) y les pregunta si ella y Nick pueden usar la casa de campo de la familia el siguiente fin de semana.

Sus padres, Rita y Larry, quedaron en estado de shock y tristes. Ninguno dudó en negarse a la petición y, enojados, recordaron a la muchacha sus valores: nada de sexo fuera del matrimonio.

Lynn se molestó por el hecho de que sus padres asumieran que estaban teniendo sexo. Su madre repuso: "¿O no es así?". Lynn, a la defensiva, respondió amablemente a su madre que no, que ella y Nick no estaban teniendo sexo, pero que ella había tenido sexo desde antes, en primero de preparatoria. Rita y Larry volvieron a quedar conmocionados al escuchar tales noticias abruptamente y vía telefónica.

Lynn dijo que, en aquella ocasión, habría deseado hablar con su madre sobre esa primera relación sexual, en especial tras la ruptura con la pareja involucrada, situación que la hizo sentir devastada. No lo hizo. Y se quejó de que su familia nunca hablaba de sexo, por lo que sintió que una discusión al respecto sería imposible.

Rita se dio cuenta de que había perdido una oportunidad importante para ayudar a su hija en un momento especialmente complicado desde el punto de vista emocional. La llamada terminó con lágrimas, un adiós desencantado y la promesa de volver a hablar pronto. Larry siguió enojado porque Lynn hubiera tenido sexo a edad tan temprana. Rita estaba más triste que enojada; confesó a una amiga que la revelación la había afectado, y que le dolía mucho que Lynn hubiera tenido que afrontar sola la situación.

Cuando Lynn visitó la casa de sus padres el siguiente fin de semana, Rita reservó tiempo para conversar con su hija a solas. Sabía que la reacción emocional de Larry aún no daba lugar a otra más constructiva. Lynn y Rita se sentaron a hablar sobre la primera relación de Lynn, sobre cómo se sentía respecto de su novio actual y sobre cuáles eran los aspectos que la hacían dudar al considerar tener sexo con él. Rita recordó a Lynn que si tenían sexo, una posterior separación sería más dolorosa, puesto que el novio estudiaba en una universidad ubicada en otro estado y no podrían verse con regularidad.

Al final de la conversación, Rita sugirió que Lynn hiciera una cita con su ginecólogo para informarse sobre métodos anticonceptivos e infecciones de transmisión sexual antes de volver a tener relaciones. Lynn ya había consultado antes al ginecólogo, pero no había sentido entonces la necesidad de abordar esos temas con el especialista. Ahora, coincidía con su madre en que el momento había llegado.

Cuerpos cambiantes, cerebros en desarrollo

Como parte de la preparación indispensable para emprender una conversación continua con su adolescente, usted debe comprender qué le sucede desde el punto de vista fisiológico y emocional. El término "adolescente" se refiere a todos los cambios físicos, sociales, emocionales y psicológicos que un niño enfrenta entre los 13 y los 19 años, aproximadamente. Estamos ante el periodo de transición entre la infancia y la vida adulta.

Normalmente concebimos esta época como una de las más complicadas y confusas, pero es importante recordar, estereotipos aparte, que la mayoría de los adolescentes no tienen conflictos mayores con sus padres. Por confusa que pueda ser para nosotros su conducta, la mayoría va razonablemente bien en la escuela, sigue las reglas, ama a sus padres y llegará a ser un adulto sano.

A pesar de ello, no podemos negar que esta etapa de la vida es turbulenta y confusa. Quizá recuerde usted esos años vividos en carne propia en los que, de pronto, se vio forzado a lidiar con un cuerpo que cambiaba minuto a minuto —produciendo pelo, acné y grasa corporal de la nada— mientras trataba de asimilar un nuevo orden social en casa. Por una parte, trataba de convencer a sus padres de que ya no era un bebé y también sentía los pros y los contras, la gran responsabilidad que ese hecho conlleva. En la escuela, todas las relaciones parecían fuera de control, puesto que la amistad simple y llana es sustituida por la posibilidad del amor. Usted enfrentaba una horda de emociones y necesidades nuevas. Era un periodo de inmensas posibilidades, pero también de cambio e intranquilidad.

Para cuando llegan a la adolescencia temprana, la mayoría de los jóvenes ha desarrollado su propia personalidad, intereses y preferencias. Están cambiando, y estos cambios afectan su visión del mundo y la manera de interactuar con todos, incluyendo a los padres, maestros y amigos.

Tomando en cuenta lo anterior, no se sorprenda de que los adolescentes la pasen difícil tratando de averiguar quiénes son y conformando una imagen de sí mismos. De pronto, comienzan a preocuparse exageradamente por su apariencia y sienten el aguijón de la autoestima que se pregunta, por vez primera, qué opinión tiene el mundo de ellos.

También es posible que se sientan frustrados conforme su deseo de independencia choca con la realidad de que aún son dependientes de sus padres y de otras personas.

Los adolescentes jóvenes suelen tener:

- intereses intelectuales expandidos (algunos muestran esta característica un poco después);
- la capacidad de pensar en abstracto (algunos muestran esta característica un poco después);
- una mayor capacidad de expresión;
- una creciente expectativa de independencia;
- enfoque en el presente, pensando menos en el futuro;
- un interés creciente en el sexo y se preocupan por ser sexualmente atractivos para otros;
- cambios en su círculo social en tanto que definen su personalidad; también cambian los gustos y las antipatías;
- preocupaciones respecto de lo que es normal y si podrán ajustarse al molde;
- la certeza de que los padres no son perfectos, por lo que cuestionan sus decisiones;

• un mayor interés en pasar más tiempo con los amigos y menos con la familia.

Durante los años de adolescencia temprana, los chicos y chicas ponen a prueba los límites, distanciándose un tanto de los padres, experimentando con el sexo y las drogas, y pasando de tener amigos del mismo sexo a tenerlos del sexo opuesto. Aunque son más maduros que antes, todavía suelen actuar impulsivamente y acuden a la conducta infantil de tiempo en tiempo.

Conforme crecen, los adolescentes continúan su camino hacia la independencia y es común que experimenten un aumento en la autoestima.

LOS ADOLESCENTES DE MAYOR EDAD SUELEN TENER:

• una mayor capacidad para tomar decisiones propias;
• un sólido sentido de identidad;
• capacidad autocrítica;
• la capacidad de analizar conceptos e ideas en profundidad;
• una mayor habilidad para comprometerse y para aceptar la gratificación postergada;
• una mayor estabilidad emocional;
• mayor interés o preocupación por los demás;
• aumento de confianza en sí mismos;
• menos interés en las relaciones de pareja, dado que entran en juego nuevos intereses;
• menos conflicto con los padres.

Los adolescentes de mayor edad tienden a tener mayor capacidad que los más jóvenes para concentrarse en el futuro y comportarse en consecuencia. También son capaces de resolver mejor sus problemas, se sienten seguros de su identidad sexual, sostienen relaciones más serias y se comprometen. Algunos adolescentes seguirán luchando a estas alturas con la impulsividad, pero la mayoría irá perdiéndola conforme lleguen a los 18 o 19 años.

EL CUERPO ADOLESCENTE

No olvidemos que el contexto de todos estos cambios se encuentra en la pubertad, una etapa de maduración física y sexual que dura cerca de cinco años. Los niños y las niñas alcanzan la pubertad en momentos distintos, lo que varía mucho de individuo a individuo.

La edad en que las personas alcanzan la pubertad se ha reducido significativamente. Hoy, es típico que las niñas lleguen a la pubertad entre los 8 y los 17 años (en promedio, las niñas afroamericanas llegan a la pubertad antes que el promedio de la población, como sucede en el caso de las niñas con sobrepeso. La pubertad suele durar más en niñas que hacen mucho ejercicio).

Durante la pubertad, el cuerpo libera hormonas que detonan cambios. En el caso de las niñas, estos cambios incluyen crecimiento, especialmente el vertical; desarrollo de los pechos; crecimiento de vello corporal y púbico; cambios en la vagina, útero y ovarios; menstruación; ensanchamiento de las caderas y cambio de la forma corporal en general, y también padecen la llegada del acné, los olores corporales y cambios en la piel. Al alcanzar los 17 años, el desarrollo femenino suele estar completo.

En el caso de los varones, la pubertad usualmente comienza entre los 9 y 16 años. Un niño también experimentará periodos de rápido crecimiento, especialmente en lo referente a la altura. Los hombros se ensanchan; el pene, el escroto y los testículos crecen. Experimenta eyaculaciones nocturnas (también llamadas "sueños húmedos"). Le crecerá vello facial y púbico; sobreviene el acné, los olores corporales y cambios en la piel, además del típico engrosamiento de la voz. Se registra un leve aumento de peso cerca de los 11 años, e incluso experimenta ligero crecimiento de los pechos, aunque éste desaparece al final de la pubertad.

Suena divertido, ¿no? Pero espere: muchas cosas más le están sucediendo a esa persona conocida anteriormente como su bebé.

El cerebro adolescente

Probablemente haya notado que los adolescentes pueden ser irracionales. Los barren sus emociones: el amor, el odio, los celos, la admiración. Son impulsivos. A veces toman malas decisiones. En suma, son... casi adultos, ¿no? Bueno, sí y no, al menos en lo referente a su manera de pensar. Quizás, la mayor diferencia que existe entre los adultos y los adolescentes es la falta de experiencia, de información con la cual orientar su intuición.

Recientes investigaciones científicas demuestran que existen más diferencias. De hecho, ahora se piensa que los años de adolescencia constituyen una etapa de enormes cambios para el cerebro. Parte de este cambio es una extensión del desarrollo anterior a la adolescencia misma. Por ejemplo, el sistema límbico (que controla las emociones, las percepciones y el procesamiento de información de tipo social) es una de las primeras partes del cerebro en desarrollarse. Esto significa que los adolescentes tienen sentimientos más intensos y suelen ser más conscientes de su posición social que cuando eran niños.

Simultáneamente, la parte del cerebro encargada de la *función ejecutiva* —la que controla el comportamiento orientado a la consecución de metas por medio de planes— no se ha desarrollado por completo, por lo que se hace difícil tomar decisiones intuitivas y controlar sus impulsos. El cerebro de los adolescentes también atraviesa por un periodo en que reorganiza las conexiones cerebrales, entrando a una fase de reestructura que puede complicar aún más la toma de decisiones.

Diversos estudios han mostrado que las ondas cerebrales de los adolescentes se comportan de manera distinta si se les compara con las del cerebro adulto, sobre todo en lo que respecta a la búsqueda del placer y al asumir riesgos. Para los adolescentes, las recompensas importantes disparan una respuesta más intensa que la de los adultos. En consecuencia, es más probable que los adolescentes vayan por la recompensa mayor en lugar de conformarse con las ganancias menores, convirtiendo los años de adolescencia temprana en la edad ideal para asumir riesgos. No es coincidencia que la tendencia a asumir riesgos se incremente justo en el mismo momento en que los humanos se preparan para encontrar pareja y reproducirse, actividad que en los primeros días del hombre pudo haber requerido una mentalidad afín a los riesgos.[1]

Por supuesto que los efectos son mayores en el caso de ciertos adolescentes. Por lo general, los niños pequeños que fueron capaces de controlar sus impulsos —resistir la tentación de las galletas, en un estudio— tienen mayor éxito al controlar sus impulsos durante los años de adolescencia.

No olvide las hormonas

Para tornar las cosas aún más complejas, el cerebro de los adolescentes se encuentra bajo la influencia de las hormonas que se secretan durante la pubertad. En los niños, la testosterona puede sobrestimular la amígdala

---

[1] Kendall Powell, "Neurodevelopment: How Does the Teenage Brain Works?", *Nature* (24 de agosto de 2006).

cerebral (asiento del impulso que nos hace luchar o huir y centro de control del miedo, la agresión, el interés sexual, el dominio y la territorialidad), lo que causa numerosas conductas volátiles en los adolescentes.[2]

Por otra parte, las niñas experimentan grandes cambios en la producción de progesterona y estrógeno durante la pubertad. Dado que esas hormonas afectan el humor, la variación en los niveles de éstas resulta en dramáticos e intempestivos cambios de estado de ánimo, entre otros efectos.

Unas palabras sobre orientación e identidad sexual

En nuestra sociedad, tendemos a asumir que las personas son heterosexuales e identificamos el género con los genitales.

Los expertos en adolescentes gays, lesbianas, bisexuales, transgénero e indecisos, además de encuestas dirigidas especialmente a dicho grupo, señalan que esta postura no provee una imagen realista de todos los adolescentes. Si su ideal de vida consiste en crecer, casarse con una persona del sexo opuesto y tener hijos, quizá ese ideal esté lejos de la realidad percibida por su adolescente, por sus amigos, por otros miembros de la familia o por otras personas que el adolescente conocerá a lo largo de su vida.

Por lo tanto, tiene sentido la utilización de términos genéricos neutrales cuando es posible. En lugar de decir a su hijo: "Algún día encontrarás a una gran mujer, te enamorarás y te casarás con ella", podría usted optar por algo más neutro o general, por ejemplo: "Algún día encontrarás a alguien que te amará tan profundamente que desearás comprometerte de por vida". Si su adolescente es GLBTI, estará enviándole un mensaje incluyente y que refleja aceptación. Si su adolescente es heterosexual, creará un ambiente en que todos reconozcan y respeten a la gente con identidad de género u orientación distinta.

---

[2] David Walsh, *Why Do They Act That Way? A Survival Guide to the Adolescent Brain for You and Your Teen*, Free Press, Nueva York, 2004.

En décadas recientes, la percepción sobre los gays y las lesbianas ha cambiado (también ha cambiado para los transgénero, pero los avances no han sido tan significativos). Conforme se desdibuja el estigma, los adolescentes se han ido sintiendo más cómodos aceptando su orientación o preferencia a edades más tempranas. Esto significa que es más probable que su adolescente se encuentre con otros que, abiertamente, se identifiquen como GLBTI.

Ya sea que su adolescente se identifique o no como GLBTI, le servirá conocer un poco más sobre la orientación e identidad de género. A continuación, definimos algunos términos de uso común:

Orientación sexual: se refiere al género al que la persona se siente atraído, tanto en lo romántico como en lo sexual, y se clasifica a su vez de acuerdo con el género. Las orientaciones más comunes son la heterosexual, la gay, la bisexual y la lésbica.

Conducta sexual: se refiere a las actividades sexuales de una persona (y es distinta a la orientación sexual).

Heterosexual: un hombre o mujer que se siente romántica o sexualmente atraído por personas del sexo opuesto.

Gay: una persona (varón por lo regular) que se siente romántica o sexualmente atraído por una persona del mismo sexo.

Homosexual: término clínico ampliamente superado, con connotaciones peyorativas para muchos en la comunidad gay. Se prefieren los términos "gay" y "lesbiana".

Bisexual: alguien que siente una fuerte atracción tanto por hombres como por mujeres. Tal vez la persona se sienta más atraída por un género que por el otro, o experimente una atracción equivalente por ambos sexos.

Lesbiana: una mujer que se siente romántica o sexualmente atraída por otras mujeres.

Transgénero: una persona cuya identidad de género es distinta de aquella con la que nació (una persona con genitales masculinos que se identifica como mujer, o viceversa). Las personas transgénero suelen vestirse con ropa del género con que se identifican; uno debe dirigirse a ellas con el pronombre genérico con que dichas personas se identifican.

Raro: término que, en su momento, fue estrictamente peyorativas y se refiere a todas aquellas personas que no son heterosexuales. En la actualidad, el término ha pasado a ser utilizado con orgullo por las personas GLBTI, aunque no es aceptado universalmente. Recomendamos no utilizarlo, a menos que usted sea GLBTI.

Indeciso: alguien que todavía se encuentra en el proceso de determinar su orientación o identidad de género, o que no se identifica con ninguna etiqueta en particular.

Identidad de género: la manera en que nos identificamos con nuestro género, ya se trate del masculino, el femenino o transgénero.

Salir del clóset: el proceso de comunicar a los demás que se es gay o transgénero. Quien ya "salió del clóset" mantiene una actitud abierta sobre su orientación o identidad de género (existen diversos grados de apertura: abierto en el ámbito familiar pero no en el trabajo, por ejemplo).

Estar en el clóset: se refiere a la persona que oculta su identidad de género, su orientación o conducta sexual.

Concéntrese en lo positivo

Es fácil enfocarnos en los puntos débiles: su hija tal vez esté demasiado preocupada por su apariencia, o pase demasiado tiempo chateando en línea con sus amigos. Quizá usted se moleste con sólo ver su cuarto, o por la elección de sus amigos, o por su completa falta de interés en los sucesos actuales.

Recuerde que los adolescentes suelen tener aspectos positivos que superan ampliamente las debilidades —algo que la mayoría pasa por alto. De hecho, es común que los adolescentes sientan baja autoestima; se preocupan mucho por lo que los demás piensan de ellos y tienen la sensación de quedarse cortos. Sienten que sus pechos son demasiado pequeños, o que están pasadas de peso, o que no son suficientemente agradables, listos, hábiles, masculinos o atléticos —usted ya se la sabe.

Las investigaciones demuestran que los adolescentes con buena autoestima se cuidan mejor en lo emocional y lo físico.

Como padre, usted tiene muchas oportunidades para aumentar la autoestima de su adolescente, pero al hacerlo deberá mirarlo desde una nueva perspectiva. Resulta fácil dejarnos guiar por sus tendencias más molestas —se pasa una hora cada mañana arreglándose en el baño, entretenida con sus rizos, con la plancha para el cabello y parece que no puede estar separada de su cuenta de MySpace, ni siquiera lo suficiente como para hacerle el menor caso a usted. Sin embargo, al tratar de abordar las cosas desde un nuevo punto de vista, podemos darnos cuenta de que es una persona muy cuidadosa con su aspecto personal y excelente para las relaciones sociales.

Tómese un momento para pensar en las virtudes de su adolescente —escríbalas si le resulta útil— y téngalas en mente al hablar con él o ella. Usted se dará cuenta de que su adolescente es:

- responsable;
- competente;
- bueno para las relaciones con la comunidad y los amigos;
- cariñoso;
- sensible a los sentimientos de los demás;
- decidido;
- pronto a defender sus creencias;
- persistente;
- creativo;
- razonable;
- tranquilo;
- divertido.

Obviamente, esto no significa que usted debe ignorar los aspectos negativos. Si su adolescente pasa tres horas cada noche chateando con sus amigos en lugar de hacer la tarea, usted necesitará abordar esa conducta.

Reconozca lo positivo. Al decir: "Me parece maravilloso que hayas desarrollado un grupo tan unido de amigos", por ejemplo, se hace hincapié en las fortalezas antes que en las debilidades. Simultáneamente, usted dispone de un buen punto de referencia para discutir las cosas en mayor profundidad, alentando el cambio si es necesario.

ASPIRE A LAS SIETE C

El objetivo último es ayudar a que su adolescente se convierta en un adulto sano —lo que se mide por medio de la resiliencia* ante factores que producen estrés. La American Academy of Pediatrics ha identificado siete características de la resiliencia.[3] Se les conoce también como las Siete C:

Competencia: la habilidad para manejar las situaciones eficientemente.

Confianza: esperanza firme en las propias capacidades.

Conexión: lazos estrechos con la familia, los amigos, los compañeros de escuela y la comunidad.

Carácter: un sentido fundamental de lo correcto y lo incorrecto.

Contribución: un sentido de propósito que acompaña al deseo de hacer elecciones que mejoren el mundo en que vivimos.

Confrontar: la habilidad para enfrentar efectivamente los retos.

Control: sobre las decisiones y los actos.

Conforme los adolescentes (o cualquier persona) sean capaces de afinar la práctica de las Siete C, tendrán mejores elementos para enfrentar los retos de la vida. Ayúdelos a hacerlo y les estará dando armas que les servirán para el resto de su vida.

TOME EN CUENTA EL TEMPERAMENTO

Tal vez su adolescente sea feliz, alerta y activo. O quizás su hija sea callada, introspectiva y distraída. Es posible que usted haya notado tendencias desde su infancia; un bebé que comió y durmió a sus horas y fue siempre feliz, por ejemplo, se convirtió en un adolescente con una actitud relajada y alegre.

El temperamento es una parte de la personalidad cuya clasificación suele simplificarse atendiendo sólo a la extroversión o introversión de un individuo. No obstante, en realidad, el temperamento se conforma de muchas otras características, incluyendo el grado de actividad, la regula-

---

* *N. del T.* El término "resiliencia", a pesar de ser ampliamente utilizado por profesionales, no ha sido reconocido aún por la Real Academia de la Lengua Española. Las ciencias sociales adoptaron este término para caracterizar la capacidad que desarrollan aquellas personas que, a pesar de nacer y vivir en situaciones de alto riesgo, superan la adversidad y se convierten en individuos psicológicamente sanos y productivos.

[3] American Academy of Pediatrics, *Helping Your Child Cope With Life*, 2006.

ridad y adaptabilidad en cuestiones emocionales, la intensidad de éstos, el humor, o el grado de distracción, persistencia y sensibilidad.

A pesar de que el temperamento es afectado por el medio (el niño que se distrae con facilidad puede recibir ayuda y superar esta tendencia fácilmente), gran parte de nuestro temperamento permanece inamovible a lo largo de la vida. Así que no se sorprenda si su hija de intenso temperamento emocional responde a la desilusión de manera altamente dramática; tampoco espere que su hijo tímido, introvertido, cambie de repente y se convierta en un adolescente que acuda a usted ante cualquier duda o pregunta que se le ocurra.

Al considerar las ideas expuestas en este libro, deberá tomar en cuenta el temperamento de su adolescente. ¿Se mostrará abierta y le hablará libremente de sus verdaderos sentimientos y emociones? ¿O es más probable que usted deba iniciar y sostener la conversación? ¿La naturaleza misma de su hijo o hija le hace difícil hablar de cualquier tema personal?

Los adolescentes tranquilos y tímidos que se esfuerzan por llevar las cosas en paz y evitar los conflictos, pueden parecer más fáciles a los padres que los adolescentes impulsivos y extrovertidos que luchan por afirmar su independencia. Pero es posible que el adolescente introvertido requiera guía adicional cuando se trata de los amigos, las citas o pedir apoyo a un adulto. También se da el caso de que el adolescente extrovertido requiera un trato radicalmente distinto, basado en la negociación y la supervisión de los padres. Usted debe tomar en cuenta todos estos factores al prepararse para hablar con su adolescente.

Prepárese para el éxito

En el ámbito de los bienes raíces, la ubicación lo es todo. En la comedia, la oportunidad impera. Al comunicarse con su adolescente deberá tomar en cuenta ambos factores en cierta medida. En condiciones ideales, usted querrá asegurarse de que la conversación se desarrolle en un ambiente cómodo, íntimo y libre de distracciones, además de elegir un momento adecuado que facilite la cooperación del adolescente.

Por supuesto no siempre es posible controlar el ambiente en que tiene lugar el intercambio. Si usted entra a la habitación de su adolescente y lo descubre desnudo en la cama con la novia, no tendrá mucho tiempo para planificar cómo y cuándo abordar el tema del sexo (aunque este tipo de situaciones tienen también su lado positivo, pues sienta una base sólida para emprender una conversación sobre control natal y protección ante infecciones de transmisión sexual, así como para sentar de una vez por todas las reglas de la casa).

O, si usted está viendo la televisión con su hija adolescente y presentan un comercial relacionado con el control natal, hará bien en aprovechar la oportunidad para hablar, sin tener que esperar a que llegue un momento mejor.

A pesar de todo, habrá ocasiones en que usted determine el mejor momento para hablar; piense bien cuál es. A continuación ofrecemos algunas sugerencias:

- **Deje que pase el tiempo suficiente para calmarse.** Si estuvo toda la noche despierto esperando a su adolescente (o si durmió en el sillón hasta escuchar el sonido de la llave en la chapa a las tres de la mañana), es probable que usted se encuentre enojado y cansado. Está bien admitir su molestia, pero fije un momento distinto a lo largo del día para discutir el asunto. Usted será un mejor comunicador si se siente descansado; es menos probable que la ira termine por dominar, si se permite descanso y tiempo para calmarse.
- **Déjelo dormir.** A menos que tenga usted al raro adolescente que se despierta en cuanto despunta el día, sonriente y alerta, las primeras horas de la mañana suelen ser mal momento para tener una conversación efectiva. Resista la tentación de sacar a su hijo o hija de entre las sábanas para empezar las averiguaciones sobre lo sucedido la noche anterior. En lugar de ello, espere a que haya tenido tiempo de despertar y echar a andar la maquinaria.
- **Encuentre un lugar tranquilo para hablar.** Si su sala suele estar ocupada, o es el lugar en que el resto de la familia usa videojuegos de los que no se apartan con facilidad, es obvio que no resulta adecuada. Encuentre un sitio tranquilo que ofrezca intimidad y que no facilite las interrupciones.
- **Encuentre el momento propicio.** No es mala idea hablar a los hijos de control natal la semana anterior a la fiesta de graduación; es muy mala idea hacerlo cuando están a punto de subirse al coche que los llevará a la fiesta. Procure que la conversación se lleve a cabo en momentos libres de tensión para que no quede diluida en el trajín de eventos más importantes.

- **Considere otras opciones.** Es mejor hablar con su adolescente frente a frente, haciendo contacto visual frecuente y utilizando un lenguaje corporal abierto y tolerante. Si usted o su adolescente la pasan difícil para entablar la conversación, tal vez evitar hablar frente a frente sea una opción viable. Al hablar mientras conduce el auto se reduce la tensión, dado que tendrá que mirar el camino. Hablar a oscuras (en el jardín a la luz de la luna, por ejemplo) alentará a su adolescente a hablar sin temor de sonrojarse. También es posible planear una actividad que le permita mirar otra cosa mientras habla. Esto funciona mejor si se trata de una actividad corriente en la vida diaria, como arreglar el jardín, cocinar, caminar, remar o lo que sea. Ambos dispondrán de algo que ver en tanto hablan, lo que aminora la tensión de un encuentro cara a cara.
- **Ceda un poco de control.** Si necesita referirse a un tema específico (una promesa rota, por ejemplo) y detecta cierta resistencia, permita que su adolescente elija el momento adecuado para hablar. Ceder el control de una faceta de la conversación ayuda a que su hijo o hija se sienta menos abrumado.

¿QUIÉN DEBE HABLAR?

Por lo general, las conversaciones entre padres y adolescentes del mismo género son más cómodas. A menos de que uno de los padres esté ausente o se encuentre completamente alejado, conviene que ambos padres participen en las charlas sobre sexo. Después de todo, es probable que cada padre tenga perspectivas y experiencias particulares que aportar. Si su adolescente tiende a preferir a uno de los dos, el papel de comunicador en jefe debe recaer en uno de los padres.

Si su adolescente se siente incómodo hablando con cualquiera de sus padres, negocie una intermediación con un tercero de confianza —un ministro religioso, un amigo de la familia, una tía o tío, un trabajador social o del ámbito médico— que pueda hablar sobre temas relacionados con la sexualidad y el sexo. Facilite el encuentro, pero respete el derecho a la intimidad de su adolescente permitiendo que la conversación sea confidencial. Y ofrézcale oportunidades para hablar con usted en el futuro. Puede tratarse de algo tan simple como decir: "Sé que estás hablando con el tío Joe sobre esto, pero siempre estaré listo si quieres hablar conmigo". Deje la puerta abierta y tal vez llegue el día en que su adolescente la traspase espontáneamente.

EMPEZAR LA CONVERSACIÓN

En condiciones ideales, usted ya habrá pasado años enteros hablando con su adolescente sobre el cuerpo humano, el sexo y la sexualidad —respondiendo las preguntas típicas de los infantes como por qué tiene usted senos, o tranquilizando a su preadolescente tras un "sueño húmedo".

Si no ha tratado gran cosa con su adolescente respecto de estos temas, no entre en pánico. Y no permita que este hecho le impida abrir la conversación en ese momento; pero dado que usted está llevando las cosas por nuevos caminos, debe reconocerlo especificando que se internan en un territorio que nunca antes habían visitado juntos y que lo hace por un motivo de peso. Después de todo, su adolescente está entrando en un periodo tempestuoso de la vida que requiere un nuevo grado de discusión. Hable de ello. Diga algo como: "Estás entrando a una nueva etapa de la vida en que enfrentarás experiencias también nuevas que requieren decisiones de adulto. Esto me lleva a pensar que tú y yo debemos hablar con mayor franqueza que antes. Quizá ambos nos sintamos extraños al principio, pero pienso que va a resultar muy bueno para ti y para mí".

Tal vez su adolescente se muestre ansioso por escucharlo, o bien presente resistencia. En cualquier caso, usted estará haciendo su mejor esfuerzo por no dejarlo solo en momentos difíciles.

Una vez que haya comenzado a hablar, deberá asumir la responsabilidad de mantener viva la conversación. Considere esto parte de su trabajo y otorgue a este tema particular la misma importancia que a cualquier otro.

Una forma de decirlo...

Mamá: Me parece que te cuesta trabajo hablar de esto conmigo.

Meg: Sí, así es. Y ya sé todo sobre este tema por lo que nos enseñan en la escuela.

Mamá: Eso está muy bien. Sé que tus maestros han hecho un buen trabajo, pero creo que ha llegado el momento de que hables con tu pediatra sobre lo que pasa en tu vida. Te revisará y responderá cualquier pregunta específica que te inquiete.

Meg: Está bien.

Mamá: Tu conversación con él será confidencial. No me dirá nada a menos que tú lo apruebes y me parece bien así. Luego, si tienes más preguntas recuerda que siempre puedes acudir a mí. Yo estoy aquí siempre que me necesites. Lo que me preocupa es que estés segura. Si vas a tener sexo, necesitas protegerte de un embarazo y de las enfermedades. Incluso si no tienes planes de tener sexo ahora, te conviene estar preparada para cuando decidas que el momento ha llegado. ¿De acuerdo?

Meg: Sí, gracias.

Mamá: Y no olvides que siempre estoy dispuesta a responderte cualquier pregunta o sólo para hablar.

Obstáculos para la conversación y recursos para alentarla

En ocasiones, uno desea decir lo que piensa verdaderamente. Es normal; usted es humano y, al conformarse las opiniones, se conforma también la necesidad de expresarlas. Esto es especialmente cierto al tratarse de personas que amamos y cuya responsabilidad recae en nosotros. Si usted piensa que su adolescente está tomando una mala decisión, comportándose mal o que de plano le falta sentido común, puede ser casi imposible contenerse.

Es importante pensar antes de hablar y jamás utilizar frases que constituyen un obstáculo para cualquier conversación (afirmaciones que suelen matar el intercambio). Generalmente, los obstáculos a la conversación se conforman por frases que suenan insultantes o que implican desprecio o juicio. He aquí algunas frases que debe evitar:

- No seas ridículo (o tonto).
- No puedo creer que hayas hecho eso.
- ¿Qué estabas pensando?
- Eso fue estúpido.
- No me digas que tuviste sexo con él.
- No me vengas a llorar cuando salgas embarazada.
- En verdad me decepcionas.
- Me siento tan desilusionado de ti.

- Eres una vergüenza para la familia.
- Eres demasiado joven como para hablar de esto.
- No hablarás en serio.

Si al calor del momento falla y se le escapa una de estas frases, una disculpa sincera suele obrar milagros. Sólo deténgase y reconozca que ha dicho algo fuera de lugar o que las palabras fueron mal elegidas y discúlpese. No hay necesidad de abundar más, a no ser por frases que alienten la continuidad, dando por cerrado el asunto anterior, como: "Trato de hacerme a la idea de lo que me acabas de decir", o "Estaba molesto".

Siga adelante y piense en formas de decir las cosas que alimenten la conversación. Por ejemplo:

- No estoy seguro de entender. ¿Me ayudas a comprender?
- En verdad me interesa lo que piensas.
- ¿Podemos hablar de ello?
- Tu opinión me importa.
- Dime más.
- Ésa es una buena pregunta.
- Me da gusto que hayas acudido a mí.
- Quiero ayudarte.
- Trabajemos juntos hasta llegar a una solución.

CÓMO SUPERAR LOS OBSTÁCULOS INTERPUESTOS POR SU ADOLESCENTE

Debe estar consciente y preparado para reaccionar ante los obstáculos o "asesinos" de la conversación que su hijo pueda plantear. He aquí algunos ejemplos.

Obstáculo: "Ese cuento ya me lo sé".

Tal vez su adolescente esté bien informado sobre las cuestiones relativas al sexo (aunque, como lo discutiremos en el capítulo 4, usted no debe conformarse con la educación que la escuela provee). Como sea, señale que el propósito de hablar con usted va más allá de los hechos en sí. Dado que es su labor cerciorarse de que el adolescente esté seguro, necesita una conversación abierta. En última instancia, su adolescente debe hablar con alguien que dé respuesta a las preguntas en un ambiente de intimidad.

Obstáculo: "No quiero hablar".

Si su adolescente no quiere hablar con usted, es normal. Sugiera que lo haga con otro miembro de la familia, con el médico (ofrezca hacer la cita), o con un amigo cercano a la familia. Pero no olvide que "no quiero hablar" significa también "no quiero tener el tipo de conversación que tú quieres iniciar". Generalmente, los adolescentes asumen automáticamente que usted les va a dar un sermón sobre los peligros del sexo o que pretende cuestionar su vida privada. Explique que el objetivo es cerciorarse de que él o ella tome decisiones adecuadas para garantizar su seguridad en lo relativo al sexo. Los adolescentes que se percatan de que los padres intentan establecer una discusión tranquila, sin juicios (en lugar del clásico "no hagas esto y lo otro"), suelen mostrarse más dispuestos a conversar.

Obstáculo: "No estoy teniendo sexo".

Si usted dispone de evidencia o tiene fuertes sospechas de que su adolescente miente, coméntelo, pero evite los juicios tanto como sea posible. Podría decir algo como: "Eso me dices tú, pero encontré un condón usado en el baño y no era mío". Trate de evitar la lucha de poder, pues no le ayudará a lograr el objetivo. Podría continuar con una observación como: "Parece que te resulta muy difícil hablar de esto. ¿Quieres que haga una cita con tu médico para que hablen de estas cuestiones en privado?". De nuevo, recuerde que la principal preocupación es su seguridad y demostrarle que siempre estará dispuesto a hablar.

Obstáculo: "Yo hago lo que quiera con mi cuerpo".

Y otra vez: evite una lucha de poder cediendo ante lo obvio. Podría responder: "Tienes razón, es tu cuerpo y son tus decisiones. Yo no puedo obligarte a hacer o no hacer algo", y continúe expresando su preocupación con algo parecido a: "Me preocupa que no se trate de algo que en verdad quieres hacer y que tal vez te hayas sentido comprometido de algún modo a tener sexo", o: "Quiero asegurarme de que te protejas de un embarazo no deseado y de las ITS".

Obstáculo: Silencio.

El silencio tiene muchos significados, así que haga una pausa y trate de entrar en sintonía. Su adolescente toma su silencio como una oportunidad de abrirse. Si no lo hace, afirme sus valores y explique sus preocupaciones. Si aún no encuentra respuesta, ofrezca poner a su adolescente en contacto con otra persona y asegúrese de recordarle que está disponible en todo momento.

MANDE UN MENSAJE DE AMOR Y RESPETO

Al tratar con su adolescente (ya sea de sexo o de la tarea pendiente), cuide de seguir los siguientes consejos para obtener éxito. El propósito de todos es dar el mensaje de que el adolescente es amado, respetado, y que usted está dispuesto a ayudar. He aquí los lineamientos básicos:

Respete la curiosidad. Por tonta que pueda parecerle alguna de sus preguntas, no se ría. En lugar de hacerlo, reconozca el valor que demuestra preguntar. Podría comenzar con: "Esa es una buena pregunta". Al comenzar con algo en la línea de "no seas tonto", o: "¿Cómo puedes pensar eso?", usted estará garantizando que su adolescente no vuelva a hacerle preguntas. También (y aunque sea difícil en ese momento) es buena idea sonreír al adolescente cuando se le habla de sexo. Se sentirá más relajado y estará enviando el mensaje de que, aunque se trata de un tema serio, no hay necesidad de ser solemne.

Respete su intimidad. Opte por ser precavido al tratarse de las cuestiones que usted cuenta a los demás. Incluso si algo le parece muy gracioso o tierno como para no contarlo —imagine que su niña de 11 años le pregunta si puede embarazarse con un beso—, tome las cosas con calma y considere los pros y los contras de hacerlo. Si piensa que su adolescente podría sentirse avergonzado, traicionado o lastimado por lo que usted cuenta a los demás, entonces cierre la boca. A menos que la seguridad del menor exija la revelación del asunto, respete en todo momento los deseos de su adolescente en cuanto a compartir o no lo conversado con terceros.

Respete su inteligencia. Si no conoce la respuesta a alguna de sus preguntas, acéptelo. No se trata de una competencia. Usted no tiene por qué ser el más inteligente o el más informado del mundo, pero sí debe ser la persona más interesada en ayudarle a obtener respuestas. Ofrezca investigar sobre las dudas o ponerlo en contacto con algún experto.

Tenga cuidado con los comentarios casuales. Desde que nació, su adolescente ha aprendido de usted; ha captado indicios sobre sus valores y perspectivas. Esos indicios dicen tanto o más que sus cuidadosos mensajes. Por ejemplo, imagine que usted afirma ante su adolescente que él o ella puede hablarle de cualquier tema; al poco tiempo usted se entera de que la vecina adolescente ha quedado embarazada y la denigra diciendo que es una puta o que es estúpida. El mensaje que su adolescente recibirá en este caso es: "Si eso me sucede, mi mamá pensará igual de mí".

Si tiene la certeza de que ya ha enviado mensajes erróneos, aclárelos de inmediato. En el ejemplo anterior, usted podría decir: "Sé que cuando se embarazó Carla dije cosas muy feas. Supongo que me impresionó mucho que siendo tan joven tuviera sexo, lo que me parece inapropiado". Siga con algo parecido a: "pero quiero que sepas que yo siempre te amaré y que puedes acudir a mí ante cualquier problema, pase lo que pase".

Piense en cuál es la verdadera inquietud que subyace a sus preguntas. En el caso de los adolescentes más jóvenes, es común que hagan ciertas preguntas sobre el sexo o sobre anatomía en un esfuerzo por determinar si son o no normales. O quizás adjudiquen la duda a un amigo, siendo que en realidad hablan de sí mismos. Usted no tiene por qué exhibirlos (esto resulta contraproducente). Antes de contestar, pregúntese por los verdaderos motivos que inspiran la duda y responda en consecuencia, sin poner en duda la versión de su hijo o hija.

Recuérdele su amor. Aun cuando los adolescentes hagan algo contrario a los valores de sus padres —especialmente en esos momentos—, es importante recordarles su amor, respeto y preocupación. Si su adolescente hizo algo que sospecha está mal, sea claro al afirmar que es la conducta y no la persona la que resulta objetable. Y, por supuesto, una de las mejores maneras de demostrar amor es permanecer involucrado en su vida.

ESCUCHE ACTIVAMENTE

Es probable que usted haya escuchado activamente muchas veces, pero al calor de una conversación muy emotiva es fácil olvidarlo.

Escuchar activamente, o buscar significado al escuchar, es una valiosa herramienta de comunicación. Si escucha activamente, tendrá mejores oportunidades de comprender el significado de lo expuesto. Al confirmar que usted captó la idea correcta, está enviando el mensaje de que pone toda su atención en lo discutido.

Para escuchar activamente, el primer paso consiste en concentrarse en la conversación. Esto significa dejar a un lado toda distracción —ya se trate del *bip* de su *laptop*, de las vibraciones de su Blackberry o del teléfono fijo. Para mandar el mensaje de que su hijo es el centro de su atención, reduzca los ruidos en la medida de lo posible.

Al tratarse temas emotivos entre padres e hijos, no es raro que nuestra atención se desvíe al considerar qué diremos a continuación, lo que provoca que perdamos información importante que nuestro adolescente ofrece justo en ese momento. Al escuchar activamente, usted se esforzará por concentrarse en las palabras, el tono y el lenguaje corporal, reafirmando periódicamente lo que cree entender.

La belleza de este sistema consiste en que no tiene por qué expresar acuerdo o desacuerdo con lo dicho por la otra parte. Simplemente se limita a repetir el mensaje que cree que la otra persona está enviando. Al hacerlo, se crea una atmósfera que favorece la cooperación y hace más probable que los dos puedan trabajar hasta encontrar puntos de acuerdo.

TIPS Y RECORDATORIOS PARA ESCUCHAR ACTIVAMENTE:

- **Preste toda su atención.** Apague los aparatos electrónicos, deje en paz el periódico y mire de frente a su interlocutor.
- **Esté al pendiente de las minucias.** Ponga atención al tono con que habla su adolescente, a las palabras elegidas, al lenguaje corporal y demás particularidades.
- **Reconozca las emociones de su adolescente.** Diga: "Parece que estás enojado", o "Te ves algo triste", por ejemplo.
- **Procure que siga hablando.** Asienta regularmente y válgase de frases como: "Ya veo", o "¿Y qué dijo luego?".
- **Use un tono de voz neutro.** Evite sonar alterado o enojado. Y evite los juicios de valor.
- **Formule preguntas abiertas.** En vez de preguntar: "¿Te puso triste que no te hablara ayer?", diga: "¿Cómo te sentiste al ver que no llamaba?". Esto mantiene sus opiniones al margen y ayuda a que el adolescente exprese sus sentimientos.
- **Haga paráfrasis de lo que escucha.** Diga: "Parece que me estás diciendo que..". o "Si escuché correctamente, quieres decir que..."..
- **Sea honesto.** Si no entiende, dígalo.
- **Escuche las respuestas.** Si su adolescente corrige su interpretación, escuche la información adicional e intente de nuevo.
- **No llegue a conclusiones prematuras.** Si deja de escuchar a mitad del mensaje, sólo obtendrá una parte de la información. Escuche al que tiene la palabra sin adelantar conclusiones.

- **Guarde sus contrargumentos para después.** Dé a su adolescente tiempo para hablar; no ceda a la tentación de corregir falsedades ni responda a las acusaciones hasta que termine.
- **Remarcar.** Incluso si no está de acuerdo con lo dicho, puede sentir empatía por lo que él o ella siente. "Debe ser muy doloroso", o "Seguro deseas que te hubiera dicho eso antes", son buenos recursos para expresar empatía.
- **Procure que su adolescente sugiera alternativas de solución.** "¿Y qué crees que funcione mejor?", o "¿Cómo puedes lograr eso?", son fórmulas adecuadas para llegar al objetivo en cuestión.
- **Ofrezca su ayuda.** Se trata de algo tan simple como decir: "¿Hay algo que pueda hacer para ayudar?".

También asegúrese de que su adolescente lo escucha

Dado que su adolescente quizá no tiene la capacidad expresiva de los adultos, probablemente usted será la única parte que en verdad escuche activamente. Su adolescente, por ejemplo, tal vez no lo escucha ni afirma lo que usted dice, o quizá evita sistemáticamente cualquier juicio sobre los temas tratados. Esto no sólo hace todavía más importante que usted escuche activamente, sino que aumenta el reto al que se está enfrentando.

Puede mostrarse tolerante con el adolescente si perder terreno ni negociar ciertas reglas capitales. Por ejemplo, permita que deje de prestarle atención si las emociones comienzan a imponerse en el intercambio, pero jamás permita la utilización de groserías o las faltas de respeto. Esto no deben consentirlo ninguna de las dos partes.

No discuta a gritos ni entable una lucha de poder respecto a si deben siquiera tener la conversación. Es muy probable que su adolescente se niegue a conceder razón por temor a perder poder. En vez de ello, recuérdele que espera tener una conversación adulta, porque él o ella está tomando decisiones que suelen tener consecuencias importantes. Si la conversación parece imposible por el momento, haga una pausa y reprograme el intercambio para dar tiempo a que todos se calmen. Diga algo como: "Parece que ahora estás muy enojado y es difícil que hablemos. Te entiendo, pero estamos ante un asunto serio que debemos discutir. Será mejor hacerlo después de cenar".

Ahora que tiene una idea mucho más clara de lo que le sucede a su adolescente y de lo que funciona mejor al hablar con él o ella, tenemos las bases necesarias para avanzar en la ayuda que requiere. Pero la realidad es otra: usted todavía no ha visto la fotografía completa. El mundo que nos rodea nos convierte en lo que somos. Y dado que son muy bajas las probabilidades de que su mundo y el de su adolescente coincidan, incluso tratándose de lo que usted vivió a esa edad, el siguiente paso debe consistir en comprender mejor lo que los adolescentes de hoy ven, escuchan y hacen.

Capítulo 3

La locura de los medios, el sexo casual y "los amigos con derechos": El mundo adolescente de hoy

Si usted ha tenido una comunicación relativamente fluida durante el tránsito de la infancia a la adolescencia, ya tendrá alguna idea del mundo en que viven los adolescentes de hoy. Quizás su hija lo ha invitado a ser su amigo en Facebook —y no evita notar que su hija se muestra como "casada" con su novio de los últimos seis meses. También puede descubrir que su tímido hijo le ha ocultado un noviazgo y que tras el ligero "sólo estamos saliendo" hay algo más. O tal vez se entere de andanzas de su adolescente, gracias a lo que un amigo escribe en el "muro" de su hijo.

Cualquiera que sea el caso, a pesar de haberse prometido toda la vida ser un padre tolerante y comprensivo, es muy probable que algunos aspectos de la vida adolescente de hoy le tomen por sorpresa. Las cosas no son lo que eran.

El primer paso para entender el mundo en que su adolescente se adentra es tener una noción clara de los mensajes que el mundo en general les brinda, y del efecto que estos mensajes tienen. Si usted vive cerca de un adolescente, o incluso un preadolescente, sabrá ya que hasta el más introvertido (con mayor razón tal vez) está en línea y posee un teléfono celular. Los adolescentes se comunican entre sí y con el mundo en formas que sus padres nunca imaginaron. No sólo tienen un acceso sin precedentes a las herramientas de comunicación como *e-mails*, mensajes instantáneos, redes sociales y celulares para hablar y mensajearse, sino que se conectan a Internet a cualquier hora del día. Seguramente ahora mismo están enviando mensajes instantáneos a sus amigos para relatarles el último chisme, o a su amor para arreglar una cita intempestiva, o chateando con el dichoso teléfono celular (siempre a la mano, siempre encendido).

Y hemos de señalar que en la exhibicionista era de MySpace o Facebook, los adolescentes se acostumbran cada vez más a compartir casi todo aspecto de su vida con amigos, conocidos y completos extraños.

EL SEXO EN LOS MEDIOS

Los adolescentes son expertos en los medios: en promedio, pasan más de seis horas y media al día viendo televisión, películas, escuchando música, jugando videojuegos, usando la computadora y leyendo publicaciones impresas.[1] Por si fuera poco, son bombardeados con imágenes y temáticas sexuales.

Ejemplo de lo anterior es la televisión, medio en que el número de escenas sexuales casi se ha duplicado desde 1998.[2] Once por ciento de los programas presentan o sugieren fuertemente el acto sexual. Cerca de la mitad de las escenas que representan o sugieren relaciones sexuales involucran a personajes que comparten una relación estable, pero 15 por ciento representa a personajes que se acaban de conocer. Y cerca de 70 por ciento de los programas incluye algún contenido de carácter sexual, promediando cinco escenas de este tipo por hora.

No debe sorprendernos el resultado de una encuesta realizada por la Campaña Nacional para la Prevención del Embarazo de Adolescentes: 61 por ciento de los entrevistados, cuya edad va de 12 a 19 años, dijo que el mensaje que los medios les mandan es que se supone que deben tener sexo. En el mismo tenor, 59 por ciento de las adolescentes dijo que suele recibir el mensaje de que atraer muchachos y verse sexys es una de las cosas más importantes que pueden procurar.[3]

LOS DOMINIOS DE LA PORNOGRAFÍA

Además de ver contenido sexual en la televisión y el cine, los adolescentes tienen mucho mayor acceso a la pornografía del que haya tenido cualquier generación anterior, gracias a Internet. No sólo hay más pornografía disponible, sino que tienen amplio acceso a varios tipos de material pornográfico, lo que significa que están expuestos a

---

[1] Kaiser Family Foundation, "Generación M", marzo de 2005.
[2] Kaiser Family Foundation, "Sex on TV 4", noviembre de 2005.
[3] The National Campaign to Prevent Teen Pregnancy, *With One Voice: America's Adults and Teens Sound Off about Teen Pregnancy*, 2007.

elementos mucho más gráficos que aquellos a los que tuvieron acceso los padres.

La mayoría de los jóvenes no cree que la amplia disponibilidad de pornografía sea algo malo. Por ejemplo en un estudio[4] con 816 estudiantes, los investigadores encontraron que ver pornografía no está mal visto, y que se considera una conducta aceptable. Cerca de 67 por ciento de los hombres y 49 por ciento de las mujeres (universitarios de entre 18 y 26 años) dijeron que ver pornografía es aceptable; 87 por ciento de los varones y 31 por ciento de las mujeres reportaron haberla visto alguna vez. El 48 por ciento de los hombres y 3 por ciento de las mujeres declararon ver pornografía al menos una vez a la semana. Incluso aquellos que no la buscan suelen encontrarla por accidente en sitios web o gracias a publicidad no solicitada de estos sitios.

Respecto de cuánto afecta el ver pornografía, el debate sigue abierto. ¿Al mirar pornografía se despiertan falsas expectativas sexuales en el espectador? ¿La pornografía alienta el maltrato a las mujeres o estimula conductas riesgosas? ¿Refuerza la noción ofrecida por los medios, ya de por sí torcida, de cómo debe ser el cuerpo humano? Las opiniones varían.

Lo cierto es que la pornografía no suele representar relaciones sanas entre los compañeros sexuales. Y aunque algunos productores de contenido para adultos han incluido el uso del condón en las películas, la pornografía todavía no se distingue por la promoción del sexo seguro. Es razonable pensar que al estar expuesto a una gama más amplia de actividades sexuales, se incrementa la probabilidad de que una persona decida experimentarlas. Un estudio sueco, por ejemplo, encontró una relación entre ver pornografía y el incremento del sexo anal en parejas heterosexuales, sobre todo entre los adolescentes de mayor edad.[5] Pero es necesario hacer más estudios de gran escala. Hasta entonces, no podemos afirmar con seguridad cuánto afecta en realidad el ver pornografía.

No obstante, podemos aseverar con cierta seguridad que muchos adolescentes se encontrarán, accidental o voluntariamente, con la porno-

---

[4] S. Janson Carroll, Laura Padilla-Walker, Larry J. Nelson, Chad D. Olson, Carolyn McNamara Barry, y Stephanie D. Madsen, "Generation XXX: Pornography Acceptance and Use Among Emerging Adults", *Journal of Adolescence Research*, 23, vol. 1, 2008, pp. 6-30.

[5] T., S. E. Olson Tyden, y E. Häggström- Nordin, "Improved Use of Contraceptives, Attitudes Towards Pornography, and Sexual Harassment among Female University Students", *Women's Health Issues*, vol. 11, 2001, pp. 87-44. También C. Rogala y T. Tyden, "Does Pornography Influence Young Women's Sexual Behavior?", *Women's Health Issues*, vol 13, 2003, pp. 39-43.

grafía en algún momento. Tomando en cuenta lo anterior, tiene sentido reconocer los alcances del imperio de la pornografía cuando hable con su adolescente sobre sexo y sexualidad. Y no olvidemos que esta conversación debe ser continua, empezando, de ser posible, antes de que su hijo o hija tenga sexo. Al platicar sobre pornografía con su adolescente, asegúrese de:

- Hablar de sus valores. Quizás, para usted, ver pornografía de cualquier tipo sea reprobable; o que sólo le parezca reprobable cierto tipo de pornografía que se pasa de la raya; o que acepte cualquier tipo de pornografía si el observador tiene una determinada edad. Diga a su adolescente cómo se siente al respecto y explique por qué.
- Discuta el hecho de que la pornografía no representa un cuadro fidedigno del sexo, de las relaciones entre hombres y mujeres ni de los verdaderos peligros del sexo sin protección.
- Hable con su adolescente respecto de las reglas para el uso de la computadora y demás reglas importantes de la casa (en el capítulo 7 abundaremos sobre las reglas).

Lo sexy llega antes

Si trata de ver el mundo a través de los ojos de una adolescente, es fácil darse cuenta de por qué las niñas, en especial, están confundidas. Por una parte, los padres, maestros y otros adultos bienintencionados les dicen que lo verdaderamente importante no está en la ropa ni en el aspecto, sino en la forma de ser, en sus capacidades y en sus valores.

Por otra parte, son bombardeadas con mensajes contradictorios —que la apariencia es lo más importante, que las mujeres en general son objetos sexuales dignos de obtenerse, y que los muchachos y los hombres son sexualmente insaciables. La cosificación de las mujeres no es cosa nueva, pero sexualizar a mujeres cada vez más jóvenes ha hecho sonar la alarma entre los defensores de los derechos de los menores y los psicólogos.

Las niñas son presentadas en los medios (en la publicidad, las películas, los programas de televisión y los videojuegos) adoptando posturas provocativas o usando ropa atrevida; o se les presenta como objetos dignos de conseguirse. Se les alienta para que parezcan más grandes de lo que son (en tanto que se favorece que las mujeres mayores parezcan más jóvenes). La mercadotecnia insiste en llamar su atención con estrategias que antes se utilizaban únicamente para el mercado de los adultos. Los casos van desde ofrecer tangas de hilo a las preadolescentes hasta vender disfraces de Halloween provocativos, tipo vampiresa, a las pequeñas (y no olvidemos que, en muchos casos, los padres o abuelos o cualquier otra persona cercana termina siendo cómplice de estas prácticas al adquirir los productos promovidos).

Cuando lo sexy no es tan bueno como parece

Un equipo de especialistas de la American Psychological Association estudió este tema en 2006 y descubrió que la sexualización de las niñas afecta su rendimiento cognitivo. La conclusión se basa en pruebas en las cuales las niñas con mayor tendencia a concentrarse en la apariencia tuvieron mayores problemas con las matemáticas y el razonamiento lógico. La sexualización produce un gran número de problemas de salud, incluyendo desórdenes alimentarios, baja autoestima y depresión. El efecto se extiende incluso al territorio de lo sexual. Los autores de este estudio afirman que las niñas que se ven como un objeto sexual son más inseguras, y es menos probable que insistan en que su compañero utilice condón durante el sexo.

La cultura *hip-hop* ha sido atacada por el estereotipo femenino y la hipersexualización que promueve. De hecho, existen estudios sobre el tema que parecen apuntar en otro sentido. Un estudio encontró que las letras de canciones con contenido sexual —las que insisten en la necesidad imperiosa de tener sexo, por ejemplo— no incrementan la posibilidad de sostener encuentros sexuales tempranos, lo que sí provocan las letras sexualmente degradantes.[6] Tales letras representan

---

[6] Steven C. Martino, Rebecca L. Collins, Marc N. Elliot, Amy Strachman, David E. Kanouse y Sandra H. Berry, "Exposure to Degrading Versus Non-Degrading Music Lyrics and Sexual Behavior among Youth", *Pediatrics*, agosto de 2006.

a la mujer como un objeto sexual y al hombre como un ser sexualmente insaciable. (Es muy importante señalar que los adolescentes más interesados en el sexo son justamente los que tienden a escuchar este tipo de música, factor que podría hacernos dudar de los resultados de esta prueba.)

¿Qué debe hacer un padre o madre ante este escenario? ¿Debe prohibir la televisión, las revistas para adolescentes y las salidas a la discoteca local? Por tentador que parezca, las prohibiciones suelen fracasar, dada la omnipresencia de los medios y el ímpetu con que los adolescentes desean experimentar el mundo de los adultos. Aún así, especialmente en el caso de los adolescentes jóvenes, vale la pena limitar la exposición a imágenes y mensajes dañinos. Y usted debe hacerlo siempre que pueda. Hable y dé su opinión. Así estará ofreciendo un modelo de conducta a su adolescente para que lo imite.

Justo para su edad: la pornografía y más

Menores de 15 años. Si todavía no lo ha hecho, hable con su adolescente sobre la pornografía. Señale que ésta no ofrece una imagen realista del sexo, las relaciones o el cuerpo humano promedio (no olvide leer el capítulo 7, que le enseñará a establecer reglas para el uso de Internet). Limite la exposición de su adolescente a letras de canciones que retraten a las mujeres como objetos sexuales. Esté pendiente de situaciones que puedan ilustrar su punto de vista, ya se trate de reportajes noticiosos, programas de televisión, videos musicales o letras de canciones que puedan ayudar a que su adolescente comprenda los estereotipos y sus amenazas.

15 a 17 años. Su capacidad para limitar la exposición de estos muchachos a la pornografía es cada vez menor, pero aún puede objetar los estereotipos nocivos y explicar sus valores al adolescente. Igual que en todos los casos, aborde el tema cuando el momento parezca favorable.

Más de 18 años. Su adolescente tiene la edad necesaria para establecer sus propios valores y tomar decisiones respecto de lo bueno y lo malo. Permita que lo haga, y demuestre que siempre estará dispuesto a entablar conversaciones hondas y adultas sobre el sexo y los medios.

Todos lo hacen, ¿no?

Tomando en cuenta la obsesión de la cultura pop por el sexo y la sexualidad —y la tendencia natural de los padres a temer lo peor—, le perdonamos que crea que los adolescentes de hoy son más activos sexualmente que en el pasado.

¿En verdad son más activos que sus similares de hace 15 años? La respuesta probable es no. La actividad sexual de los adolescentes se elevó constantemente en las décadas anteriores a los años noventa, pero descendió significativamente entre 1990 y 2001, permaneciendo casi estable desde entonces.[7]

En 2001, el porcentaje de estudiantes de los últimos años de secundaria y los primeros de preparatoria que habían tenido relaciones al menos una vez, disminuyó hasta llegar a 46 por ciento (frente al 54 por ciento en 1991). Para 2007, la cifra se había elevado mínimamente a 48 por ciento.[8]

A nadie sorprende que los adolescentes de mayor edad sean los que más tienden a haber mantenido relaciones sexuales. Veamos los resultados, clasificados según la edad:

- 65 por ciento de los estudiantes de segundo de preparatoria habían tenido sexo al menos una vez.
- 56 por ciento de los estudiantes de primero de preparatoria habían tenido sexo al menos una vez.
- 44 por ciento de los estudiantes de tercero de secundaria habían tenido sexo al menos una vez.
- 33 por ciento de los estudiantes de segundo de secundaria habían tenido sexo al menos una vez.
- 17 por ciento de los estudiantes de primero de secundaria habían tenido sexo al menos una vez.[9]

---

[7] Centers for Disease Control and Prevention, *Youth Risk Behavior Surveillance* (YBRS), 2007.

[8] *Ibid.*

[9] Universidad de Minnesota, "Reducing the Risk: Connections that Make a Difference in the Lives of Youth", http://allaboutkids.umn.edu/cfahad/Reducing_the_risk.pdf.

Además, existe una mayor probabilidad de que los adolescentes de hoy retrasen su debut en las ligas del sexo, si los comparamos con los de hace 15 años. En 2002, cerca de 13 por ciento de las muchachas y 15 por ciento de los muchachos, de entre 15 y 19 años, reportaron haber tenido sexo antes de los 15 años. Siete años antes, en 1995, la cifra era de 19 por ciento para las mujeres y 21 para los hombres.[10] En 2002, el adolescente promedio reportó haber tenido sexo por vez primera a los 17 años (aunque algunos expertos advierten que esta cifra es engañosa dado que no incluye a los adolescentes que no asisten al sistema escolarizado regular y a aquellos que tienen más de 18 años).

Lo que sabemos respecto al primer encuentro sexual:

- Cerca de 7 por ciento de los adolescentes afirma que tenía menos de 13 años la primera vez que tuvo sexo.
- 15 por ciento de la población adulta dice haberse abstenido de tener relaciones antes de cumplir los 21 años.
- La mayoría de las adolescentes (59 por ciento) tuvo un compañero sexual entre uno y tres años mayor que ellas; 8 por ciento de las adolescentes dijo que su primera pareja sexual les llevaba seis o más años.[11]
- 60 por ciento de los adolescentes con experiencia sexual, de entre 12 y 19 años, dice que hubiera sido mejor esperar más antes de tener sexo por primera vez.[12]

Tenga en mente que el hecho de que un adolescente haya tenido sexo no significa que es sexualmente activo. De los que reportaron haber tenido sexo, sólo 35 por ciento dijo haberlo hecho durante los tres meses anteriores, siendo los adolescentes mayores quienes tienden a ser sexualmente activos en comparación con los más jóvenes.[13] Probablemente el motivo sea que no disponen de un compañero regular —como lo habría, por decirlo así, en un matrimonio—, pero también porque,

[10] National Center for Health Statistics, "Teenagers in the United States: Sexual Activity, Contraceptive Use and Childbearing, 2002", *Vital and Health Statistics*, Serie 23, núm. 24, 2004.

[11] *Ibid.*

[12] The National Campaign to Prevent Teen Pregnancy, *With One Voice: America's Adults and Teens Sound Off about Teen Pregnancy*, 2007.

[13] Centers for Disease Control and Prevention, *op. cit.*

pasado el primer encuentro, han decidido esperar a ser mayores para tener sexo de nuevo.

Otra tendencia positiva para tomar en cuenta: los adolescentes de hoy reportan un ligero descenso en el número de parejas con que han tenido relaciones, si se les compara con los de 1991. En 2005, cerca de 14 por ciento de los adolescentes reportaron haber tenido relaciones con más de cuatro personas, comparado con 19 por ciento en 1991. Los adolescentes tenían mayor probabilidad de haber tenido más de cuatro compañeros (16.5 por ciento), que las adolescentes (12 por ciento).

Los padres: la mejor protección

Hablando en general, los adolescentes que tienden a retrasar la actividad sexual son aquellos que se sienten muy conectados con la familia, que son supervisados, que participan en las actividades familiares, y aquellos cuyos padres tenían altas expectativas en lo académico y en el comportamiento.[14] Los que reportaron un vínculo estrecho con madres que exponen claramente sus valores tienden también a tener sexo a una mayor edad.[15]

También hay otros factores que inciden. Los adolescentes con fuertes creencias religiosas suelen dilatar su iniciación sexual, lo mismo que los adolescentes cuyos padres les hablan sobre retrasar la actividad sexual. En general, los adolescentes que viven con ambos padres, y cuyos padres tienen un mayor nivel académico y de ingreso, suelen posponer las relaciones sexuales.[16]

Y a pesar de que la escuela podría parecer un hervidero hormonal, mientras mayor copartición exista entre el adolescente y las actividades escolares (deportes y otras actividades extraescolares), mayores serán las probabilidades de que el adolescente retrase su iniciación sexual y tienda a asumir menos riesgos. Las escuelas, después de todo, estructuran el tiempo de los adolescentes, les ayudan a elegir su grupo social y los ponen en contacto constante con los adultos (maestros, administradores) que desalientan incurrir en riesgos poco saludables.

Las escuelas también son el lugar en que muchos (no todos) los adolescentes reciben educación sexual, lo cual es un factor importante

---

[14] Universidad de Minnesota, "Reducing the Risk: Connections that Make a Difference in the Lives of Youth", *op. cit.*

[15] *Ibid.*

[16] The National Campaign to Prevent Teen Pregnancy, *Families Matter: A Research Shynthesis of Family Influences on Adolescent Pregnancy*, 1998.

al momento de decidir si tienen o no relaciones sexuales. De hecho, las adolescentes tenían 59 por ciento menos probabilidades de tener sexo antes de los 15 años, si habían recibido educación sexual, en tanto que los muchachos tenían 71 por ciento menos probabilidades en el mismo sentido.[17] Una vez que ya han tenido sexo, los adolescentes que han recibido educación sexual tienen menos probabilidades de incurrir en conductas riesgosas, como el sexo sin protección, y el sexo con múltiples parejas (la calidad de la educación sexual que reciben también es importante, como veremos en el capítulo 4).

Justo para su edad: las tendencias sexuales y la toma de decisiones

Menores de 15 años. Los adolescentes de todas las edades sufren malentendidos sobre quién hace qué, y a qué edad. Pueden pensar que todo mundo lo está haciendo, y dado que sería ridículo afirmar que nadie lo está haciendo (ese tipo de argumento no suele engañar el olfato adolescente), es buena idea hablar honestamente sobre las tendencias sexuales. Discuta sobre la edad promedio del primer encuentro sexual (cerca de los 17 años) y sobre el hecho de que la mayor parte de los adolescentes, en especial los más jóvenes, que han tenido sexo una vez no son sexualmente activos. También podría mencionar que 60 por ciento de los adolescentes desearía haber esperado más. Hable de las razones que lo llevaron a sentirse así. Si cree que es mejor esperar para tener sexo, diga por qué.

15 a 17 años. Los temas de conversación clave incluyen la edad promedio de la primera relación sexual, que la mayoría de los adolescentes que han tenido sexo no son sexualmente activos, y el hecho de que los adolescentes con objetivos claros suelen tener sexo a mayor edad. Conversen sobre las metas de su adolescente y sobre cómo sus decisiones (incluyendo las que se relacionan con el sexo) afectarán esas metas.

---

[17] T. E. Mueller, L. E. Gavin, y A. Kulkarni, "The Association between Sex Education and Youth's Engagement in Sexual Intercourse, Age at First Intercourse, And Birth Control Use At First Sex", *Journal of Adolescent Health*, vol. 42, núm. 1, 2008.

Más de 18 años. Es probable que su hija esté cerca de un momento crítico en su vida: el final de la preparatoria. Hablen sobre sus metas y sueños, y sobre cómo sus decisiones (incluyendo las que se relacionan con el sexo) afectarán esas metas.

Votos de castidad: ¿funcionan?

Los estudios demuestran que las promesas de permanecer virgen funcionan hasta cierto punto. Los adolescentes que hacen este tipo de promesas o votos tienden a retrasar el sexo, en promedio, 18 meses. Pero también es cierto que los adolescentes que hacen tales promesas están más inclinados a esperar de cualquier manera, ya sea por motivos religiosos o personales; a fin de cuentas, 88 por ciento de quienes hacen voto de castidad llega a tener sexo antes del matrimonio.

Y cuando lo hacen por primera vez, son menos propensos a usar anticonceptivos, y tienen las mismas probabilidades de sus contrapartes no juramentadas en el sentido de contraer infecciones de transmisión sexual.

Esto no significa que usted debe desalentar a su adolescente de hacer un voto de castidad si así lo desea. La abstinencia, después de todo, es el único medio infalible para evitar el embarazo no deseado y las ITS. Aplauda el compromiso de su adolescente, pero no cierre el expediente de su sexualidad ni tampoco asuma que ya no hay necesidad de proveer información sobre métodos anticonceptivos y prevención de ITS. Sigan hablando del tema para que usted no deje de ser una fuente de ayuda, en caso de que su adolescente llegara a necesitarla.

LOS ADOLESCENTES Y EL SEXO ORAL

Hay una cosa en particular que inspira temor en el corazón de los padres: la idea de que las adolescentes ofrezcan indiscriminadamente hacer el sexo oral con cualquier tipo que conozcan. Todo comenzó con los rumores respecto de las llamadas "Rainbow Parties", fiestas en las que las muchachas usaban diferentes colores de lápiz labial para atender una fila de chicos, realizando sexo oral, y contribuyendo a formar un arco iris en el miembro de los muchachos conforme avanza la noche. En 2003, la prensa —desde el *Oprah Winfrey Show*, hasta los principales medios de comunicación— tomó la historia y se la apropió, dejando un rastro de temor en muchos.

Y bien: ¿eran reales las fiestas (también llamadas "Chicken Parties" por la manera en que las muchachas suben y bajan la cabeza cuando hacen sexo oral)? ¿Era verdad que las adolescentes virtualmente hacían servicio a sus compañeros de secundaria, en masa, en la parte trasera del autobús escolar, en los sótanos y en cualquier otro lugar en que pudieran meterse mano? ¿Estamos ante un acceso de pánico de los padres o ante una leyenda urbana? Hallaremos la respuesta en un punto medio entre ambos extremos.

Aunque hemos sabido de anécdotas aisladas de sexo oral en grupo entre adolescentes jóvenes, pasados cinco años no hay evidencia de que esos encuentros sean comunes.

A pesar de ello, vale la pena señalar que, efectivamente, los adolescentes se involucran en actividades de sexo oral. En la National Survey of Family Growth, una encuesta del gobierno estadounidense realizada en 2002, se afirma que cerca de 55 por ciento de los muchachos y 54 por ciento de las adolescentes, entre 15 y 19 años, reportaron haber tenido sexo oral, con alguien del sexo opuesto.[18] Aproximadamente 12 por ciento había tenido sexo oral pero no relaciones vía vaginal.

El número de adolescentes que ha tenido sexo oral no ha cambiado gran cosa, si se le compara con los resultados de una encuesta realizada en 1995. Desafortunadamente, carecemos de estadísticas fidedignas anteriores a 1995, por lo que es imposible saber si los adolescentes de hoy tienen más sexo oral que las generaciones anteriores. Y no tenemos datos que reflejen lo que ha sucedido desde 2002 hasta nuestros días. Tampoco disponemos de mucha información en lo relativo al contexto en que estas relaciones sucedieron. ¿Los adolescentes tenían sexo oral en el contexto de una relación? ¿Lo hacían en grupo o solos y con un solo compañero sexual? ¿Tenían sexo oral y luego "procedían" a tener sexo vaginal o viceversa? No lo sabemos. Sin embargo, un análisis de los datos obtenidos en 2002 señala que los adolescentes parecen involucrase en una serie de actividades sexuales —incluyendo sexo oral y vaginal— más o menos en la misma época.[19] Esto parece echar por tierra el mito de que las adoles-

---

[18] National Center for Health Statistics, *National Survey of Family Growth*, www.cdc.gov/nchs/NSFG.htm.

[19] Duberstein Lindberg, Laura, Rachel Jones, y John S. Santelli, "Non-Coital Sexual Activities among Adolescents", *Journal of Adolescent Medicine*, julio de 2008.

centes habían adoptado el sexo oral como una manera de permanecer técnicamente vírgenes.

Sin embargo, resulta cada vez más claro que los adolescentes de hoy no ven el sexo oral del mismo modo que sus padres y abuelos. Para las generaciones anteriores, el sexo oral podía ser una actividad de extrema intimidad y un tanto riesgosa —un paso serio hacia las relaciones sexuales propiamente dichas—; en la actualidad, el sexo oral se ha desmitificado hasta el punto de ser un lugar común.

Actitudes casuales y sentimientos negativos

Parte de la actitud casual con que los adolescentes ven el sexo oral tiene raíces en el surgimiento del vih y en el mayor acceso a la información sobre sexo seguro. Dado que no existe riesgo de embarazo y el riesgo de contagio por its es menor, muchas personas consideran que el sexo oral es una alternativa segura para las relaciones sexuales. De hecho, un estudio señala que los adolescentes consideran que el sexo oral es más seguro que el coito (tanto física como emocionalmente), y que incluso cuando los involucrados no tienen una relación formal, el sexo oral es más aceptable que las relaciones sexuales (todo esto en lo que se refiere al rango de edad ya señalado).[20]

No obstante, en tanto que el sexo oral es más seguro que el convencional, en ciertos casos y bajo ciertas circunstancias existen riesgos físicos y emocionales que los adolescentes pasan por alto. En el aspecto físico, muchas its pueden ser contagiadas vía sexo oral. En cuanto a lo emocional, un estudio realizado en California, entre estudiantes de tercero de secundaria a primero de preparatoria, encontró que las muchachas tenían el doble de posibilidades de sentirse mal consigo mismas después del sexo oral, en comparación con los muchachos (los hombres tendieron a decir que la experiencia les había infundido confianza y aumentado su popularidad).[21]

En suma, 41 por ciento de los adolescentes dijeron sentirse mal consigo mismos pasada la experiencia; 20 por ciento declaró que se sentía culpable y 25 por ciento dijo haberse sentido "usado". Los adolescentes que habían tenido sexo oral mas no relaciones, reportaron

---

[20] L. Halpern-Felsher, Bonnie L., Jodi L. Cornell, Rhonda Y. Kropp y Jeanne M. Tschann, "Oral Versus Vaginal Sex Among Adolescents: Perceptions, Attitudes, and Behavior", *Pediatrics*, vol. 115, núm. 4, 2005.

[21] *Ibid.*

tener menos culpa y menos preocupaciones relacionadas con las ITS y el embarazo, pero también reportaron haber sentido menos placer, confianza e intimidad con su pareja.

Flash estadístico: el sexo oral

- Más de la mitad de los adolescentes han tenido sexo oral.
- Setenta por ciento de los jóvenes de 19 y 20 años han tenido sexo oral.
- Hombres y mujeres adolescentes reportaron rangos similares de actividad sexual oral.

¿Y A *ESO* LE LLAMAS SEXO?

¿Aún se es virgen cuando se ha practicado el sexo oral? ¿Y qué hay del sexo anal? ¿Se puede decir que alguien es abstinente si se practica alguno de los dos? Seguro que usted se sorprenderá al conocer las respuestas de los adolescentes y su visión sobre estos temas.

En uno de los mayores estudios realizados sobre este asunto en particular,[22] se pidió a los adolescentes que definieran la virginidad. El 94 por ciento de los adolescentes consideraron que la relación vaginal era el acto que llevaba a la pérdida de la virginidad. Al preguntar si consideraban que alguien había perdido la virginidad tras ciertos actos, respondieron lo siguiente:

- Tocar los genitales: 84 por ciento dijo que no.
- Sexo oral: 71 por ciento respondió que no.◆
- Sexo anal: 16 por ciento respondió que no.

En general, los adolescentes tienden a ser aún más laxos en relación con la abstinencia. Pueden considerarse abstinentes si no han tenido relaciones en varios meses, por ejemplo. Y también aun habiendo participado

[22] Melina M. Bersamin, Deborah A. Fisher, Samantha Walker, Douglas L. Hill y Joel W. Grube, "Defining Virginity and Abstinence: Adolescents' Interpretations of Sexual Behaviors", *Journal of Adolescent Health*, agosto de 2007.

◆ Los adolescentes pueden sentirse confundidos con el sexo oral, considerándolo sexo sólo en caso de llegar al orgasmo.

en ciertas conductas sexuales. Por ejemplo, al preguntarles qué tipo de comportamiento consideraban abstinente, se obtuvieron los siguientes resultados:

- Sexo anal: 24 por ciento.
- Sexo oral: 37 por ciento.
- Tocar los genitales de otra persona hasta llegar al orgasmo: 60 por ciento.

Justo para su edad: sexo seguro

Menos de 15 años. Por lo general, los adolescentes más jóvenes suelen clasificar actividades como el tocamiento genital y los besos "de lengua" en el rubro de lo sexual. Ocurre lo mismo si se compara a los adolescentes con mucha experiencia sexual con los que tienen menos. Hable del tema. Pregunte a su adolescente qué considera "sexo". Después, asegúrese de que su adolescente está preparado para evitar un embarazo y el contagio de infecciones de transmisión sexual.

15 a 17 años. Los adolescentes de este rango suelen tener más experiencia sexual, pero pueden carecer aún de información confiable. Cuando hable de sexo con él o ella asegúrese de definirlo. Esto es especialmente importante cuando se habla de prevención del embarazo y protección ante las ITS. Si dice algo como: "Usa condón al tener sexo", y su adolescente no considera que el sexo anal sea "sexo", están en problemas.

Más de 18 años. Es probable que los adolescentes de esta edad sepan más sobre prevención del embarazo y protección ante ITS, pero existen factores culturales que resultan en un concepto distinto del sexo entre usted y su adolescente. Cuando tenga dudas, aclare las cosas. Es tan simple como elegir con cuidado sus palabras, de manera que en lugar de decir: "Usa condón cuando tengas sexo", podría decirle algo así como: "Usa condón siempre que tengas contacto íntimo con alguien, ya sea sexo oral, anal o vaginal, o cualquier otra actividad que implique contacto con los genitales o los fluidos corporales". Sí, sabemos que parece demasiado largo o detallado, pero la claridad debe imperar en este caso.

Atrévase a decirlo...

Si se estremece con la sola idea de pronunciar la frase "sexo anal" ante su adolescente, comprendemos su sufrimiento. Para la mayoría de los padres no es fácil pronunciar siquiera estas palabras. Y, aceptémoslo, quizá usted lo pase igual de mal al pronunciar "pene", "vagina" o "sexo vaginal".

Pero no ceda a la tentación de omitir el sexo anal (o cualquier otra práctica incómoda) al hablar con su adolescente. Por muchos problemas que tenga usted al ponerlo en palabras, la gente practica el sexo anal. De hecho, 11 por ciento de los adolescentes reportan haber tenido sexo anal con alguien del sexo opuesto.[23] Y para cuando las personas llegan a los 24 años, 34 por ciento de los hombres y 32 por ciento de las mujeres han tenido sexo anal heterosexual (a los 44 años, el porcentaje llega a 40 por ciento para los hombres y 35 por ciento para las mujeres). Aunque el riesgo de embarazo es nulo en el caso del sexo anal, este acto conlleva mayor riesgo de contagio de ITS, especialmente VIH (hablaremos de esto en el capítulo 4), así que es importante abordar estos temas.

Su trabajo será más fácil, si ya ha hablado abiertamente con su adolescente en lo que respecta al cuerpo humano (al dejar de usar eufemismos y llamar a los genitales por su nombre cuando su niño es joven, se allana el camino a las conversaciones futuras más serias sobre el cuerpo y el sexo). Si no ha hablado claramente con su hijo, ahora es el momento de hacerlo. O al menos el momento de practicar. Diga la palabra "vagina" ahora (a menos que se encuentre leyendo en un lugar público). Pronuncie con confianza. Ahora diga "pene". Y finalmente diga "sexo anal". Atrévase y marchará por el camino correcto.

Por último: si en verdad no es capaz de pronunciar estas palabras por más que lo intente —o si el esfuerzo es tanto que

---

[23] Laura Duberstein Lindberg, Rachel Jones, y John S. Santelli, "Non-Coital Sexual Activities among Adolescents", *Journal of Adolescent Medicine*, julio de 2008.

su adolescente acabará sintiendo pena por usted—, asegúrese de poner a su adolescente en contacto con un médico o profesional de la salud que hable con él o ella de todo este rango de actividades (consulte el capítulo 4 para saber más sobre el tipo de doctores a buscar y qué buscar en los doctores).

¿Por qué hacerlo? (¿Y por qué no?)

Es obvio por qué el sexo resulta atractivo: se siente bien. Punto. Y constituye una forma de expresar amor por una pareja. Aun así, las razones que las personas tienen para involucrarse en una relación sexual suelen variar —y no siempre son buenas. Algunos ejemplos de estas razones no tan buenas:

- Porque la pareja, los amigos o cualquier otra persona ejercen presión.
- Para sentirse *cool* o adulto.
- Para perder la virginidad.
- Para permanecer unido a una pareja.
- Para hacer que alguien más se sienta bien, aunque la situación resulte incómoda.

Si su adolescente es sexualmente activo, hablen sobre su decisión de tener sexo. Algunos adolescentes se darán cuenta de que, al tratar de explicar sus motivos a otra persona, podrán obtener una nueva perspectiva, más honda, sobre ellos mismos. No se sorprenda si su adolescente no logra identificar una razón particular. Para algunos chicos, volverse sexualmente activos poco o nada tiene que ver con la planeación y la reflexión; otros simplemente serán incapaces de expresar con palabras sus motivos. No obstante, su esfuerzo no será en vano. Considere que hablar del tema beneficiará a su hijo o hija al comprender cabalmente el proceso de toma de decisiones (o las consecuencias de no tomar las decisiones adecuadas).

Los amigos cariñosos o con derechos

Como ya hemos apuntado, las buenas noticias consisten en que los adolescentes están retrasando su debut sexual y tienen menos compañeros sexuales en esta etapa, si se les compara con los adolescentes de 15 años atrás.

Eso sí: no están esperando hasta el matrimonio para tener sexo. De hecho, 95 por ciento de los norteamericanos tienen sexo antes del matrimonio (y 81 por ciento lo tienen antes de cumplir 20 años).[24] Esto es perfectamente lógico —y no necesariamente constituye un problema, dependiendo de sus valores—, dado que los norteamericanos, en promedio, se están casando a mayor edad que en el pasado (el promedio actual indica 25 años para las mujeres y 27 para los hombres). Este retraso significa que las personas de hoy pasan más años siendo adultos solteros y sexualmente maduros.

Sin embargo, esto no quiere decir que hayan abjurado del compromiso. De hecho, más de tres cuartas partes de las muchachas adolescentes dicen que su primera experiencia sexual tuvo lugar en el contexto de una relación comprometida —ya fuera con un novio regular, el prometido o el marido.

Es claro que, a pesar de todo, las expectativas alrededor del sexo y las relaciones han cambiado con el paso de los años. En nuestros días, cerca de 50 por ciento de las mujeres y 60 por ciento de los hombres piensan que es correcto que los solteros mayores de 18 años tengan sexo, siempre y cuando sientan "un fuerte afecto" por la pareja. El apoyo es menor en el caso de los menores de 18 años: sólo 20 por ciento de los hombres y 13 por ciento de las mujeres dijeron que el sexo entre solteros de 16 años era correcto.[25]

Las relaciones mismas han cambiado también. Aunque el sexo entre amigos difícilmente se cataloga como un fenómeno nuevo, la cultura adolescente de hoy ha formalizado las relaciones que vinculan amistad y sexo, sin que necesariamente existan sentimientos románticos.

Se les llama "amigos con beneficios" ("amigos con derechos" o, como se decía antes, "amigos cariñosos") y el "beneficio" consiste en tener sexo con la esperanza de evitar un involucramiento romántico. Los amigos con beneficios pueden ser de largo aliento o de una sola ocasión, pero no existe compromiso de largo plazo. Se divierten juntos, conversan y salen, pero en general no tienen citas formales ni sienten obligación alguna entre sí; en público no suelen actuar como pareja.

---

[24] Lawrence Finer B., "Trends in Premarital Sex in the United States, 1954-2003", The Guttmacher Institute, enero-febrero de 2007.

[25] The National Campaign to Prevent Teen Pregnancy, *With One Voice: America's Adults and Teens Sound Off about Teen Pregnancy*, 2007.

A veces, los buenos amigos serán amigos con beneficios (AB) por el solo hecho de compartir el placer físico. Otras veces, una pareja sexualmente activa se convertirá en una pareja de amigos con beneficios conforme salen de una relación romántica, acostándose ocasionalmente pero con el acuerdo implícito de que el compromiso ha terminado. En otras ocasiones, este tipo de relaciones se da entre conocidos que ni siquiera comparten una base sólida de amistad. La mayoría de las veces, este tipo de vínculos fugaces o con poco sustento ni siquiera se consideran amigos con beneficios (no negocian o hablan sobre los términos de la relación), pero dada su naturaleza bien podemos considerarlas como arreglos de tipo AB.

Tener un acostón garantizado suena atractivo para un adolescente que busca sexo sin ataduras, pero este tipo de relaciones sólo funciona bien si ambas partes comparten sentimientos no románticos. De no ser así, es muy probable que el arreglo sea profundamente frustrante e insatisfactorio para una de las partes. Además, existe evidencia de que aunque el término "amigos con beneficios" es usado por ambos géneros, los hombres y las mujeres lo interpretan de manera distinta.

En un estudio realizado, de 60 por ciento de los estudiantes universitarios que reportaron haber experimentado una relación de amistad con beneficios, las mujeres tendían a reportar mayor involucramiento emocional, en tanto que los hombres se concentraban más en el aspecto sexual. Los entrevistados de género masculino tenían más probabilidades de estar inmersos en más de una relación de AB a la vez.[26]

Otro estudio realizado entre 125 hombres y mujeres jóvenes, en la Universidad Estatal de Michigan, encontró que las relaciones AB solían terminar amigablemente, pero no románticamente.[27] Alrededor de 36 por ciento de quienes habían vivido una amistad con beneficios dijeron que la relación dejó de ser sexual, pero siguieron siendo amigos. veintiocho por ciento declaró que siguieron siendo amigos y continuaron sexualmente activos; 26 por ciento dijo que ya no eran amigos (o compañeros sexuales), y sólo 10 por ciento dijo que la relación pasó a ser una relación tradicional.

Para algunos padres, el hecho de que exista una relación de este tipo es sorpresivo, pero existen además otras variables que no son tan

---

[26] Kristen McGinty, David Knox y Marty F Zusman, "Friends with Benefits: Women Want 'Friends', Men Want 'Benefits'", *College Student Journal*, diciembre de 2007.

[27] Melissa Bisson A., y Timothy R. Levine, "Negotiating a Friends with Benefits Relationship", *Archives of Sexual Behavior*, 13 de septiembre de 2007.

impresionantes para los más conservadores. En la mayoría de los círculos, ya no se estila decir que se "anda" con alguien o que van "en
serio", pero la relación misma subsiste. La mayoría de los adolescentes
le dicen simplemente "estar saliendo", aunque otros dicen estar "hablando" o cosas parecidas al referirse a otro adolescente con el que
salen casualmente (estas expresiones también tienen connotaciones estrictamente amistosas y casuales).

Si usted se siente un poco fuera de época, encontrará algún consuelo al saber que el término "ligue" sobrevive con su sentido original ma-
yormente intacto. Hablando en general, un ligue significa involucrarse
en cualquier tipo de acto sexual o romántico, ya sea besarse, acariciarse,
el sexo oral, sexo anal o la relación sexual tradicional (aunque también,
insistimos, tiene un significado alejado de lo sexual). Si usted no está
seguro de qué significan los términos que utilizan los adolescentes para
calificar las relaciones, úselos con cuidado, pues viniendo de sus labios
estas expresiones pueden resultar tan ridículas para su adolescente como
para usted.

¿GLBT O I?

Es común que los adolescentes tengan pensamientos de tipo
sexual respecto de alguien del mismo sexo, y también es común
que se sientan atemorizados por ello. Esto forma parte del
proceso natural de explorarnos como seres sexuales, pero dichos pensamientos pueden resultar confusos, especialmente
en el caso de los adolescentes más jóvenes que quizá se sienten abrumados por los cambios en su vida. Tal vez se trate del
cerebro que se abre paso en un laberinto de sentimientos
sexuales, o probablemente sea un signo de que el adolescente se siente atraído por el mismo sexo o de que tiene una identidad de género no tradicional.

Dado que los años de adolescencia son una época de experimentación, el actuar con base en esos sentimientos es solamente eso: experimentación. Los adolescentes pueden
probar con encuentros del mismo sexo conforme tratan de
descubrir su identidad sexual y sus gustos. Quizás se definan
como heterosexuales a pesar de haber tenido encuentros con
el mismo sexo, o como homosexuales aunque hayan tenido

relaciones con el sexo opuesto. También, los adolescentes podrían explorar diferentes identidades de género. Unos se sentirán seguros de conocer su orientación o identidad; para otros es necesario más tiempo.

Para poner las cosas en perspectiva, presentamos algunas estadísticas relacionadas con la orientación:[28]

- No hay datos sólidos respecto de cuántos adolescentes son GLBTI, pero los expertos generalmente asumen que la prevalencia es de alrededor de uno por cada diez adolescentes.
- Cuatro por ciento de los hombres y mujeres entre 18 y 44 años dicen ser gays o bisexuales.
- Once por ciento de las mujeres en este rango de edad han tenido al menos una experiencia sexual con alguien del mismo sexo en su vida; el porcentaje en cuestión aumentó considerablemente al considerar 4 por ciento que una encuesta similar arrojó en 1992 (aunque el aumento puede estar relacionado con una actitud más relajada al aceptarlas y expresarlas, y no necesariamente con un aumento de la incidencia en sí).
- Seis por ciento de los varones de entre 15 y 44 años ha tenido sexo oral con otros hombres.
- Cuatro por ciento de los varones de 15 a 44 años ha tenido sexo anal con otro hombre.

Aunque el estigma y la presión social aún existen, la aceptación de gays, lesbianas y bisexuales ha aumentado en décadas recientes. En 2006, por ejemplo, 54 por ciento de los norteamericanos dijeron que consideraban aceptable ser gay, comparado con 38 por ciento en 1992, según encuestas de Gallup.

Sin embargo, aunque las perspectivas han mejorado, los adolescentes GLBTI aún enfrentan agresión y violencia, una realidad de la que todo padre debe estar al tanto (vea el capítulo 8 para más información en este sentido).

---

[28] William Mosher D., Anjani Chandra y Jo Jones, "Sexual Behavior and Selected Health Measures: Men and Women 15 to 44 Years of Age, United States, 2002", Division of Vital Statistics, Centers for Disease Control and Prevention, 15 de septiembre de 2005.

BAJO EL INFLUJO: SEXO, DROGAS Y ALCOHOL

Si alguna vez ha bebido alcohol o ha estado bajo el influjo de las drogas, sabe que estas sustancias reducen las inhibiciones y es más probable que haga cosas que no haría sobrio. Esto aplica plenamente en referencia a lo sexual, y los adolescentes no son la excepción.

En 2005, 22.5 por ciento de los adolescentes dijo estar bajo el influjo de las drogas o el alcohol la última vez que tuvo sexo.[29] Los adolescentes que utilizan estas sustancias tienen mayores probabilidades de incurrir en otros tipos de conductas riesgosas, incluyendo el sexo sin protección o de alto riesgo.

Si usted piensa que su adolescente no lo hace, quizás tenga razón. Pero tome en cuenta que el consumo de alcohol, e incluso el uso de ciertas drogas, es muy común entre los adolescentes. A continuación, algunos datos estadísticos en relación con el uso de drogas y alcohol de acuerdo con la edad:

Drogas entre los adolescentes de tercer año de preparatoria:

Alcohol (en los últimos 30 días): 44 por ciento
Marihuana: 32 por ciento
Éxtasis: 4.5 por ciento
Cocaína: 8 por ciento

Drogas entre los adolescentes de primer año de preparatoria:

Alcohol (en los últimos 30 días): 33 por ciento
Marihuana: 25 por ciento
Éxtasis: 3.5 por ciento
Cocaína: 5 por ciento

Drogas entre los adolescentes de segundo año de secundaria:

Alcohol (en los últimos 30 días): 16 por ciento
Marihuana: 10 por ciento

---

[29] Centers for Disease Control and Prevention, *Youth Risk Behavior Surveillance* (*YBRS*), 2007.

Éxtasis: 3 por ciento
Cocaína: 3 por ciento[30]

El punto de vista europeo

En Estados Unidos, los padres tienden a preocuparse cuando se enteran de que su adolescente es sexualmente activo. ¿Qué hacer si se da un embarazo? ¿Y qué si mi niña pesca una ITS? ¿Qué pasa si mi adolescente no es tan maduro como para sobrellevar un acto tan típicamente adulto? A veces la situación nos incomoda, pero en otras ocasiones la reacción es de pánico.

En Europa occidental, las cosas por lo general son distintas. El sexo entre adolescentes solteros es ampliamente aceptado como la norma. Y aunque es probable que usted crea que al soltar la rienda a los jóvenes aumentan los embarazos y las infecciones de transmisión sexual, la realidad es otra. Estados Unidos tiene una tasa mucho mayor de embarazo adolescente, así como en el contagio de ITS, en comparación con Europa occidental, así como una mayor incidencia de abortos.

En Holanda, Alemania y Francia, las relaciones sexuales íntimas son vistas como una parte natural del proceso de convertirse en un adulto sano. Las campañas masivas de prevención, los sistemas de salud pública y las políticas educativas de esos países promueven la sexualidad dentro de los límites de una relación sólida y la responsabilidad en la prevención de embarazos e ITS. Esto contrasta con una aproximación mucho más conflictiva en Estados Unidos, en donde el sexo suele verse como una conducta desviada y, por lo tanto, como algo que debe suprimirse u ocultarse.

Como resultado, aunque los adolescentes en Estados Unidos tienen las mismas probabilidades de tener sexo, éstas son menores de tenerlo responsablemente. Muchos expertos en salud sexual sugieren —y coincidimos con ellos— que los padres traten de emular el modelo europeo al pensar en cómo abordar el asunto de la sexualidad adolescente.

---

[30] National Institute on Drug Abuse, "Monitoring the Future", www.monitoringthefuture.org.

¿Y qué decir?

Es probable que, al hablar con usted, su hijo o hija adolescente no utilice las mismas expresiones que usa con sus amigos. Su adolescente habla y usted, al menos en buena parte, entenderá; pero si escucha una conversación de su adolescente con los amigos, es posible que se sienta un poco perdido.

La forma de hablar de los adolescentes, y lo que dicen, varían en gran medida dependiendo de la cultura con que se identifican y de los mensajes a que son expuestos socialmente y a través de los medios. Los adolescentes de ambientes suburbanos hablan distinto que sus contrapartes urbanas. Los adolescentes afectos a la escena *hip-hop* hablarán diferente de los aficionados a la música *country*.

Usted no puede aspirar a saberlo todo y tampoco le ayudaría mucho. Trate de estar al tanto del habla coloquial de su adolescente y, como ya hemos dicho, cuídese mucho de no pronunciar frases que se escuchen mal o ridículas viniendo de su boca.

Usted importa. En serio

Cuando su adolescente de 13 años ponga cara de desesperación y aumente el volumen de su iPod, usted podría sentir que se topa con pared. No obstante, los estudios demuestran que a los adolescentes en verdad les importa la opinión de sus padres. De hecho, cuando se les preguntó quién influye más en sus decisiones de tipo sexual, 47 por ciento de los adolescentes hicieron referencia a sus padres.[31]

Después de los padres, los adolescentes mencionan la influencia de amigos, de sí mismos y de líderes religiosos, en ese orden. Únicamente 3 por ciento de los adolescentes dicen que los medios son influyentes, comparado con 10 por ciento de los adultos, que piensan que los medios son la principal influencia en los adolescentes.[32]

Los adolescentes también dicen que la mayor parte de las veces basan sus decisiones respecto del sexo en sus valores y en su sentido de lo bueno y lo malo.[33] Pero tenemos buenas noticias para aquellos padres que se preocupan por los valores que, según creen, no logran inculcar

---

[31] The National Campaign to Prevent Teen Pregnancy, *With One Voice: America's Adults and Teens Sound Off about Teen Pregnancy*, 2007.

[32] *Ibid.*

[33] *Ibid.*

en sus hijos. La mayoría de los adolescentes dicen compartir los valores de sus padres (un mínimo porcentaje dice desconocer los valores de sus padres).[34]

Aun así, es posible que los padres estén siendo demasiado optimistas respecto a su actitud tolerante y relajada. Muchos más padres que adolescentes dicen haber hablado de sexo entre sí, por lo que sospechamos que los padres alteran los reportes o que los adolescentes no cuentan ciertos intercambios como "plática de sexo".

¿Qué significa todo esto? Primero, que usted no debe subestimar su influencia. Segundo, que no debe asumir que su adolescente no hablará ni escuchará. Use los consejos expuestos en este libro para abrir y mantener abierto un canal de comunicación y discusión con su adolescente.

---

[34] *Ibid.*

Capítulo 4

EDUCACIÓN SEXUAL:
EMBARAZO ADOLESCENTE, ITS Y CONTROL NATAL

Si su adolescente ha recibido educación sexual en la escuela, podría usted conformarse con ello y dejar que el maestro lleve la conversación difícil —usted sabe, la que tiene que ver con temas como transmisión de enfermedades, control de la natalidad y embarazo.

Y quizá tenga razón al asumir que su adolescente está aprendiendo algo sobre sexo en la escuela. En las escuelas públicas, la gran mayoría de los niños obtiene cierto grado de información sexual. Son buenas noticias, dado que la investigación demuestra que los adolescentes que reciben educación sexual formal antes de tener sexo tienen mayores probabilidades de retrasar las relaciones, y menores probabilidades de reportar un embarazo no deseado, si se les compara con aquellos que no tuvieron educación sexual.

Pero no todas las clases de educación sexual son iguales. Algunas proveen información sobre los métodos anticonceptivos y los condones... otras no. Debido a la postura que favorecía no tener relaciones sexuales hasta estar casado, tan en boga en la década pasada, uno de cada tres adolescentes de hoy no recibe información sobre métodos anticonceptivos ni uso del condón.[1] Sólo cerca de 66 por ciento de los varones y 70 por ciento de las chicas de hoy reciben instrucción formal sobre prevención del embarazo, comparado con 81 por ciento de los muchachos y 87 por ciento de las mujeres en 1995.[2]

---

[1] L. D. Lindberg, "Changes in Formal Sex Education: 1995-2002", *Perspectives on Sexual and Reproductive Health*, 2006.

[2] Laura Duberstein Lindberg, John S. Santelli y Susheela Singh, "Changes in Formal Sex Education: 1995-2002", *Perspectives on Sexual and Reproductive Heatlh*, diciembre de 2006.

Los programas de abstinencia

Actualmente, muchas escuelas en Estados Unidos enseñan una materia llamada "abstinencia-plus" como parte del programa escolar. En esta materia se promueve la abstinencia como el único medio infalible para prevenir el embarazo y las ITS; también enseñan sobre métodos anticonceptivos y protección ante enfermedades. Tales programas han demostrado ser eficientes en retrasar el debut sexual de los adolescentes y en incrementar las posibilidades de que se usen métodos de control natal y condones, cuando llega el momento.

Sin embargo, a mediados de la década de los noventa un número creciente de distritos escolares cambió la materia hasta convertirla en una promoción de la abstinencia hasta el matrimonio. El motivo es que los fondos federales para promover la abstinencia hasta el matrimonio han aumentado considerablemente (desde 1996, el gobierno ha gastado alrededor de mil millones de dólares en programas similares).

Para tener acceso a los fondos gubernamentales para los programas de abstinencia hasta el matrimonio, los estados deben seguir reglas estrictas como, por ejemplo, enseñar que el "estándar esperado" para la actividad sexual humana consiste en "ser mutuamente fieles, en relación monógama, en el contexto del matrimonio", y que el sexo fuera del matrimonio suele traer problemas psicológicos y físicos. Las reglas prohíben abordar temas como el control de la natalidad y el uso del condón, excepto cuando se pretende insistir en los porcentajes de falla de dichos métodos anticonceptivos.

La abstinencia total
no funciona

Los críticos han desaprobado desde hace mucho tiempo la educación orientada a la abstinencia hasta el matrimonio, argumentando que el enfoque en el sexo dentro del contexto del matrimonio no sólo excluye a los adolescentes GLBTI, sino que también es poco realista respecto a la gran mayoría de los adolescentes. Señalan el hecho de que 95 por ciento de los norteamericanos tienen sexo antes del matrimonio, y 81 por ciento lo hace antes de cumplir los 20 años.[3] Los programas educativos que no enseñan sobre métodos anticonceptivos y uso del condón —o que subrayan los porcentajes de falla— ponen a los adolescentes en peligro de enfrentar un embarazo no deseado o una ITS.

En 2007, un estudio de cuatro modelos de programas de abstinencia total, realizado con fondos federales, encontró que los programas son ineficientes —los adolescentes no sólo no se abstenían del sexo, sino que los programas tampoco modificaban la edad a la que se tenía la primera experiencia ni lo relativo al número de compañeros sexuales.[4]

Otros estudios han dado con resultados similares (aunque uno reportó mejoras en el corto plazo en el caso de algunos programas). Un estudio encontró que los adolescentes que habían recibido educación sexual de calidad tenían 50 por ciento menos riesgo de caer en embarazos no deseados que aquellos que habían recibido una educación de abstinencia total.[5]

Y los programas mismos han recibido críticas por distorsionar los hechos. Cuando un grupo revisó los trece cursos más comunes, encontró que sólo dos daban información precisa, mientras que los once restantes, que eran ampliamente utilizados en los estados, tenían fallas serias.

Como resultado de esos estudios, los estados rehúsan cada vez más los fondos federales para la impartición de la abstinencia total, lo cual puede significar que sus días están contados.

Lo que todo padre necesita para actuar

Estos son los pasos que usted debe dar para asegurarse de que su adolescente está obteniendo la información que realmente necesita:

- **Esté informado**. No asuma que su adolescente está recibiendo educación sexual comprensible en la escuela. Acuda a la escuela de su hijo o hija y averigüe en qué consiste exactamente el curso, qué temas se imparten y cuándo tiene lugar.

[3] Lawrence Finer B., "Trends in Premarital Sex in the United States", *Public Health Reports*, vol. 23, núm. 73, 2007.

[4] C. Trenholm, *et al.*, "Impacts of Four Title V, Section 510 Abstinence Education Programs Final Report", *Mathematic Policy Research*, Princeton, 2007.

[5] Pamela Kohler, *et al.*, "Abstinence-Only and Comprehensive Sex Education and the Initiation of Sexual Activity and Teen Pregnancy", *Journal of Adolescent Health*, marzo de 2008.

La enseñanza sobre el condón y el control de la natalidad es más efectiva si se imparte antes de que el chico o la chica empiece a tener sexo, de manera que debe tomar cursos apropiados para su edad lo más pronto posible. (Desafortunadamente, cerca de la mitad de los hombres y 40 por ciento de las mujeres dicen que no recibieron información sobre control natal y protección ante infecciones de transmisión sexual antes de tener sexo por vez primera.)

• **Hable con el adolescente para saber cuánto sabe.** Tal vez su adolescente identifique áreas en las que le gustaría saber más, y también podría referirle a usted lo que le enseñan en la escuela.

• **Complemente.** Incluso los adolescentes que reciben educación sexual de calidad en la escuela suelen tener dudas relativas a su situación particular. Asegúrese de que su adolescente tenga todas las oportunidades de encontrar respuesta a sus preguntas (y, sí, dé por hecho que todos los adolescentes tienen dudas... es raro el que no las tiene). Compre un buen libro, hable de sexo con su adolescente y encuentre un médico u otro profesional que pueda responder las preguntas.

• **Promueva el cambio.** Si no está contento con lo que enseñan a su hijo o hija, o con el momento en que lo enseñan, tome las medidas necesarias para cambiar las cosas. El Consejo de Estados Unidos para la Información sobre Sexualidad y Educación (siecus, por sus siglas en inglés), es un grupo que promueve la educación sexual de calidad y comprensible en las escuelas. Su sitio web (www.siecus.org) ofrece información sobre cómo convertirse en promotor, además de muchas fuentes de información sobre sexo y educación sexual.

Temores y realidades:
el embarazo en adolescentes

Cuando los padres descubren o sospechan que su hijo es sexualmente activo, quizá se sientan desilusionados al pensar que su adolescente se ha negado a aceptar sus valores, pero también enfrentan temores fundados, más o menos racionales, sobre los peligros que amenazan a su hijo o hija.

¿Cuáles son esos peligros y que tan opresivos son? Obviamente, un embarazo no deseado es un problema de este tipo. Afortunadamente, hay buenas noticias: entre 1990 y 2000, la tasa de embarazo de adolescentes disminuyó 36 por ciento (también hubo una disminución correlativa en el renglón de los abortos y los partos de adolescentes).[6] La caída se debió en parte a que los adolescentes dilataron su iniciación sexual, pero aún más importante fue el hecho de que se reportó una gran mejoría respecto del uso de anticonceptivos —86 por ciento del declive, de acuerdo con un estudio del Instituto Guttmacher. De hecho, la mayoría de los adolescentes con experiencia sexual (83 por ciento de las mujeres y 91 por ciento de los hombres) dijo haber usado anticonceptivos la última vez que tuvieron relaciones, cifra alentadora si se compara con el 75 por ciento para las mujeres y 82 por ciento para los hombres en 1995.[7]

Desafortunadamente, esa tendencia puede estarse revirtiendo (aunque es demasiado pronto para saberlo): en 2006, la tasa de natalidad de adolescentes se elevó 3 por ciento, siendo este el primer aumento registrado desde 1991. Y a pesar de la caída global acaecida en la última década y media, aún hay demasiados embarazos de adolescentes. En nuestros días, cerca de un millón de adolescentes se embarazan cada año, y 35 por ciento de las jóvenes se embarazan al menos una vez antes de cumplir 20 años de edad.[8] También tome en cuenta las siguientes estadísticas:

- Ochenta y dos por ciento de los embarazos de adolescentes no son planeados (compárelo con poco más de 50 por ciento de la totalidad de los embarazos).[9]
- Más de la mitad (57 por ciento) de los embarazos de adolescentes terminan en nacimiento, 29 por ciento termina por aborto provocado y 14 por ciento por aborto espontáneo.
- Dos tercios del total de embarazos de adolescentes corresponden a mujeres que tienen entre 18 y 19 años.[10]

[6] Guttmacher Institute, "U.S. Teenage Pregnancy Statistics: National and State Trends and Trends by Race and Ethnicity", septiembre de 2006.

[7] National Center for Health Statistics, "Teenagers in the United States: Sexual Activity, Contraceptive Use, and Childbearing, 2002", *Vital and Health Statistics*, serie 23, núm. 24, 2004.

[8] National Health Information Network, "Teen Pregnancy Prevention", www.neagin.org/programs/reproductive/teenpreg.htm.

[9] Lawrence Finer, B. *et al.*, "Disparities in Rates of Unintended Pregnancy in the United States, 1994 and 2001", *Perspectives on Sexual and Reproductive Health*, 2006.

[10] Guttmacher Institute, "U.S. Teenage Pregnancy Statistics: National and State Trends and Trends by Race and Ethnicity", septiembre de 2006.

- 11 por ciento de todos los nacimientos en Estados Unidos corresponden a madres adolescentes.[11]
- Las madres adolescentes tienen ahora más probabilidades de terminar la preparatoria u obtener un grado universitario, pero sus probabilidades de lograrlo son aún mucho menores que las de las mujeres que retrasan la maternidad para continuar sus estudios.[12]
- Las razones que los adolescentes esgrimen para justificar la decisión de abortar son: preocupación por la manera en que un bebé alterará sus vidas, incapacidad para mantener a la criatura y sentirse insuficientemente maduros para criar un niño o niña.[13]
- Hasta agosto de 2006, 34 estados de Estados Unidos requirieron la participación de los padres en la decisión de abortar cuando un menor buscaba practicarlo.[14]

Temores y realidades: las infecciones de transmisión sexual

El embarazo no es el único asunto que debe preocuparnos como padres de un adolescente sexualmente activo. Las infecciones de transmisión sexual (ɪᴛs es un concepto que cada vez se utiliza más, en lugar del concepto de enfermedades de transmisión sexual o ᴇᴛs) afectan a personas de todas las edades, pero como grupo los adolescentes constituyen el segmento más grande en cuanto a nuevas infecciones cada año. De hecho, aunque sólo representan una cuarta parte de la población, los jóvenes estadounidenses (de entre 15 y 24 años, en este caso) contribuyen con cerca de la mitad de los 19 millones de nuevos casos de ɪᴛs que se presentan cada año.[15]

[11] National Center for Health Statistics, *National Vital Statistics Reports*, vol. 52, núm. 10, 2003.
[12] Guttmacher Institute, "U.S. Teenage Pregnancy Statistics: National and State Trends and Trends by Race and Ethnicity", septiembre de 2006.
[13] L. A. Dauphinee, Guttmacher Institute, marzo de 2006.
[14] Guttmacher Institute, "Parental Involvement in Minors' Abortions", *State Policies in Brief*, 1º de agosto de 2006.
[15] H. Weinstock *et al*, "Sexually Transmitted Diseases among American Youth: Incidence and Prevalence Estimates, 2000", *Perspectives on Sexual and Reproductive Health* vol. 36, núm. 1, 2004, pp. 6-10.

En 2007, los Centros para el Control y Prevención de Enfermedades de Estados Unidos (CDC por sus siglas en inglés) anunciaron que un estudio con representatividad nacional demostró que una de cada cuatro chicas adolescentes padece una ITS, siendo la más común el virus del papiloma humano (VPH). Los adolescentes también reportaron tener tricomoniasis, clamidia y otras ITS.

Entre los adolescentes que reconocen haber tenido sexo, la tasa de ITS fue de 40 por ciento. Esto deja estupefactos a muchos padres que suelen subestimar la incidencia de ITS, especialmente en lo que se refiere a su adolescente. Sin duda, las ITS constituyen un riesgo. Y aunque el riesgo es aún mayor para ciertos grupos —según el estudio de los CDC, las adolescentes afroamericanas presentaban una tasa de ITS cercana a 50 por ciento—, las ITS se hallan en todos los grupos socioeconómicos y en toda etnia, lo que significa que su adolescente no está exento, sin importar qué tan "bueno", "limpio" o "listo" piense usted que es.

Un repaso de las principales ITS

Aceptémoslo: ha pasado un buen tiempo desde que usted se puso a pensar en las infecciones de transmisión sexual, por lo que un curso rápido de actualización viene muy bien. A continuación, exploraremos los aspectos básicos. Tanto los CDC como la American Health Association (www.ashastd.org/learn/learn_statistics.cfm) ofrecen información más detallada.

Virus del papiloma humano (VPH)

La infección por virus del papiloma humano es la más común reportada en Estados Unidos y constituye cerca de la mitad de los casos diagnosticados anualmente entre la población adolescente de 15 a 24 años. En algún momento de su vida, al menos 50 por ciento de los hombres y mujeres sexualmente activos padecerán una infección por virus de papiloma humano; al llegar a los 50 años, al menos 80 por ciento de las mujeres habrán tenido VPH.

De hecho, el virus del papiloma humano tiene, aproximadamente, un ciento de variantes, 40 de las cuales se transmiten por vía sexual. Algunos tipos de VPH causan verrugas genitales, que son relativamente inofensivas, pero también existen tipos de alto riesgo por tener la capacidad de producir cáncer de cérvix, vulva, vagina, ano o pene. El virus del papiloma humano también está relacionado con el cáncer de garganta.

Transmisión y síntomas

El vph se transmite por contacto genital, casi siempre durante las relaciones vaginales o anales, pero también se transmite por medio del sexo oral. Es común que las infecciones no presenten síntomas, por lo que una persona puede estar infectada durante años sin saberlo siquiera.

Problemas de salud

Si el vph no desaparece por sí mismo puede producir cáncer cervical y de otros tipos. También causa verrugas genitales, aunque éstas no están ligadas con el cáncer.

Pruebas, tratamiento y prevención

Las pruebas para detectar la presencia del vph se realizan con las muestras celulares utilizadas para el examen de papanicolau (la prueba de vph busca dicho virus en las muestras, mientras que la prueba de papanicolau busca detectar cambios celulares en el cérvix). No hay tratamiento para el vph, aunque sí existen tratamientos para atacar los problemas de salud que causa. Las verrugas genitales visibles pueden ser removidas, y los cambios en las células cervicales y el cáncer cervical también pueden ser atendidos. Dado que el vph se transmite por contacto genital directo, los condones ofrecen algo de protección, pero sólo en las áreas cubiertas por el condón. Una vacuna aplicada a las mujeres jóvenes antes de estar expuestas al vph las protege de los tipos más comunes del virus.

Probablemente no sepa que...

Los diferentes tipos de cáncer causados por el vph no muestran síntomas hasta encontrarse en estado muy avanzado, por lo que las pruebas para detectarlo a tiempo (y las medidas preventivas contra el vph) son especialmente importantes.

La vacuna contra el vph

Si usted es mamá, probablemente habrá tenido sus lances con el virus del papiloma y no le parecerá un asunto del todo novedoso. Para la mayoría de las mujeres, estos exámenes de detección del vph forman parte de la rutina vitalicia de cuidado médico. Las muestras se toman para detectar cambios en el cérvix que preceden al cáncer cervical, el que se ha relacionado con el vph.

A pesar de que hemos aceptado la necesidad de estas pruebas, la vacuna que protege contra algunos tipos de vph ha sido más o menos controvertida —y los hechos que la rodean suelen estar distorsionados. Los cdc recomiendan ahora que todas las muchachas de entre nueve y 23 años sean vacunadas (la vacuna se vende con el nombre comercial de Gardasil). Las vacunas contra el vph protegen contra los cuatro tipos de virus que, en conjunto, causan 70 por ciento de los casos de cáncer cervical y 90 por ciento de las verrugas genitales.

Es mejor para su adolescente vacunarse antes de volverse sexualmente activo (no importa qué tan bien conozca a su hija; no hay manera de saber cuándo se convertirá en sexualmente activa), puesto que las vacunas protegen contra virus que no se han contraído todavía. La vacuna también se recomienda en el caso de las muchachas que ya son sexualmente activas, dado que es poco probable que una adolescente esté infectada con los cuatro tipos de vph.

La vacuna se aplica con tres inyecciones realizadas en un lapso de seis meses; se piensa que la persona recibe ya cierta protección a partir de la segunda aplicación. Dado que no protege contra todos los tipos de vph, las mujeres sexualmente activas deben realizarse pruebas periódicamente.

Por ahora, no se recomienda que los muchachos se vacunen, aunque es posible que la vacuna ayude a evitar las verrugas genitales y algunos tipos raros de cáncer anal y de pene (y posiblemente cáncer de garganta); además, obviamente ayudaría a que los muchachos no transmitieran la enfermedad. Sin embargo, la vacuna contra el vph sólo se aplica a los jóvenes varones en Canadá y Australia, aunque ya se realizan pruebas clínicas en Estados Unidos.

Clamidia

La clamidia es la infección de transmisión sexual por bacteria que con mayor frecuencia se reporta en Estados Unidos. De hecho, es aún más común de lo que creemos, pues en muchas ocasiones no causa síntomas y, por lo tanto, suele pasar desapercibida.

Transmisión y síntomas

La clamidia se transmite vía sexo vaginal, anal u oral. No causa síntomas en tres cuartas partes de las mujeres infectadas y en la mitad de los varones infectados. Cuando se presentan síntomas, éstos se presentan entre una y tres semanas después del contacto. En el caso de las mujeres, los síntomas incluyen descargas vaginales anormales o una sensación de ardor al orinar; en los hombres, se presenta secreción del pene y ardor intenso en él. Los síntomas de una infección en el recto (usualmente contraída por sexo anal) incluyen comezón, ardor y sangrado del recto.

Problemas de salud

Si la enfermedad alcanza las trompas de Falopio, causa dolor en el bajo vientre, en la espalda baja, náusea, fiebre, dolor al tener relaciones o sangrados intermenstruales. Si no se recibe tratamiento, la clamidia causa infertilidad y otros problemas de salud en hombres y mujeres, aunque los datos son insuficientes en el caso de los varones.

Pruebas, tratamiento y prevención

Los CDC recomiendan que todas las mujeres sexualmente activas que tengan menos de 25 años sean revisadas para detectar clamidia al menos una vez al año. La clamidia se tratar y se cura con antibióticos; los condones reducen el riesgo de infección. También hay una prueba de orina que funciona para el caso de los muchachos, y deben hacerse la prueba una vez al año.

Probablemente no sepa que...

Las adolescentes podrían tener mayor riesgo de contraer clamidia porque su cérvix no ha madurado completamente y se infecta con más facilidad.[16] Además, las mujeres suelen volver a infectarse con clamidia porque sus parejas no han recibido tratamiento. Los hombres también transmiten la clamidia por medio del sexo anal u oral.

Tricomoniasis

La tricomoniasis es una ITS muy común que afecta tanto a hombres como a mujeres, pero rara vez se le pone la suficiente atención (el nombrecito de la enfermedad no ayuda gran cosa). Como sea, dado que constituye la infección de transmisión sexual curable más común entre las mujeres jóvenes y sexualmente activas, merece una mayor atención.

Transmisión y síntomas

El parásito que causa la tricomoniasis usualmente se transmite durante las relaciones vaginales, y los lugares en que la incidencia es más común son la vagina en el caso de las mujeres, y la uretra en el de los hombres. Las mujeres se contagian por relaciones con hombres o con otras mujeres, pero los hombres sólo contraen la infección de las mujeres.

Por lo regular, los hombres no presentan síntomas, pero cuando sí se manifiestan incluyen irritación interna del pene y una leve secreción o ligera sensación de ardor después de orinar o eyacular. En el caso de las mujeres, los síntomas incluyen secreción espesa de color verdeamarillenta, con olor fuerte, además de causar molestias al orinar o durante las relaciones sexuales. Los síntomas tardan entre 5 y 28 días en mostrarse.

Problemas de salud

La inflamación causada por la tricomoniasis produce un incremento en el riesgo de contraer VIH en las mujeres. Tener tricomoniasis también incrementa las probabilidades de que una mujer infectada con VIH transmita la enfermedad a su pareja.

---

[16] Centers for Disease Control and Prevention, *Youth Risk Behavior Surveillance (YBRS)*, 2005.

Pruebas, tratamiento y prevención

Las pruebas consisten, por lo general, en un examen físico (un médico detecta signos visibles en algunas mujeres, aunque es mucho más difícil en el caso de los hombres) y una prueba de laboratorio. El tratamiento suele involucrar un medicamento que requiere prescripción médica y que se aplica oralmente en una sola dosis. Dado que una persona puede seguir infectando a su compañero sexual, es necesario que ambos miembros de la pareja sean tratados al mismo tiempo. Los condones reducen el riesgo de infección.

Probablemente no sepa que...

En el caso de los hombres quizá no se presenten síntomas o tal vez éstos desaparezcan por sí solos, pero un hombre infectado continuará infectando a su pareja si no recibe tratamiento.

Negocio riesgoso

Todo contacto sexual conlleva riesgos. Ciertas ITS (incluyendo herpes, sífilis, VPH, por nombrar sólo tres) se transmiten incluso cuando se usa condón.

Por supuesto que algunos tipos de contacto son más riesgosos que otros. El sexo anal sin protección es particularmente riesgoso para la transmisión del VIH y otras ITS, porque el tejido que recubre el ano es delgado y tiene poca lubricación y se rompe más fácilmente que el tejido que recubre la vagina. Esas heridas son como una puerta que permite la entrada de las ITS.

Cualquier herida o raspón —un fuego, una pequeña herida en las encías, un raspón en la vagina o el pene— facilita la infección, así que el sexo oral y vaginal también representa riesgos (y no olvide que otras ITS se transmiten únicamente por contacto genital, sin que medie herida alguna).

En última instancia, no existe un verdadero sexo seguro. Es claro que el sexo sin protección es más peligroso, con el sexo anal sin protección a la cabeza de las conductas de alto riesgo para la trasmisión de VIH u otras ITS. Su hijo o hija adolescente necesita reducir la exposición a estos peligros en la mayor medida posible limitando el número de parejas sexuales, eligiéndolas cuidadosamente para evitar a aquellas que representan un riesgo por sí mismas, y siempre deben utilizar condón.

SÍFILIS

La sífilis es una infección bacteriana que ha aumentado su incidencia en los últimos años. La mayoría de los casos ocurren en el grupo de edad que va de 20 a 39 años. Y aunque 64 por ciento de los casos se da en hombres que han tenido contacto sexual con otros hombres, la sífilis afecta a toda persona sexualmente activa, de cualquier edad u orientación sexual.

TRANSMISIÓN Y SÍNTOMAS

La sífilis se transmite por contacto directo con las heridas que la enfermedad provoca, las que principalmente afectan los genitales externos, la vagina, el ano o el recto, pero que también se presentan en la boca. No es posible contraer sífilis tocando algún objeto, por sentarse en un inodoro infectado ni por medio de cualquier otro contacto casual.

La mayoría de las personas no muestra síntomas durante años e ignoran que están infectados. En la fase primaria de la enfermedad, los síntomas incluyen una herida (llamada chancro) o abrasiones que usualmente son firmes al tacto, redondas e indoloras. Suelen presentarse en los genitales, aunque también afectan el ano, la boca, los dedos y los pechos. Los chancros duran de tres a seis semanas y se curan solos. Si no son tratados (el tratamiento es indispensable aunque los chancros desaparezcan), la enfermedad avanza a su etapa secundaria, que incluye irritación en las palmas de las manos o en las plantas de los pies (aunque pueden presentarse en cualquier parte del cuerpo). A veces, la irritación es tan pequeña que no se nota. Otros síntomas son: fiebre, inflamación de las glándulas linfáticas, dolor de garganta, pérdida de cabello en mechones, dolor de cabeza, pérdida de peso, dolor muscular y fatiga. Los síntomas desaparecen por sí solos, pero la enfermedad sigue latente, progresando, hasta llegar a la etapa final tras varios años. Entonces se presenta daño a los órganos internos, huesos y articulaciones.

Problemas de salud

La sífilis es mortal para un bebé en desarrollo, de modo que las mujeres embarazadas deben someterse a pruebas de laboratorio. Si no se recibe tratamiento y se permite el avance de la enfermedad hasta su última etapa, la sífilis provoca ceguera, demencia, problemas motores, parálisis e incluso la muerte.

Pruebas, tratamiento y prevención

El diagnóstico se realiza ya sea por medios visuales (en el caso de la presencia de chancros) o con ayuda de un examen de sangre. En las primeras etapas de la enfermedad, la sífilis es curada fácilmente con antibióticos. Los condones proporcionan algo de protección, aunque obviamente no protegen las áreas que no cubren.

Probablemente no sepa que...

Los chancros y abrasiones producto de otras ITS facilitan la transmisión de VIH.

Gonorrea

La gonorrea es una infección de transmisión sexual bastante común que, tras declinar en su incidencia durante años, vuelve a estar a la alza. Afecta a cualquier persona sexualmente activa, pero las tasas más altas de infección se registran entre los adolescentes, los adultos jóvenes y los afroamericanos.

Transmisión y síntomas

La gonorrea se transmite por contacto con los genitales, la boca o el ano. La mayoría de las mujeres no muestran síntomas de la infección, aunque algunas reportan síntomas como ardor al orinar, aumento de secreciones vaginales o sangrado intermenstrual. Algunos hombres no presentan síntomas; otros reportan ardor intenso al orinar, una secreción blanca, amarilla o verdosa proveniente del pene y dolor o inflamación en los testículos. La infección rectal puede no presentar síntomas, pero también es posible que provoque secreciones, comezón en el ano, dolor, sangrado o movimientos ventrales dolorosos, tanto en hombres como en mujeres. Las infecciones localizadas en la garganta no suelen presentar sintomatología.

PROBLEMAS DE SALUD

En las mujeres, la gonorrea causa inflamación pélvica y problemas en el embarazo. En el caso de los hombres puede derivar en infertilidad. En ambos sexos, la enfermedad puede extenderse a la sangre o articulaciones, situación que pone en peligro la vida.

PRUEBAS, TRATAMIENTO Y PREVENCIÓN

La gonorrea se detecta con un examen de orina, entre otras pruebas. Normalmente se trata con antibióticos, pero cada vez existen más cepas de la enfermedad que resisten al tratamiento. Los condones protegen de la gonorrea.

PROBABLEMENTE NO SEPA QUE...

Tener gonorrea hace que una persona tenga mayores probabilidades de contraer VIH si se expone a la enfermedad, y hace que las personas infectadas con VIH transmitan con más facilidad el virus.

HERPES GENITAL

El herpes genital es causado por dos clases de virus del tipo herpes simplex: el tipo 1 y el tipo 2, aunque la mayor parte de los casos son causados por el tipo 2. El tipo 1 suele producir "ampollas" parecidas a los fuegos que causa la fiebre en los labios y en la boca. En la actualidad, el herpes genital está en declive en Estados Unidos, pero el virus sigue afectando a cerca de 45 millones de personas.

TRANSMISIÓN Y SÍNTOMAS

El herpes genital se contagia por contacto con los genitales de una persona infectada y se transmite aun cuando la persona no presente signos visibles de infección. La mayoría de las personas padece únicamente síntomas menores o ninguno, por lo que quizá no sepan que están infectadas. Cuando los síntomas se presentan por primera vez, es común que esto suceda alrededor de dos semanas después del contacto. Por lo regular, se presentan ampollas en o alrededor de los genitales o ano (las ampollas se rompen y dejan heridas que toman de dos a cuatro semanas para sanar). También pueden presentarse otros síntomas en el primer brote de la enfermedad que son parecidos a los de la gripe y fiebre. Una persona infectada puede padecer varias crisis durante el primer año contado a partir del momento de la infección y, pasada esta etapa, las crisis disminuyen. Subsecuentemente, las crisis son más esporádicas y duran menos, aunque el virus sigue presente.

PROBLEMAS DE SALUD

Los episodios de herpes pueden ser dolorosos. Además, dado que el herpes no es curable y existe un estigma social al respecto, el simple hecho de tener el virus es molesto. También es posible que el herpes favorezca la trasmisión del VIH si se está expuesto, y provoca que las personas infectadas con VIH lo transmitan con mayor facilidad.

PRUEBAS, TRATAMIENTO
Y PREVENCIÓN

El herpes suele detectarse con base en los síntomas visibles, aunque existe una prueba específica de sangre para diagnosticarlo. A pesar de no existir cura, los medicamentos ayudan a reducir la intensidad de los síntomas y la probabilidad de contagiar el mal a las parejas sexuales.

PROBABLEMENTE NO SEPA QUE...

Es más fácil que el virus pase de los hombres a las mujeres. Por lo tanto, más mujeres padecen la enfermedad si se compara con la incidencia en varones.

ENFERMEDAD PÉLVICA INFLAMATORIA (EPI)

La EPI no es una infección de transmisión sexual por sí misma, sino que es una complicación de las ITS que se presenta cuando una infección alcanza el útero, las trompas de Falopio u otros órganos del aparato reproductor. Suele ocurrir cuando una ITS (por lo regular clamidia o gonorrea) no recibe tratamiento, lo que lleva a un daño permanente de los órganos reproductivos y otras complicaciones serias.

TRANSMISIÓN Y SÍNTOMAS

En ocasiones, la EPI no produce síntomas; cuando se presentan, los síntomas son leves o severos. Los más comunes incluyen dolor en el bajo vientre, fiebre, secreciones vaginales anormales que huelen mal, dolor al tener relaciones, al orinar y sangrados intermenstruales.

Las mujeres que se aplican duchas vaginales tienen más posibilidades de padecer EPI, y mientras más parejas sexuales tenga una mujer, mayores son las probabilidades de adquirir EPI. Tener una pareja que ha tenido muchos compañeros sexuales incrementa el riesgo para las mujeres ya que de esta forma se exponen a contagiarse de más ITS.

PROBLEMAS DE SALUD

La EPI causa inflamación y cicatrices en las trompas de Falopio, lo que lleva a la infertilidad y a una mayor incidencia de embarazos ectópicos. También produce dolor pélvico crónico.

PRUEBAS, TRATAMIENTO Y PREVENCIÓN

Si no se presentan síntomas o si éstos son leves, la EPI suele pasar inadvertida hasta que la persona padece infertilidad o embarazo ectópico. Como sea, una prueba de laboratorio para detectar ITS es la clave para que un médico diagnostique EPI. Un ultrasonido ayuda a identificar cualquier efecto de este mal en los órganos reproductivos. Si se detecta a tiempo, el daño permanente se minimiza. La EPI suele tratarse con antibióticos dirigidos a atacar la enfermedad que la causó. En cualquier caso, ningún tratamiento logrará revertir los daños causados. Los condones reducen los riesgos de contraer ciertas ITS, y una prueba anual en busca de clamidia ayuda a detectar una infección e iniciar así el tratamiento respectivo.

Además, es importante que las mujeres comprendan que las ITS causan daños serios si no se tratan a tiempo. Así, deben reducir el riesgo pero también tomar las riendas del cuidado de su salud reproductiva, lo que se resume en lo siguiente: hágase las pruebas si su actividad sexual lo justifica, y busque tratamiento si sospecha que tiene una ITS.

PROBABLEMENTE NO SEPA QUE...

La EPI afecta a un número mayor de mujeres jóvenes, posiblemente porque están más expuestas a las ITS, y por el hecho de que el cérvix no ha madurado del todo, haciendo más probable que la infección llegue hasta el aparato reproductor.

Virus de inmunodeficiencia humana (VIH)

El VIH es el virus que causa el SIDA (Síndrome de Inmunodeficiencia Adquirida) y es la más mortal de las infecciones de transmisión sexual. Es incurable, aunque la investigación de los últimos 15 años ha logrado que el mal sea controlado durante años. No obstante, aunque el tratamiento puede prolongar la vida, casi siempre es costoso y difícil de sobrellevar.

En Estados Unidos, la tasa de infección por VIH ha bajado notablemente, pasando de 150 000 casos anuales a principios de la década de los ochenta, a 40 000 nuevas infecciones al año en la actualidad.

Antes de sentirse aliviado, considere lo siguiente: los jóvenes menores de 24 años suman cerca de 50 por ciento de los casos registrados. Por si fuera poco, casi una cuarta parte del millón de personas que viven con VIH o SIDA no saben que están infectados, lo que implica que pueden poner en peligro a otros sin saberlo.[17] Mientras que alguna vez se pensó que el SIDA era una enfermedad que atacaba solamente a los usuarios de drogas y a los hombres homosexuales, hoy sabemos que las mujeres representan 25 por ciento de los casos nuevos. El contacto heterosexual de alto riesgo —que incluye sexo vaginal, anal u oral sin protección, entre otros— es responsable del 80 por ciento de los casos.

Existen muchas interpretaciones erróneas en relación con el VIH, así que emprenderemos un breve repaso para actualizar un conocimiento básico de la enfermedad. Primero, el virus se encuentra principalmente en la sangre, semen y fluidos vaginales de la persona infectada, lo que significa que sólo se

---

[17] Centers for Disease Control and Prevention, "HIV/AIDS", en www.cdc.gov/hiv.

contagia si es expuesto a estos fluidos (en otras palabras, no se contagia al saludar de mano, compartir utensilios, abrazando o al tener cualquier contacto casual con una persona infectada por VIH). El VIH se transmite principalmente por tres vías: contacto sexual, al compartir agujas con una persona infectada y por contagio de madre a hijo durante el parto o la lactancia —uno de los mayores problemas en los países pobres.

Asumiendo que usted ignora si su pareja porta o no el VIH, las conductas de mayor riesgo son: inyección de drogas con agujas compartidas; tener sexo sin protección con hombres que han tenido relaciones sexuales con otros hombres, con muchos compañeros o con desconocidos; haber recibido una transfusión sanguínea entre 1978 y 1985; y tener sexo sin protección con alguien que presenta cualquiera de los factores de riesgo antes mencionados.

Las prácticas sexuales conllevan un riesgo variable. Ahora presentamos algunos ejemplos que van de mayor a menor riesgo:

- Relaciones anales pasivas (ser penetrado).
- Relaciones vaginales pasivas (ser penetrada).
- Relaciones anales activas (penetrar).
- Relaciones vaginales activas (penetrar).
- Sexo oral pasivo (hacer el sexo oral).
- Sexo oral activo (recibir el sexo oral).

Por lo general, es más probable el contagio hombre-mujer u hombre-hombre, que el contagio de una mujer a un hombre o de mujer a mujer.

Tener otra ITS es también factor de riesgo. Las personas que padecen una ITS tienen entre dos y cinco veces más posibilidades de infectarse con VIH si se exponen al virus por contacto sexual. Esto sucede en función de que muchas ITS causan heridas o pequeñas lesiones por las que el virus pasa más fácilmente al torrente sanguíneo. De manera similar, las personas infectadas con VIH y que también están afectadas por otra ITS, tienen más posibilidades de transmitir el VIH por contacto sexual, que las personas infectadas con VIH sin tener otras ITS.

La mayor parte de las personas infectadas con VIH no presenta síntomas por muchos años, así que se puede estar infectado —y ser infeccioso— sin mostrar signos externos. Además, la mayoría de las pruebas para la detección de VIH busca anticuerpos en el torrente sanguíneo y no el virus mismo, y dado que el cuerpo requiere de hasta tres meses para desarrollar anticuerpos, hay un lapso en que es posible que la persona infectada dé negativo a los análisis. Las pruebas que buscan el virus pueden realizarse dentro de las tres primeras semanas subsecuentes al contagio, aunque éstas son más difíciles de procurar.

Las buenas noticias son que los condones brindan protección del virus. Los adolescentes han recibido educación especializada en lo referente al VIH durante años (89 por ciento de los estudiantes han recibido esta enseñanza en la escuela),[18] lo que se traduce en un mayor conocimiento del tema; para algunos, realizarse una prueba de VIH es un acto responsable, ya sea que incurra o no en factores de riesgo. Simultáneamente, hoy disponemos de pruebas más rápidas y sencillas para detectar el VIH.

A pesar de todo, tenemos evidencias de que los jóvenes —en particular los hombres que tienen sexo con otros hombres, cuya tasa de infección vuelve a estar a la alza— han bajado la guardia respecto de la prevención del VIH en años recientes, debido en parte al hecho de que se han desarrollado mejores tratamientos que convierten al VIH en un mal crónico, controlable, en mayor medida que antes. Esta falsa sensación de seguridad hace más importante aún que los padres hablen con los hijos sobre cómo evitar prácticas de alto riesgo, sobre la necesidad de reducir el número de compañeros sexuales y siempre usar condón.

---

[18] Centers for Disease Control and Prevention, *Youth Risk Behavior Surveillance* (YBRS), 2007.

Un sexo más seguro

Entre las muchas cosas que han cambiado desde que usted fue adolescente, hay todavía algunas que permanecen constantes: la abstinencia, o no tener sexo, es la mejor manera de evitar embarazos e infecciones de transmisión sexual. En una encuesta realizada por la Campaña Nacional para la Prevención del Embarazo en Adolescentes, tanto los padres como los adolescentes coincidieron en señalar que vale la pena comunicar este importante mensaje a los adolescentes.[19] De hecho, los adolescentes dijeron querer más información sobre la abstinencia. Pero también dijeron valorar la información sobre el control de la natalidad y los condones para tomar decisiones informadas si deciden tener sexo.

Si usted está leyendo este libro, es muy probable que su hijo no se haya abstenido, al menos en una ocasión. E incluso si su hijo o hija decide que ser sexualmente activo no es la mejor opción por el momento, es importante dejar en claro el mensaje de que todo adolescente sexualmente activo debe hacerse responsable por reducir al mínimo el riesgo al limitar el número de parejas sexuales, evitando actividades de alto riesgo y practicando un sexo más seguro (para que esté enterado, el concepto de "sexo seguro" aún se utiliza, pero los conceptos de "sexo más seguro" o "sexo con protección" son preferidos, porque ningún tipo de sexo carece de riesgos).

Una manera de tener sexo más seguro consiste en utilizar métodos anticonceptivos y tener sólo un compañero sexual monógamo que, de cierto, esté libre de ITS. El control de la natalidad, cuando se usa consistentemente y con propiedad, es altamente efectivo para evitar un embarazo no deseado. Y si ambos miembros de la pareja están libres de ITS y ninguno tiene sexo con otra persona o participa en actividades de alto riesgo —como inyectarse drogas compartiendo agujas— el sexo es bastante seguro, al menos en lo que se refiere a las infecciones. Por supuesto, esto presupone que usted conoce bien a la otra persona, lo que resulta muy difícil incluso habiéndose practicado pruebas de detección de ITS. No todas las pruebas buscan todas las infecciones de transmisión sexual rutinariamente, y algunas pruebas, incluyendo las que detectan el VIH, pasan por alto las infecciones recientes. Por lo tanto, si usted no

---

[19] The National Campaign to Prevent Teen Pregnancy, *With One Voice: America's Adults and Teens Sound off about Teen Pregnancy*, 2007.

sabe con absoluta certeza si su pareja está libre de ITS, éstas son un riesgo. En ese caso, sexo más seguro significa usar condón (agregando otro método de control natal para que el sexo sea aún más seguro en términos de prevención de embarazo).

El condón está a la alza

Por fortuna, los condones tienen varias ventajas: son relativamente baratos y fáciles de conseguir; son fáciles de usar (con algo de práctica) y, cuando se utilizan correctamente, son muy efectivos para prevenir el intercambio de fluidos corporales.

Y los adolescentes de hoy efectivamente están usando condones en mucho mayor medida que los adolescentes de hace una década y media. Lo cierto es que entre los adolescentes sexualmente activos que cursan los últimos años de preparatoria, 63 por ciento dicen que ellos o su pareja usaron condón la última vez que tuvieron relaciones. Esto representa una notable mejoría, si se compara con el 46.2 por ciento de los adolescentes que usaron condón en 1991.[20]

Desafortunadamente, parece que la tendencia tiende a estancarse. El uso del condón se ha sostenido desde 2003, quizá debido a la moda de los cursos de abstinencia total que impiden la discusión de los condones y se concentran en sus tasas de fracaso. Además, la cifra actual de uso indica que 37 por ciento de los adolescentes sigue teniendo sexo sin condón, un número mucho mayor que el reportado en otros países desarrollados.

También es importante señalar que los condones no son a prueba de tontos —a veces se rompen o se utilizan erróneamente (si se usan con técnica perfecta, por ejemplo, tienen 98 por ciento de efectividad en la prevención del embarazo, pero con las técnicas usuales sólo alcanzan 85 por ciento de eficacia). Algunos se quejan de que los condones son incómodos o que reducen el placer. Además, por buenos que sean al prevenir el intercambio de fluidos corporales, no protegen las áreas que no cubren, incluyendo el escroto, la vulva y el ano, dejando así lugar para el contagio de las ITS aun con el condón puesto. Y a pesar de que su uso en las relaciones vaginales ha aumentado entre los adolescentes, falta mucho por hacer respecto de su utilización en el caso de sexo oral o anal.

---

[20] Colorado Coalition against Sexual Assault, www.ccasa.org.

No todos los condones son iguales

Los condones a los que se añade espermicida parecen una buena idea (prevención del embarazo y contra ITS, todo al mismo tiempo), pero la Asociación Norteamericana de Salud Social y la Organización Mundial de la Salud advierten contra su uso. La razón: los condones lubricados con espermicida no reducen significativamente la probabilidad de embarazo y causan irritación en la piel, lo que aumenta el riesgo de contagiarse con VIH si se está expuesto. Por supuesto, la Organización Mundial de la Salud señala que es mejor usar estos condones que no usar nada.

Los condones de cualquier tipo requieren utilizarse de manera correcta para ser efectivos. La Asociación Norteamericana para la Salud Social ofrece consejos en su página web para adolescentes (www.iwannaknow.org) y presenta una animación que ilustra la correcta utilización del condón (www.ashastd.org/condom/condom_introduction.cfm).

Además de saberlo usar, todo adolescente debe estar al tanto de que los condones se dañan en los siguientes casos:

- Al utilizar lubricantes con base de aceite, como el aceite para bebés, la vaselina o la crema de manos.
- Cuando la fecha de caducidad ha pasado (revise la fecha de caducidad y tire los caducos).
- Por calor excesivo.
- Por exposición a la luz solar.
- Por exposición a la humedad.
- Por sobreponer un segundo condón al primero (los condones "dobles" suelen romperse por el roce).

Para terminar, los condones novedosos o con motivos humorísticos, etcétera, no suelen ofrecer la protección necesaria contra el embarazo o las ITS. Lea bien la etiqueta para estar seguro.

No olvidemos los condones para mujeres

Si usted se siente confuso en lo referente a los condones femeninos, no está solo. La gente no suele hablar gran cosa de los
condones femeninos (conocidos también como Dam), y mucho
menos los usa. Parecen ser, por decirlo así, los grandes olvida-
dos de la prevención de ITS.

¿Y por qué no se han ganado nuestro respeto los condones
para mujeres? Es difícil decirlo, pero podemos aventurar diciendo que, en lo referente a las conductas de riesgo, la gente —los
adolescentes en particular— ven el sexo oral como una actividad
de riesgo bajo en la escala. Y aunque haya algo de verdad en dicha concepción (las posibilidades de contraer VIH por sexo oral
sin protección son mucho menores que el riesgo de contagio
por sexo anal, por ejemplo), existen muchas ITS que se contagian vía el sexo oral (herpes, VPH, clamidia y otras). Los condones deben utilizarse por los hombres cuando se les practica el
sexo oral (felación), en tanto que los condones femeninos deben
utilizarse cuando los varones practican el sexo oral a las mujeres (cunnilingus). Además, siempre debe usarse un Dam durante cualquier contacto de la boca con el ano (annilingus).

Dependiendo del tipo de información sexual que reciba y
del tipo de información que se procure, su adolescente tal vez
no haya escuchado jamás nada relativo al Dam o condón femenino, lo que significa que usted debe llevar la noticia a sus
oídos. He aquí lo que usted debe saber (y decir a su adolescente) en relación con los condones femeninos:

- Los Dam son hojas de látex o poliuretano que están disponibles en algunas farmacias y en Internet.
- Para usar un Dam, se extiende sobre la vagina o ano durante el sexo oral. Éste actúa como barrera para prevenir
  el intercambio de fluidos o el contacto directo entre la
  boca y los genitales o el ano.
- Antes de usar un Dam de los que se ponen en los dientes,
  debe revisarlos a contraluz para verificar que no tengan
  agujeros.
- Puede usar lubricante con base de agua para aumentar
  la sensación y mantener el condón femenino en su lugar

> (insistimos: no use aceite para bebés u otros aceites porque dañan el látex).
> - Sólo deben usarse una vez.
> - Para ser prácticos, diremos que también pueden utilizarse condones normales (córtelos longitudinalmente y extienda sobre la vagina), lo mismo que plástico para envolver (aunque ninguno de estos métodos es tan eficiente como el Dam real, pues las posibilidades de ruptura son mayores).

Píldoras, parches e inyecciones

A pesar de que la ciencia podría desarrollar algún día una solución eficaz, por ahora las únicas alternativas de control natal para jóvenes y hombres son el condón y la vasectomía —un procedimiento quirúrgico que esteriliza permanentemente a los varones y que no constituye una opción viable para la mayoría de los adolescentes. En consecuencia, aparte del condón, la responsabilidad del control natal recae frecuentemente en las mujeres. Por fortuna, existen muchas opciones para que las adolescentes elijan.

Uno de los métodos más conocidos se conoce como píldora anticonceptiva (alias "la píldora", o contraceptivos orales). Cerca de 16 por ciento de los adolescentes sexualmente activos dice que ellas o su pareja han usado píldoras anticonceptivas para prevenir el embarazo, y una cuarta parte de quienes dicen haberlas usado afirmaron usar condón y píldoras en simultáneo.

Las píldoras funcionan al liberar estrógeno y progestina, lo que evita que las mujeres liberen óvulos. Son altamente efectivas, pero deben tomarse todos los días, más o menos a la misma hora —requisito que es difícil de sobrellevar para algunas adolescentes.

Más aún, algunos antibióticos y otros medicamentos reducen la efectividad de la píldora y presentan efectos secundarios como sangrados intermenstruales, hipersensibilidad en los pechos, náusea y vómito. Quienes fuman o padecen diabetes y otras enfermedades corren el riesgo de padecer efectos secundarios más graves, como ataques cardiacos, infartos, embolias y presión alta. Finalmente, es importante hacer notar que la píldora no protege contra ninguna ITS, así que el 25 por ciento que usa condones además de la píldora está en lo correcto (y bien haría el 75 por ciento restante en imitarlos).

Además de prevenir el embarazo, todo método de control natal en que intervienen hormonas (abordaremos el resto más adelante) ofrece ventajas extraordinarias para algunas mujeres: regularizan su periodo menstrual o hacen que el sangrado sea menor, aminoran los dolores clásicos del síndrome premenstrual y reducen el acné. Por esta razón, algunas adolescentes usan la píldora aunque no sean sexualmente activas.

Otras opciones que contienen hormonas y que funcionan de manera parecida a la píldora (con sus pros y contras) son:

- Parche anticonceptivo: se trata de un parche delgado de plástico que se pone sobre la piel como si fuera una curita y se cambia semanalmente. Previene el embarazo al liberar estrógeno y progestina, es de bajo mantenimiento (sólo debe aplicarse una vez a la semana), y es un método muy efectivo cuando se utiliza correctamente. Una desventaja de este método es la visibilidad, aunque puede utilizarse discretamente.
- Depo-Provera: una inyección de hormonas que dura tres meses. Es probablemente el método más eficiente de entre los hormonales porque no requiere intervención del usuario. El hecho de ser inyectado hace que algunos adolescentes lo rehúyan.
- Anillo Nuva: un aro o anillo pequeño, flexible, que se inserta en la vagina y se deja ahí por tres semanas, para luego ser retirado y reemplazado con uno nuevo pasada una semana. Libera estrógeno y progestina y es altamente efectivo si se utiliza correctamente. Sin embargo, para ponerlo se deben tocar los genitales por lo que es una opción difícil para algunos adolescentes. Además, causa irritación vaginal (entre 1 y 2.5 por ciento de incidencia) lo que, en teoría, podría aumentar las posibilidades de contraer algunas ITS.
- Implantes: el llamado Implanon es método aprobado, pero no utilizado comúnmente. Se trata de una pieza flexible de plástico que se inserta debajo de la piel del brazo y libera progestina, evitando así que los ovarios liberen óvulos. Es muy efectivo, de bajo mantenimiento (no hay que hacer nada para que funcione) y dura cerca de tres años. Ciertas personas se sienten incómodas por la idea de tener algo implantado debajo de la piel.

Las mujeres también disponen de una buena selección de métodos anticonceptivos que no se basan en hormonas para prevenir el embarazo:

- El condón femenino: se trata de una suerte de bolsa pequeña larga, de plástico, con anillos flexibles situados en cualquier extremo. Se inserta en la vagina antes de tener relaciones y se remueve inmediatamente después. Entre las ventajas de este método está que es fácil de conseguir y conveniente si lo requiere sólo ocasionalmente (si tiene sexo con poca frecuencia, por ejemplo), además acaba con las objeciones de comodidad que suelen oponer los varones (los condones masculinos requieren ajustarse bien a la forma del pene. También protegen de algunas ITS (aunque no protegen las áreas que no cubren) y tienen menos efectos secundarios potenciales si se les compara con los métodos a base de hormonas. No obstante, para usarlo es necesario manipular los genitales, de manera que los adolescentes jóvenes pueden sentirse incómodos o encontrar difícil su utilización.

- DIU: los dispositivos intrauterinos (DIU) son pequeños aparatos flexibles de plástico que son insertados en el útero por un especialista (uno de ellos, de nombre Mirena, libera una pequeña cantidad de la hormona levonorgestrel directamente en el útero). Son altamente eficientes, duraderos, de bajo mantenimiento, discretos y al ser removidos la mujer vuelve a ser fértil rápidamente. A pesar de todas sus ventajas, el DIU no protege contra las ITS.

- Espermicidas: los espermicidas vienen en diversas presentaciones como cremas, espumas, jaleas y supositorios. Inmovilizan los espermatozoides evitando que lleguen al útero. El ingrediente activo más común es el nonoxynol 9. Cuando se siguen al pie de la letra las instrucciones de uso, los espermicidas tienen una eficacia de 85 por ciento. Son especialmente útiles para las personas que tienen sexo infrecuente, aunque hay quienes se quejan de que son difíciles de aplicar o de que causan irritación. No protegen contra las ITS (a pesar de la idea equivocada de que protegen contra el VIH, específicamente) y el uso frecuente provoca irritación en algunas mujeres, con lo que aumenta la probabilidad de contraer VIH si se está expuesto. Debido a que esta irritación puede tener lugar sin causar síntomas, la Food and Drug Administration (FDA, por sus siglas en inglés) recomienda el uso de espermicidas sin condón únicamente en el caso de personas que están en una relación monógama con un compañero que, de cierto, está libre de VIH y que no tiene otras parejas o incurre en prácticas de riesgo.

Si usted no está seguro de cumplir con esos requisitos, recomendamos el uso de otro método.

- La esponja anticonceptiva: la esponja Today Sponge, aprobada para su venta en Estados Unidos (existen otras marcas disponibles fuera de Estados Unidos y en Internet), se inserta en la vagina antes de tener relaciones y evita que el esperma llegue al cérvix. También contiene espermicida y no protege contra las ITS.

- Diafragmas, escudos y copas: se trata de barreras fabricadas con silicón que cubren el cérvix y evitan así que el esperma llegue al útero. Deben ser obtenidas de un profesional de la salud y son eficientes, pero requieren de cierta práctica para usarse apropiadamente. No protegen contra las ITS.

- Métodos de autoanálisis: estos métodos requieren que se analice cuidadosamente la fertilidad —poniendo atención a la temperatura y/o al moco cervical y/o al historial menstrual (método del ritmo)— y evitando el sexo en los días en que la concepción es más probable. Esto resulta complicado y tardado para la mayoría de las adolescentes. No protege contra las ITS.

- *Coitos interruptus*: con este método, el hombre saca el pene de la vagina antes de eyacular. Normalmente, tiene cerca de 83 por ciento de efectividad, pero no se recomienda en el caso de los adolescentes, pues no protege contra las ITS y requiere más control del que muchos varones inexpertos disponen. Además, existe una pequeña cantidad de espermatozoides en la preyaculación —el fluido que se libera antes de la eyaculación—, lo que implica correr riesgos innecesarios, incluso cuando se lleva a cabo correctamente.

El médico de su adolescente puede hablarle a detalle respecto de cuál es la mejor opción para ella. Los puntos a tomar en cuenta son: qué tan seguro y efectivo será el método; qué tan bien se adapta a su estilo de vida presente y futuro; el costo y la conveniencia.

Las leyes y el control natal

En la mayoría de los estados, los adolescentes que quieren obtener un método anticonceptivo pueden conseguirlo con o sin el permiso de sus padres y sin notificarles. De hecho, 21 estados y el distrito de Columbia han determinado expresamente que los adolescentes (usualmente a partir de los 14 años) pueden obtener anticonceptivos, sin que los padres estén involucrados, y 25 estados admiten el consentimiento del menor bajo ciertas circunstancias, de acuerdo con el Instituto Guttmacher.

Los adolescentes de todo Estados Unidos tienen el derecho de otorgar su consentimiento para realizarse pruebas y emprender tratamiento para las ITS sin permiso de sus padres (aunque algunos estados permiten que uno de los padres sea notificado, si el médico tiene la impresión de que el tratamiento o la prueba va en contra los mejores intereses del menor). Treinta y un estados incluyen las pruebas y el tratamiento contra el SIDA en la definición de servicios de salud que puede solicitar un adolescente.

En relación con el aborto, el acceso es mucho más restringido. De hecho, 35 estados requieren autorización de uno o de ambos padres (ya sea permiso por escrito o simple notificación) cuando los adolescentes son menores de 18 años.

ANTICONCEPCIÓN DE EMERGENCIA

La llamada "píldora del día siguiente" —que ni es una sola píldora ni tiene que tomarse al día siguiente— tiene en Estados Unidos el nombre comercial de Plan B (el plan A se refiere a no embarazarse, precisamente). Puede tomarse hasta cinco días después del contacto sexual, aunque es más efectiva si se toma dentro de las primeras 24 horas; suele utilizarse en casos de asalto sexual, cuando se rompe un condón, cuando otros métodos fallan o cuando no se utilizó protección alguna contra el embarazo.

Las pastillas Plan B contienen la hormona progestina —la misma que se usa en las píldoras anticonceptivas normales (la mayor parte de éstas contienen también estrógenos), pero en una dosis mayor— y reduce el riesgo de embarazo en 89 por ciento. Por lo regular, se toma en dos dosis: una píldora dentro de las primeras 72 horas transcurridas desde la relación, y una segunda píldora 12 horas después. Funciona al evitar que los ovarios liberen óvulos, o impide que el óvulo sea fertilizado, o bien que el óvulo fertilizado se adhiera a las paredes del útero. No se trata de algo similar a la llamada píldora abortiva, que termina un embarazo después de que el óvulo ha sido fertilizado y se ha adherido a las paredes del útero.

La anticoncepción de emergencia está ahora disponible sin receta médica para cualquier persona mayor de 18 años. Es importante que los adolescentes sepan que las mujeres pueden usar sus píldoras anticonceptivas normales como píldoras de emergencia, al tomar una dosis más alta inmediatamente después de tener relaciones. Dado que las píldoras varían en cuanto a la dosis y la composición, es mejor pedir al médico de su adolescente que hable con ella respecto de si puede o no tomarlas y, en caso de ser posible, cómo hacerlo. También es buena idea que una adolescente sexualmente activa hable con su médico sobre la anticoncepción de emergencia, incluso si no toma píldoras. (Si se está preguntando cómo es que una adolescente que toma píldoras para el control natal necesite contracepción de emergencia, tenga en mente que la adolescente tal vez se saltó una toma o ha descontinuado el uso.) Obtenga información sobre anticoncepción de emergencia (o remitir a su adolescente para que la consulte) en www.not-2-late.com (página web desarrollada por la Universidad de Princeton y la Asociación de Profesionales en Salud Reproductiva). Para mayor información sobre la anticoncepción de emergencia, consulte la página de la National Women's Health Information Center, www.4woman.gov/FAQ/birthcont.hmt, operada por el gobierno federal estadounidense.

Tenga en mente que los contraceptivos de emergencia en forma de píldora sólo previenen el embarazo en 75 a 89 por ciento de los casos (dependiendo del tipo de anticonceptivo de emergencia utilizado y de su correcta utilización). Incluso como medida de anticoncepción de emergencia, el DIU es muy eficiente si es insertado por un médico dentro de los cinco días subsecuentes a la relación sin protección (no olvidemos que el uso normal del DIU previene 99 por ciento de los embarazos). Esta es una buena opción para alguien que ha tenido sexo sin protección y que, de cualquier manera, está interesado en protegerse con DIU en el futuro, en el caso de personas que han tenido sexo sin protección durante el periodo más fértil de su ciclo reproductivo o para quienes consideran que un porcentaje de eficiencia de 75 por ciento no basta. Como sea, dado que previene la implantación del huevo fertilizado, existen personas que objetan el método con argumentos de tipo moral.

IR AL MÉDICO

Si su adolescente ha tenido sexo y no ha conversado con un médico sobre el hecho de ser sexualmente activo, ha llegado el momento de hacerlo. Incluso aquellos adolescentes que creen saberlo todo —o las que ya han visitado al ginecólogo— deben visitar al médico, pues convertirse en personas sexualmente activas tiene implicaciones en la salud. Un médico puede hacer análisis para detectar ITS, hablar con su adolescente sobre el control de la natalidad y ayudarle a evitar conductas sexuales riesgosas, respondiendo a las preguntas específicas que interesan al chico o la chica.

Esto es especialmente importante en el caso de los hombres, quienes no suelen estar tan involucrados en el cuidado de la salud y pasan por alto temas importantes de salud reproductiva u omiten los exámenes para la detección de ITS. Además, los adolescentes de ambos sexos podrían consultar con el médico cosas que no consultarían con sus padres por vergüenza. De manera que, si usted recién se ha percatado de que su adolescente es sexualmente activo, debe sugerir sin demora una visita al médico.

Quizá su primera reacción sea dirigirse al consultorio del pediatra, que no es mala idea. Después de todo, su adolescente se sentirá en territorio familiar y es más probable que se abra ante un médico conocido, especialmente si el médico y el adolescente tienen una buena relación. Pero no a todos los médicos les gusta el trato con adolescentes o son buenos para ello. Considere la posibilidad de hacer una cita con un médico especialista en adolescentes —entrenado para tratar con ellos— o con un ginecólogo especializado en el trato con mujeres jóvenes.

Si usted opta por el pediatra, llame a la oficina del médico para averiguar cómo suelen manejar ese tipo de consultas. ¿Se siente cómodo su pediatra al hablar de sexo, control natal e ITS con los adolescentes? No a todos les agrada. ¿Hay otro que tenga mayor experiencia y que se sienta cómodo hablando con adolescentes? Pregunte si su pediatra puede ordenar pruebas de laboratorio para detectar las ITS, si receta anticonceptivos o si es mejor acudir a otro, como un ginecólogo por ejemplo (en ese caso, es mejor ir directamente con el ginecólogo y ahorrarse la visita al pediatra). Finalmente, pregunte si el pediatra dispone de citas más largas para los adolescentes que le visitan para consultar asuntos de salud reproductiva, especialmente en la primera visita pues esas sesiones duran más de lo normal.

Si planea llevar a su hija adolescente al ginecólogo, su propio médico es una buena opción, pero también en este caso deberá hacer un poco de tarea. ¿Atiende su ginecólogo a adolescentes? ¿Existe algún ginecólogo especializado en adolescentes que atienda cerca de su casa? Esos médicos suelen tener instrumental más pequeño que resulta más cómodo para las adolescentes, además de estar entrenados para el trato con este grupo de edad. La opinión de su adolescente también es importante. ¿Se siente cómoda consultando al ginecólogo de su madre? Algunos adolescentes prefieren empezar de cero con un nuevo médico.

También es probable que usted se vea limitado en su capacidad de elección debido a los seguros médicos, pero no dudamos que encontrará al médico ideal para hablar largo y tendido con su adolescente sobre sexo. La clave consiste en averiguar cuáles son las principales inquietudes de su hijo o hija y que dichas dudas e inquietudes sean atendidas apropiadamente.

Qué esperar de la visita al médico

Cuando llegue el momento de la cita, es probable que el médico hable con usted para elaborar un historial médico familiar y personal. Después, es muy posible que el médico pida hablar con su adolescente a solas. Esto es lo ideal, porque es importante que este último se abra completamente para que reciba el consejo médico necesario; si usted está presente, es posible que su hija se sienta intimidada o cohibida.

Cuando el doctor esté a solas con su adolescente tratará de conocerla. Muchos especialistas en el trato con adolescentes siguen un método mnemotécnico basado en el conocimiento de las aptitudes, la vida escolar, la vida doméstica, las actividades que el joven realiza, el consumo de drogas y otras sustancias, el análisis de las emociones, la sexualidad y la seguridad con que vive el paciente.* El médico podría formular las siguientes preguntas a su hijo o hija:[21]

- **¿Cuáles son sus aptitudes o fortalezas?** ¿Es una persona creativa? ¿Organizada? ¿Extrovertida? ¿Inteligente? ¿Cómo se ve a sí misma la adolescente?

---

* *N. del T.* El método se conoce como SSHADENESS, un acrónimo de traducción imposible al castellano.
[21] Kenneth Ginsburg R., 2007.

- **¿Cómo marchan las cosas en la escuela?** ¿Qué calificaciones obtiene? ¿Le cuesta trabajo la escuela? ¿La esencia de su red social está en la escuela? ¿En qué otras actividades escolares participa?
- **¿Cómo van las cosas en casa?** ¿Con quién vive? ¿Cómo se lleva con sus padres y hermanos? ¿Han habido cambios recientes en la vida familiar? En lo general, ¿se siente feliz en casa?
- **¿Qué hace en su tiempo libre?** ¿Cuáles son sus aficiones o metas? ¿Qué hace los fines de semana? ¿Con quién pasa la mayor parte de su tiempo libre?
- **¿Usa drogas o alcohol?** Si lo hace, ¿con qué frecuencia? ¿En qué contexto? ¿Se involucra en actividades de alto riesgo al estar bajo la influencia de dichas sustancias?
- **Su estado general de salud.** ¿Duerme bien? ¿Come bien? ¿Se siente saludable?
- **Su salud emocional.** ¿Se siente contento o contenta por lo general? ¿Suele sentirse estresada o triste? ¿Padece depresión?
- **Los planes para el futuro.** ¿Piensa ir a la universidad? ¿Le interesa alguna carrera en particular? ¿Quiere casarse? ¿Desea tener hijos?
- **Sus relaciones.** ¿Desde hace cuánto sostiene una relación afectiva (en caso de existir, claro está)? ¿Con quién sale?
- **¿Es sexualmente activa?** ¿Desde cuándo? ¿Con qué regularidad tiene sexo? ¿En qué tipo de actividades sexuales participa? ¿Cuándo fue la última vez que tuvo sexo?
- **El grado de riesgo sexual.** ¿Cuántas parejas sexuales ha tenido? ¿Ha tenido sexo sin protección y, de ser así, qué tanto? ¿Usa algún método anticonceptivo? ¿Presenta síntomas que le preocupen? ¿Qué dudas tiene en relación con la actividad o seguridad sexual? ¿Tiene sexo al estar bajo el influjo de drogas o alcohol? De ser así, ¿con qué frecuencia? ¿Ha tenido sexo sin protección con parejas que pudieran considerarse de alto riesgo?

PRUEBAS Y EXÁMENES

Una vez que el médico conozca mejor a su adolescente, es probable que le hable del control natal y de la protección ante las ITS. Dependiendo de las respuestas que el joven haya dado, ordenará o no pruebas de laboratorio. Las pruebas que puede sugerir son:

- Un examen de orina para saber si existe embarazo.
- Un cultivo para buscar gonorrea o clamidia.
- Una prueba de sangre para detectar VIH o sífilis (los médicos solicitan esta pruebas si la adolescente ha tenido cuatro o más compañeros sexuales, o si tiene una pareja que ha tenido varios compañeros sexuales; también ordenará esta prueba si sospecha de otros factores de riesgo).
- Una prueba de sangre para diagnosticar herpes, si el adolescente sospecha que ha contraído dicha enfermedad. Si las lesiones son visibles, el médico diagnostica sin necesidad de una prueba.

Por supuesto, es probable que los adolescentes mismos soliciten ciertos análisis y no es raro que los médicos accedan a ello. Algunos adolescentes quieren saber de cierto que están libres de VIH u otras ITS, incluso si no han incurrido en conductas consideradas riesgosas.

Dependiendo de la edad de su adolescente, el médico recomendará una prueba de papanicolau para asegurarse de que no hay riesgo de cáncer cérvico-uterino (ligado a la infección del virus del papiloma humano). No se sorprenda si el médico omite esta prueba. Los estudios más recientes recomiendan que las pruebas de papanicolau se empiecen a realizar hasta pasados tres años contados desde la iniciación sexual. De modo que, si una adolescente ha tenido sexo por primera vez a los 15 años, no necesitará hacerse esta prueba hasta los 18.

Si su adolescente no ha pasado la marca de los tres años, también es posible que el médico omita un examen pélvico, a menos que exista una razón específica para hacerlo. El médico hará un examen externo del abdomen (para buscar síntomas de la EPI u otros problemas) y revisará la parte externa de los genitales en busca de signos de abuso sexual o ITS.

Si su adolescente aún no ha sido vacunado contra el VPH, es probable que su médico recomiende la aplicación de la serie de vacunas a partir de ese momento. No la protegerán de ningún tipo de VPH que haya contraído con anterioridad, pero sí de las variantes que no ha contraído.

Si su adolescente es hombre, la discusión versará sobre los mismos temas, aunque el doctor también hablará del cuidado del pene. En el caso de jóvenes y adultos que no han sido circuncidados, es necesario retirar el prepucio y limpiar bien debajo de éste para reducir el riesgo de infección, un tema que de seguro abordará el especialista.

Por último, el médico preguntará al paciente qué tipo de información puede revelar a los padres. El adolescente es el paciente, de modo que, salvo en ciertas circunstancias —si el médico piensa que está en peligro inminente, por ejemplo— le reportará a usted sólo aquella información que su hijo o hija haya autorizado. Antes de terminar la entrevista, el médico preguntará a su adolescente de qué manera quiere recibir los resultados de los exámenes solicitados (en caso de haberlos). El adolescente podría optar por recoger personalmente los resultados, solicitando expresamente que nadie llame al domicilio particular para comunicarlos.

Cómo encontrar un médico

Una de las mejores maneras de conseguir un médico competente consiste en pedir referencias a personas que estén contentas con el profesional que las atiende. Pero también sería bueno acudir a un hospital, acercarse a asociaciones de profesionales o consultar páginas de Internet que permiten búsquedas por especialidad y localización.

EMBARAZO ADOLESCENTE: CUANDO LA PRUEBA DA POSITIVO

Imagínese de pie en su cocina, mientras trata de recuperarse de la impresión: su adolescente de 16 años le ha soltado una bomba. Piensa que puede estar embarazada. La semana anterior hablaban de las calificaciones, de los cursos que tomaría antes de entrar a la universidad. Y de pronto, el futuro parece... aterrador. ¿Terminará la preparatoria? ¿Irá a la universidad? Si tiene al bebé, ¿quién lo va a criar? Seguro que un embarazo preparatoriano no formaba parte de sus sueños y esperanzas.

Si su adolescente tiene una prueba casera de embarazo en las manos para mostrarle el resultado tan temido, es casi seguro que su hija esté experimentando un caudal de emociones: temor, tristeza, desilusión, vergüenza, decisión, felicidad, emoción o una combinación de todas las anteriores.

En principio, su mayor temor podría no tener relación con el concepto de tener un bebé (quizás ni siquiera haya tenido a uno en los brazos todavía), sino con el miedo a darle la noticia a usted, su padre o madre.

zo siendo adolescente no entra en los planes que tenía para la vida de su hija. Incluso si ha sido abierto, honesto, tolerante y acrítico, ella tendrá miedo a desilusionarle.

Su temor puede estar bien fundado. Efectivamente, es probable que usted se sienta desilusionado, enojado y triste. O tal vez no. Como sea, es importante que se concentre en las emociones y necesidades de su adolescente y no en las suyas. Después de todo se trata de *su* reto. Su labor consiste en asegurarse de que ella cuenta con los recursos necesarios para tomar la mejor decisión para garantizar su bienestar presente y futuro, así como el de la criatura, si es que la adolescente elige tenerla.

Respuesta positiva

Si su adolescente acude a usted para reportarle que está embarazada (abordaremos el caso de los adolescentes varones en un momento), existen pasos a seguir para asegurarse de que su respuesta sea propositiva y saludable:

- **Recobre la calma.** Romper en sollozos y darse a las predicciones tremendistas de una vida arruinada no va a ayudar; al contrario, puede producir un daño muy serio. Si necesita un momento para recuperarse, reconozca que está estupefacto (sorprendido, azorado, lo que sea) y pida un momento a solas para recobrar la compostura. El objetivo inmediato debe ser mantener a raya las emociones; después podrá explorarlas, luego de que las necesidades iniciales sean satisfechas.
- **Distinga su propia experiencia de la experiencia de su hija.** Si experimenta fuertes sentimientos respecto del sexo en la adolescencia, el embarazo, el aborto, la adopción o la paternidad adolescente, es posible que requiera escindir sus valores de los de su hija. Recuerde: usted no puede imponer los valores. Ella necesita tomar sus propias decisiones y vivir con las consecuencias, así que es importante que le brinde la oportunidad de hacerlo.
- **Lea las emociones de su adolescente.** Quizá ella se encuentre aterrada, confundida, desilusionada. Y también es posible que rompa en llanto. O tal vez se muestre perfectamente calmada dado que ha dispuesto de un poco más de tiempo que usted para hacerse a la idea de la noticia. Tome su tiempo para analizarla y determine cuánto apoyo emocional necesita en ese instante. Y con-

determine cuánto apoyo emocional necesita en ese instante. Y considere las emociones que vendrán. En los días por venir, ella podría experimentar culpa, vergüenza, depresión, tristeza, sensación de fracaso o sentirse abrumada por las decisiones que ha de tomar. Tome en cuenta su bienestar emocional y ofrezca su apoyo si ella lo requiere.

- **Diga que la ama.** Uno de los mayores temores que ella puede experimentar es que la noticia provoque una disminución del amor y el respeto que usted le profesa. Aun si está enojado, e incluso si usted está seguro de que ella sabe que la ama, tómese un momento para decirlo a las claras: sin importar la situación, su amor no cambia. Abrácela —esté seguro de que le vendrá bien un abrazo cariñoso en ese trance.

- **Obtenga más información.** Descubra la razón por la que su adolescente piensa que está embarazada. ¿Cuándo fue la última vez que tuvo la menstruación? ¿Cuánto duró? ¿Usó una de esas pruebas de embarazo que venden en cualquier farmacia? ¿Cree estar embarazada por experimentar ciertos síntomas? Si obtuvo un resultado positivo con una prueba casera de embarazo, deben confirmar la noticia, ya sea con una segunda prueba o visitando al médico.

- **Consulte al médico.** Llame al pediatra, ginecólogo o especialista en medicina adolescente de su hija, explique la situación y pida consejo para dar los siguientes pasos. Es posible que el médico quiera revisarla inmediatamente para confirmar el embarazo, para determinar el tiempo de gestación y para hablar sobre las opciones a su disposición. El cuidado médico inicial es muy importante para su hija, independientemente de cuál sea su decisión futura. Si el embarazo continúa, la supervisión médica prenatal le dará las mejores probabilidades de éxito; si decide terminar el embarazo, será más fácil hacerlo en las etapas tempranas de éste que después.

- **Pídale prudencia.** Hasta que un médico confirme el embarazo, su adolescente debe abstenerse de fumar, consumir drogas y alcohol. También recuérdele que su pareja debe usar condón para protegerse de una ITS.

- **Hablen sobre el padre.** Quizás ya le dio la noticia al padre del niño. O tal vez no. Averigüe y después discuta qué idea tiene ella sobre la actitud y el papel que el padre ha de tener.

Tres opciones para las
adolescentes embarazadas

Probablemente usted quiera aguardar hasta que el embarazo esté confirmado y a que su hija haya hablado con el médico antes de valorar con ella las opciones. Siendo realistas, aceptemos que es difícil no pensar o hablar sobre qué va a hacer su hija.

Si entra de lleno en esa discusión, ponga sobre la mesa tres opciones:

- Tener al bebé y criarlo sola (con ayuda de usted, de su pareja o de alguien más).
- Tener al bebé y darlo en adopción.
- Abortar para dar por terminado el embarazo.

Las realidades que rodean cada opción han cambiado dramáticamente durante los últimos 20 años, así que su noción de las cosas tal vez esté poco actualizada. En principio, el estigma social asociado con ser madre adolescente se ha desdibujado considerablemente, además de que las opciones para obtener apoyo se han multiplicado para permitir que los padres adolescentes terminen la preparatoria y continúen con la educación superior y/o una carrera exitosa. De manera similar, el estigma que rodea a la adopción también ha disminuido y, en menor grado (dependiendo de la comunidad a que pertenezca), sucede lo mismo en el caso del aborto. Los métodos de adopción también han cambiado. Las adopciones abiertas en que la madre tiene contacto con el menor durante su niñez son ahora la norma, pues se ha desechado gran parte de la secrecía y la vergüenza que marcaban la adopción.

La exploración exhaustiva de todas las implicaciones que la elección de una adolescente embarazada acarrea, supera los alcances de esta obra. En general, las consideraciones principales son:

- Cómo afectará la decisión lo relacionado con la escuela, tanto en el presente como en el futuro.
- Si es capaz de sufragar los gastos de tener y criar un bebé.
- Si el padre del bebé estará involucrado y cuánto apoyo piensa ella que puede recibir de él.
- Discutan qué emociones despierta en ella cada opción, o si cualquiera de las opciones atenta contra sus valores y creencias.

- Discutan sobre qué opina de su propia capacidad para afrontar los cambios que cada opción trae consigo.
- Determinen si la valoración de cada opción es realista y no idealista.
- Asegúrese de que su hija tome las decisiones sin presión de nadie (esto incluye al padre de la criatura, a usted mismo y a otros miembros de la familia).

CUANDO ÉL ES EL PADRE

Si su adolescente es varón y tiene una compañera sexual que ha quedado embarazada, nuestro consejo es muy similar al que le dimos para el caso de las mujeres. En este caso conviene:

- **Recobre la calma.** Reconozca la sorpresa que la noticia tiene en usted (sorpresa, estupefacción o lo que sea) y pida un momento para recobrar la calma. Revise sus emociones y contrólelas; ya tendrá tiempo para explorarlas más tarde. Ahora sólo importa que las necesidades inmediatas del adolescente sean satisfechas.
- **Distinga su propia experiencia de la de su hijo.** Si tiene ideas férreas en lo relativo al sexo en la adolescencia, el embarazo, el aborto, la adopción o la paternidad adolescente, es posible que requiera distinguir sus propios valores de los de su hijo. Recuerde que no puede imponer valores. Él deberá llegar a sus propias decisiones y vivir con ellas, así que es importante que usted le brinde libertad para decidir.
- **Lea las emociones de su adolescente.** Tómese un momento para analizarlo y determine cuánto apoyo emocional necesitará de ahora en adelante. Tome en cuenta las emociones venideras. Aunque él no está embarazado, es muy probable que el hecho afecte su vida, aspecto del que su adolescente está o no al tanto. Quizá sienta culpa, vergüenza, depresión, tristeza, que se considere un fracaso o que las decisiones que debe tomar lo abrumen sobremanera. También es posible que sienta impotencia o frustración si es excluido del proceso de toma de decisiones. Por otra parte, a un adolescente menos maduro se le puede escapar la gravedad de la situación. Ofrezca apoyo o atención psicológica si él lo necesita.
- **Diga que lo ama.** Es muy probable que su adolescente tema perder el amor y el respeto que usted le tiene por haber embarazado

a alguien. Incluso si usted piensa que él sabe que lo ama, tómese un momento para expresar este amor, sin importar qué tan grave sea la situación. Su amor por él nunca cambiará.

- **Obtenga más información.** Averigüe cómo descubrió que su pareja está embarazada, qué pruebas han realizado, si su compañera ya visitó al médico, si ya le avisó a sus padres y si la apoyan en casa. Si la chica embarazada tiene menos de 18 años y no cuenta con el apoyo de su familia, quizá su hijo (o usted) deban brindar ese apoyo. Si la pareja no ha acudido al médico, aliente a su hijo a convencerla de hacerlo (y explíquele por qué: el cuidado prenatal es importante para la salud del bebé, si es que ella decide tenerlo y, de no ser así, explique que el terminar un embarazo es menos riesgoso si se hace en etapas tempranas).
- **Pídale prudencia.** Aunque en estos momentos el riesgo de embarazo ya no es una amenaza, si tiene sexo con su pareja debe usar condón para protegerse de las ITS.

Además, plantee las opciones antes señaladas y las principales implicaciones de éstas. También ayúdelo a comprender que, a pesar de estar profundamente involucrado, la decisión final no la tomará él. Eso sí: propicie que se involucre tanto como sea posible, a comunicarse abierta y honestamente con su pareja respecto del embarazo y ofrezca todo su apoyo.

No olvide sus propias necesidades

En algún momento del proceso —cuando las necesidades inmediatas de su adolescente hayan sido satisfechas—, es importante que analice sus propias emociones. Es posible que, durante el trance, usted haya reprimido sensaciones de ira, sorpresa, desilusión u otras muchas para concentrarse en su adolescente. Tómese el tiempo necesario para explorar sus sentimientos y discutirlos con otro adulto, recordando siempre la necesidad de intimidad de su hijo o hija. Si se siente incapaz de afrontar la situación, busque ayuda. Ignorar su bienestar emocional dificultará que usted ayude eficientemente a su adolescente.

Cuando ella quiere tener un bebé (y por qué)

Probablemente, la noticia de un embarazo le suene a desastre para su adolescente —se trata de un imprevisto que amenaza con descarrilar su futuro. Pero quizá su hija tenga una perspectiva completamente distinta. Aunque muchas adolescentes no incluyen el embarazo en sus planes inmediatos, existen algunas que ven las cosas con una perspectiva que va de la ambigüedad a la franca alegría.

¿Por qué querría embarazarse voluntariamente una adolescente? ¿Por qué querría un muchacho embarazar a su pareja? Sabemos que los padres enfrentan retos significativos —financieros, fisiológicos y emocionales— y que han de tomar decisiones complejas. Aun así, algunos adolescentes quieren tener un hijo y no desean esperar para hacerlo. Sus razones varían (y no necesariamente se trata de un asunto que han meditado a fondo), pero algunas de las más comunes son:

- Para dar vida o "hacer algo productivo".
- Para tener a alguien en el mundo que los ame incondicionalmente.
- Para prolongar o afianzar una relación con el otro padre del bebé.
- Para parecer adulto o para ganar independencia.

Los adolescentes que desean embarazarse suelen pasar por alto los retos venideros; se les dificulta ver la realidad objetivamente. También es probable que se concentren rampantemente en sus propias necesidades y deseos, sin considerar las necesidades del futuro niño.

¿Cuál es la postura de su hijo o hija ante un probable embarazo? Sólo lo sabrá si pregunta. Este es uno de los temas que los medios abordan constantemente, lo que resulta útil. Cuando la estrella de televisión (y hermana de Britney Spears), Jamie Lynn Spears, anunció que estaba embarazada a los 16 años (y que tendría al bebé), los padres de todo el mundo tuvieron la oportunidad de oro para hablar del tema con sus adolescentes. Busque oportunidades parecidas en los medios, en la comunidad, o dé rienda suelta a sus propios recursos. Pregunte a su adolescente si ha considerado cómo se sentiría si quedara embarazada (si ella aduce no haber tenido sexo, formule la pregunta en el territorio de la hipótesis: "¿Cómo te sentirías si...?"). ¿Abortaría? ¿Daría al niño en adopción? ¿Tendría al bebé?

Si se muestra indecisa, indiferente o poco realista sobre la idea de convertirse en madre, plantee algunos temas a considerar:

- ¿Qué crees que sucedería con la escuela si tuvieras un bebé?
- ¿Has pensado en qué sucedería entre tú y tu pareja?
- ¿Has considerado el costo que implica tener un hijo?
- ¿Has pensado en cómo mantendrías a la criatura?
- ¿Crees ser lo suficientemente maduro como para manejar la responsabilidad de traer un ser humano al mundo?

Igual que sucede en cualquier conversación con un adolescente, trate de no hacer juicios. Es mucho más efectivo señalar calmadamente las inconsistencias que decirle que sus ideas son tonterías. Idealmente, usted podrá ayudar a que detecte los problemas que sus ideas conllevan; y no pasemos por alto que tal vez su adolescente requiera (o necesite urgentemente) ayuda profesional.

Otra clase de resultado positivo: las ITS

Obviamente, al hablar de los resultados positivos en pruebas médicas, el embarazo no representa el único escenario aterrador posible. Tomando en cuenta el hecho de que una de cada cuatro adolescentes tiene una ITS (la mayoría se contagió gracias a un chico), es probable que su adolescente se enfrente a la noticia de haber dado positivo en un examen para detectar ITS.

Si usted es o no informado del hecho, eso lo decidirá su adolescente. En muchos casos, los adolescentes tienen derecho a pruebas y tratamientos confidenciales, lo que significa que usted no será notificado automáticamente si su hijo tiene una ITS. Y dado que existe un estigma relacionado con las ITS, es posible que su hijo se someta al tratamiento o se adapte a vivir con el mal sin informarle.

Si su adolescente le da la noticia, nuestro consejo es muy similar al que damos para el caso de los padres que se enteran del embarazo de su hijo o hija. Usted deberá:

- **Dominar sus emociones.** Concéntrese primero en satisfacer las necesidades inmediatas, tanto físicas como emocionales, de su adolescente.
- **Distinga su propia experiencia de la experiencia de su hijo.** En lugar de dar un sermón sobre el sexo seguro o inseguro, enfoque las cosas de manera que se garantice la salud del adolescente.
- **Valore las emociones de su adolescente y ofrezca apoyo.** El efecto emocional dependerá de cuál ITS afecta a su hijo o hija (se sentirá menos atribulado si la infección es fácilmente curable, o al contrario en caso de un mal más grave o duradero).
- **Diga que lo ama.** Esto es especialmente importante en el caso de ITS incurables, como el VIH o el herpes, dado que el adolescente podría tener que vivir con la enfermedad a largo plazo y seguramente teme su desaprobación.
- **Obtenga más información.** ¿Qué pruebas se realizó su hijo o hija? ¿Cuándo? ¿Consultó a un médico? ¿Se buscó otro tipo de ITS? ¿Ha comenzado el tratamiento? De ser así, ¿en qué consiste?
- **Procure atención médica.** Si su adolescente no ha consultado a un médico o no se ha hecho los exámenes para detectar múltiples ITS, haga una cita de inmediato. El médico confirmará el diagnóstico, buscará otras ITS, comenzará el tratamiento y también hablará con su adolescente sobre la futura protección que debe procurarse para evitarlas.
- **Tome en cuenta a la pareja (o parejas).** Es posible que la pareja o parejas de su adolescente ya sepan sobre la ITS. O tal vez no. Decir a alguien que se tiene una ITS es extremadamente difícil, pero constituye un paso esencial. No sólo debemos tomar en cuenta el hecho de que esa persona puede infectar a otras, pues los riesgos de no tratar una infección son enormes. Hable con su adolescente sobre las razones que hacen indispensable compartir la información con su pareja y cómo hacerlo. Algunas instituciones del sector salud o clínicas para la atención de ITS pueden aconsejarle y ayudar a informar a la o las parejas.
- **Pídale prudencia.** Espere a que el polvo se asiente un poco y acepte que esta situación brinda una oportunidad de aprendizaje.

Procure no caer en la tentación de reprochar o molestar a su adolescente ("¿Te acuerdas de la vez que pescaste una clamidia por no usar condón?"). En vez de ello, adhiérase a un mensaje simple: para reducir el riesgo, limita el número de parejas sexuales, evita las actividades de alto riesgo y usa condón siempre que tengas actividades sexuales.

- **Piense en usted.** Hasta ahora, usted se ha concentrado en su adolescente. Una vez que se hayan atendido sus necesidades, es tiempo de pensar en usted. Dependiendo de la naturaleza de la ITS, de su propia historia y de la situación particular, podría necesitar ayuda para confrontar sus sentimientos. Esta ayuda puede provenir de un amigo de confianza, de un familiar o es posible que necesite de la ayuda de un profesional para asegurarse de enfrentar la situación de manera sana y conveniente.

Capítulo 5

"No lo hagas, pero si lo haces..". Si cree que los adolescentes deben esperar para tener sexo (hasta el matrimonio, hasta tener una relación seria o sólo hasta ser mayores), la frase: "Pero si lo haces quiero que uses condón", puede resultar contradictoria. ¿O no?

De hecho, los estudios indican que no es así. Los adolescentes que no sólo son alentados a esperar, sino que reciben consejos sobre control natal y condones, no tienen mayores posibilidades de comenzar antes su actividad sexual. Sin embargo, sí tienden a utilizar anticonceptivos y condones la primera vez que tienen sexo.

Y los mismos adolescentes afirman que el mensaje no es confuso. En una encuesta realizada por la Campaña Nacional para la Prevención del Embarazo en Adolescentes, 66 por ciento de los adolescentes afirmó que no se sienten confundidos cuando se les propone retrasar su debut sexual, al tiempo que se les brinda información sobre qué hacer si no lo hacen.[1]

De hecho, ocho de cada 10 adolescentes encuestados dijeron que desearían obtener más información sobre la abstinencia y los métodos anticonceptivos, en lugar de obtener información sobre sólo uno de los dos aspectos.

---

[1] The National Campaign to Prevent Teen Pregnancy, *With One Voice: America's Adults and Teens Sound off about Teen Pregnancy*, 2007.

La historia de Karen

Rachel creía tener una relación muy sólida con su hija Karen. A lo largo de los años de adolescencia, las dos pasaron tiempo a solas y sostuvieron conversaciones francas y hondas sobre el amor y las relaciones. Cuando la discusión derivó en el tema del sexo, Rachel admitió haber tenido sexo a los 16 años y manifestó un profundo arrepentimiento. Le dijo a Karen que, de acuerdo con su experiencia, le parecía necesario que Karen esperara para tener relaciones. En las pocas ocasiones en que surgió el tema del embarazo o las ITS, Rachel se las arreglaba para reafirmar su punto: Karen era muy joven para tener sexo.

Cuando Karen se convirtió en una adolescente sexualmente activa, a los 17 años, ella y su novio usaron condones, pero no consistentemente y sólo en el caso de las relaciones sexuales propiamente dichas. Temiendo que su madre descubriera que ya no era virgen, Karen decidió no tomar píldoras ni usar otro tipo de anticonceptivo. Y llegó el momento en que tuvo el primer susto, por lo que visitó una clínica especializada en la salud femenina donde le dejaron claras las cosas sobre la prevención del embarazo y la protección ante las ITS. Le recomendaron elegir un método de control natal que se adaptara a sus necesidades. Desde entonces, Karen fue responsable en cuanto al uso del método elegido y el condón, pero prefirió apoyarse en la clínica antes que pedir apoyo a su madre.

Años después, Karen admitió frente a su madre que nunca se sintió segura de poder hablar con Rachel de sexo. "Me pediste esperar", le dijo a su madre, "pero nunca me dijiste qué hacer si no podía esperar".

El momento ideal para hablar

Los adolescentes reportan que hablar con sus padres sobre cualquier aspecto del sexo, ya sea físico o emocional, es incómodo. Aun así, hay mucho en juego de modo que vale la pena pasar el mal trago, al menos para cubrir los aspectos básicos.

Si usted ya ha revisado el temario de educación sexual que brinda la escuela y piensa que éste proporciona información confiable sobre el uso del condón y la prevención del embarazo, no es indispensable emprender una conversación sobre los básicos, como los síntomas de las ITS o cómo usar un condón. De ser necesario, deje las cosas para un mejor momento si nota que su hijo o hija está muy incómodo con el tema en cuestión, pero asegúrese de aclarar ciertos aspectos.

EN EL CASO DE LAS ITS, ASEGÚRESE DE DISCUTIR LOS SIGUIENTES PUNTOS:

• Las ITS son un riesgo real para cualquier adolescente sexualmente activo y deben tomarse en serio.

• Las ITS no sólo se transmiten por medio del sexo vaginal; independientemente de la masturbación en solitario, cualquier contacto sexual implica algo de riesgo.

• El cuerpo le pertenece al adolescente y sólo al adolescente. Él o ella deben respetarlo al tomar las medidas necesarias para protegerse de las ITS.

• Incluso si él o la adolescente cree que no tiene ninguna ITS, tiene la responsabilidad de proteger a la pareja absteniéndose de tener sexo sin protección.

• Los condones brindan cierta protección ante las ITS; por lo tanto, debe usar condón cada vez que tiene sexo (o insistir en que su pareja lo haga).

• Los métodos de control natal distintos del condón no protegen contra las ITS.

• El nivel de riesgo de contraer una ITS no sólo depende del comportamiento e historial de su adolescente, sino de las actividades sexuales e historial de su pareja y de sus respectivas parejas.

• Muchas ITS no presentan síntomas, así que no hay seguridad de "estar limpio" sólo por las apariencias o por el simple hecho de afirmarlo.

• Como regla general, si el adolescente nota ciertos cambios en la piel que rodea la zona genital —bolas, raspones, enrojecimiento, comezón o secreciones, por ejemplo— debe acudir al médico. No debe tener sexo con alguien que presenta dichos síntomas.

• Las ITS tienen consecuencias muy serias a largo plazo, si no se les atiende en tiempo y forma. Por lo tanto, es importante buscar tratamiento si sospecha que tiene una ITS. También es importante comunicarle los hechos a la pareja si la persona tiene una ITS.

En cuanto a la reducción de los riesgos de embarazo, discuta los siguientes puntos:

- Los métodos de control natal, a excepción del condón, no previenen el contagio de ITS.
- Para funcionar correctamente, los métodos de control natal deben usarse consistentemente tal como se indica.
- Lidiar con un embarazo cuando en la adolescencia suele ser difícil en extremo, independientemente de lo que se decida hacer en última instancia. Los adolescentes que experimentan un embarazo no deseado enfrentan dilemas y retos que otros jóvenes ni siquiera tienen que considerar.

Si opta por tener una conversación más profunda, brinde a su adolescente un buen libro elegido (y leído) por usted que trate el tema de la prevención del embarazo y la protección ante las ITS, y asegúrese de que la exposición sea apropiada para la edad de su hijo (lo ideal es que el libro cubra todos los aspectos de las relaciones sexuales). Pregunte si tiene dudas y dígale que, de ser así, está disponible para responder en cualquier momento.

Ponga atención a las expresiones verbales y no verbales. Si su adolescente toma el libro y corre a encerrarse en su recámara, he ahí una señal de curiosidad insatisfecha. O también puede darse el caso de que se sienta avergonzado y evite mirarle a los ojos. Si se ve indeciso o nervioso, es probable que tenga preguntas que hacer sin atreverse a formularlas. Sea paciente y ayúdele a aprender más, ya sea respondiendo las preguntas usted mismo o recomendando un buen sitio de Internet, un médico o remitiéndolo a un miembro de la familia que sea capaz de responder.

Aun cuando usted prefiera que su hijo no tenga sexo hasta ser mayor, podría ofrecerle condones y dar permiso a que los use en caso dado. Es bueno reiterar sus valores en este momento. No se trata de darle carta abierta para tener sexo indiscriminadamente. Lo que usted pretende es darle herramientas para estar preparado y ser responsable en caso de tener relaciones sexuales.

Alerta de control natal: tenga especial cuidado cuando termine una relación

Aunque los adolescentes son perfectamente capaces de llevar una relación de largo plazo, por lo general las relaciones entre adolescentes son más breves que las de la vida adulta. Esto significa que un adolescente sexualmente activo pasa por periodos en que no tiene relaciones sexuales, especialmente en la etapa de transición entre el fin de una relación y el principio de otra.

Si su adolescente ve el control natal como una molestia, el rompimiento le parecerá una buena oportunidad para dejar de tomar las pastillas o botar el parche. Eso no representa un problema en el caso de los métodos no hormonales, como el condón, la esponja o el diafragma, que funcionan en el momento en que se colocan. Los métodos hormonales no comienzan a trabajar de inmediato. Requieren de varias semanas para proveer una protección efectiva ante el embarazo, lo que significa que su adolescente no estará protegido durante los primeros días de una nueva relación.

Si su hija adolescente opta por un método hormonal, asegúrese de dejar en claro que debe seguir usándolo entre relaciones. También insista en la necesidad de protección adicional si interrumpe el método por cualquier circunstancia para tener que volver a empezar. Cuando hable con su hijo sobre control natal, asegúrese de que comprende los aspectos básicos de éste y su funcionamiento.

Justo para su edad: el control natal y la prevención de ITS

Menores de 15 años. Para los adolescentes de esta edad, todo lo que suene a sexo seguro (visitar al médico, usar métodos de control natal, tomar medidas para evitar ITS) les resulta abrumador o incluso "obsceno". La carga de todas esas responsabilidades constituye una buena razón para retrasar la iniciación sexual, pero haga hincapié en que los adolescentes que no se abstienen del sexo necesitan actuar responsablemente. Tenga en mente que los adolescentes de esta edad no son tan buenos como los mayores para pensar en el futuro, de manera que, aunque le hable de los efectos que un embarazo o una ITS tendrán en el mañana, es probable que su adolescente no comprenda bien las consecuencias y sus ramificaciones.

15 a 17 años. Cuando están más cerca de los 15 que de los 17, generalmente los adolescentes aún no son capaces de comprender plenamente las consecuencias de sus actos en la vida futura. Pero conforme se acercan a la edad adulta, se concentran cada vez más en el futuro —y tienen más capacidad de planearlo, a pesar de que tal vez siguen siendo impulsivos y tomen malas decisiones de cuando en cuando. Proporcione todo tipo de información que les brinde seguridad, sin olvidar alentarlos a pensar en el futuro. ¿Qué planes tiene para la vida futura? ¿Le interesa ir a la universidad? ¿Le interesa una carrera en particular? ¿Desea formar una familia? Luego procure que su adolescente pondere el efecto que un embarazo no deseado o el contagio de una ITS tendría sobre dichos planes. Los hombres no están exentos de pagar las consecuencias, algunas de las cuales son de largo plazo (mantener un hijo o vivir con una enfermedad incurable, por ejemplo).

Más de 18 años. Los adolescentes de esta edad tienen mejor control de impulsos y más capacidad para la toma de decisiones, pero el riesgo de un embarazo fortuito o de contagio por ITS sigue estando presente. Recuerde que dos terceras partes de las adolescentes que se embarazan anualmente tienen entre 18 y 19 años de edad. Y conforme se suma cada compañero sexual a la lista, se incrementa el riesgo de contraer una ITS. Recuerde a su adolescente que debe usar un método de control natal y condones, reducir el número de parejas sexuales y evitar las actividades sexuales de alto riesgo.

Una manera de decirlo....

Papá: Me parece que sabes que mamá y yo pensamos que el sexo debe esperar hasta que tengas una relación seria. Pero quiero que sepas que si tienes sexo, lo más importante es tu seguridad.

Tom: Lo sé, papá.

Papá: Bien. Por si acaso, te compré una caja de éstos [dice al tenderle una caja de condones]. Úsalos para practicar o en caso de necesidad. Eso es todo. No tienes que hablar del asunto si no quieres hacerlo, pero si tienes dudas aquí estoy para responderlas.

Otra manera de decirlo...

Mamá: Nina, encontré un condón usado en el baño. Me preocupa que sea tuyo. ¿Podemos hablar de esto?

Nina: No es mío.

Mamá: No encuentro una explicación razonable; si no es tuyo, ¿qué hacía en el baño? Pero no me interesa discutir el tema ahora. Tienes 16 años. Eres muy joven, pero si estás teniendo relaciones sexuales quiero asegurarme de que lo pienses bien y de que elijas lo mejor para ti.

Nina: Bueno, en realidad quería hablar de eso contigo, pero no quería que te enojaras. Jeff y yo hemos tenido sexo, pero en verdad nos amamos.

Mamá: Sé que se quieren. Y la verdad es que me pone triste escuchar esas noticias, porque el sexo a esta edad no es algo que yo hubiera elegido para ti. En todo caso, me da gusto que hayas usado condón. Me preocupa un posible embarazo o las enfermedades.

Nina: A mí también me preocupa, pero estamos siendo cuidadosos.

Mamá: ¿Has pensado en qué harías si quedas embarazada?

Nina: No abortaría. Probablemente nos casaríamos y tendríamos al bebé.

Mamá: ¿Has hablado de esto con él?

Nina: Un poco.

Mamá: Eso es muy importante. Nina, no estoy en posición de criar un bebé por ti, así que deberás hacerlo tú si se da el caso. ¿Y han hablado de las ITS o de cuántas parejas ha tenido él?

Nina: Fue la primera vez para los dos, mamá.

Mamá: Ok. Pero pienso que es buena idea hacer una cita con tu pediatra para que hables con él sobre los aspectos médicos, incluyendo los métodos de control natal y las pruebas disponibles para encontrar ITS. ¿Quieres que pida la cita?

Nina: Ok. Creo que está bien. Aunque pienso que debo seguir tomando la píldora de cualquier modo.

Mamá: Honestamente, esto es algo difícil de aceptar para mí. Necesito tiempo para digerirlo, pero tu médico puede hablarte de esto. Hagamos la cita y conversemos un poco más esta noche, después de que haya tenido tiempo para pensar. Quiero reconsiderar las reglas de esta casa y tal vez podamos hablar de cómo te sientes y del rumbo que ha tomado tu relación con Jeff...

Pregunte a los expertos: los rumores sobre las ITS

Pregunta: Mi hijo de 16 años ha escuchado el rumor de que muchos adolescentes tienen herpes. Escuché esto de otro padre y, aunque nadie dice los nombres, se dicen cosas terribles sobre los chicos y chicas de su salón. No sé si es cierto o si también se dicen cosas sobre mi hijo (o si ha tenido sexo), pero me preocupa mucho el asunto. No estoy seguro de qué hacer.

Respuesta: Primero, ponga la situación en contexto: éste es un rumor (no confirmado) que proviene de un sitio en que los chismes están a la orden del día. Lo que usted sabe es información que viene de segunda, tercera o hasta cuarta mano, y quizá no sea cierta. Segundo, aproveche esta oportunidad de oro para hablar con su adolescente sobre las ITS y el sexo más seguro. Si usted ha escuchado el rumor, seguramente él también lo ha escuchado. Aunque tal vez se trate de puros cuentos, aproveche la ocasión para iniciar una conversación.

Cuando hable, siga estos lineamientos:

No presuponga nada. Los padres tienden a asumir que su hijo no puede tener una ITS (es demasiado listo, muy cuidadoso, no se lleva con "esa clase" de gente, etcétera). Sin embargo, las ITS afectan a cualquiera que haya tenido relaciones sexuales (en ocasiones, hasta cuando se ha usado condón). Así que, a menos de que usted sepa de cierto que su hijo o hija no ha tenido contacto sexual, no asuma que no padece una ITS. Esto es cierto incluso en el caso de que ya se le hayan hecho análisis alguna vez, dado que las pruebas sólo ofrecen una instantánea de la situación en un momento particular. No dé por hecho que el rumor es cierto, pero tampoco asuma que los adolescentes de la escuela de su hijo no tienen ITS. Al hacerlo, daría a su hijo el mensaje de que tener una ITS es una posibilidad tan remota u ofensiva que ni siquiera vale la pena pensar en ello. Y eso evitará que su adolescente acuda a usted en busca de ayuda en caso de tener una ITS.

Reafirme sus valores. Como hemos dicho muchas veces en este libro, es bueno hablar a su hijo de sus valores, siempre y cuando no se ponga a darle un sermón y permita que él o ella misma decida cuáles serán los suyos. Si piensa que debe esperar para tener sexo dígalo, pero también dígale que si tiene sexo su salud y seguridad constituyen su mayor preocupación.

Pida que le cuente lo que ha escuchado. Tal vez repita el rumor tal y como usted lo ha escuchado, pero también existe la posibilidad de que su versión difiera diametralmente de la suya. Además, quizá tenga dudas, así que ésta es una buena oportunidad para hablar.

Hable de sexo más seguro y de las ITS. Use los lineamientos expuestos en este capítulo para hablar del uso del condón, los tipos de infecciones, qué hacer en caso de presentar síntomas y más.

Póngalo en contacto con fuentes confiables. Si todavía no ha hablado de sexo más seguro y control de la natalidad con su pediatra o con un especialista en adolescentes, ha llegado el momento de que su adolescente lo haga. Ofrezca hacer una cita para ser revisado y para que encuentre la respuesta adecuada a sus preguntas.

No juegue a las adivinanzas. Y no señale culpables. Es muy poco probable que usted tenga los elementos para decidir si el rumor es cierto o falso; además, el asunto tiene poca relevancia a fin de cuentas. Al hablar con su adolescente, concentre su atención en hablar de las ITS y del sexo más seguro en general, más que de los detalles relativos al rumor.

Procure minimizar los daños. Si se siente triste, lo más probable es que otros padres se sientan igual. Y sus adolescentes también pueden tener un mar de dudas o sentirse confundidos. Puesto que los chismes suelen difundir información incorrecta, vale la pena organizar un esfuerzo colectivo en que intervenga la escuela. Hable con su hijo para saber si las autoridades escolares están al tanto del rumor y si han tomado alguna acción. Quizás tengan planes de incorporar al programa de educación sexual más clases relativas a las ITS. O tal vez determinen que es necesario investigar o alertar a las autoridades sanitarias. Además, usted podría hablar con los encargados de la escuela, de la sociedad de padres de familia o con otro grupo de su comunidad sobre la posibilidad de ofrecer cursos de sexo más seguro o sesiones para padres que desean aprender a comunicarse con sus hijos.

Un mensaje que no
debe perderse

No importa si pretende emprender una conversación en forma sobre el control natal y las ITS, o si sólo le hará conocer los lineamientos generales a su hijo, lo importante es hacer un esfuerzo para hablar con él sobre las responsabilidades y los derechos de las personas sexualmente activas.

Cuando hable con su hija adolescente, hágale notar que, en caso de que vaya a tener sexo, debe:

- Protegerse de un embarazo no deseado y del contagio de ITS siempre que tenga sexo.
- Dar su consentimiento verbal a su pareja para que no existan confusiones sobre si quiere o no hacerlo.

- Recordar que la abstinencia es siempre una opción válida. Siempre tendrá la opción de decir "no" y optar por dejar de ser sexualmente activa en cualquier momento.

- Comprender que su compañero tiene derecho a decir "no" en cualquier momento. Eso significa que su pareja puede negarse a hacer algo aun cuando lo hayan hecho antes, cuando ya se han quitado la ropa o cuando ya están en actividades que suelen conducir a las relaciones sexuales. De hecho, ocho estados de la Unión Americana tienen leyes que permiten que una persona retire su consentimiento incluso después de haber comenzado el sexo.

- Acudir a usted si siente que ha sido víctima de un asalto sexual o si se siente incómoda con cualquier cosa que le haya sucedido.

- Acudir a usted siempre que tenga un problema, como una sospecha de embarazo, un embarazo real o una ITS.

Una manera de decirlo...

Mamá: Sabes que pienso que el sexo debe esperar hasta que las personas estén casadas. Y eso es muy importante para mí. Pero lo más importante de todo es que estés segura. ¿Quieres hablar de eso?

Laurie: Ya sé todo eso, mamá. Me lo enseñaron en la escuela y hay mucha información en Internet.

Mamá: Está bien. No tenemos que hablar de esas cosas ahora mismo, pero si quieres hacerlo después estoy disponible. Por ahora, quiero que hablemos de algo muy importante. Es una especie de ley que contiene los lineamientos a los cuales debes ajustarte cuando seas sexualmente activa.

Laurie: Suena muy formal.

Mamá: Posiblemente, pero es importante. En serio.

Laurie: OK. ¿De qué se trata?

Mamá: Primero: tienes el derecho y la obligación de protegerte de un embarazo no deseado y contra las infecciones de transmisión sexual cada vez que tengas sexo. Segundo: tienes derecho a detener las cosas en cualquier momento, sin importar qué tan lejos hayas llegado o si has tenido sexo con esa persona antes. En realidad, tienes derecho a dejar de tener sexo por completo, si piensas que eso es lo mejor para ti. Tercero: tienes el derecho y la responsabilidad de decir claramente qué quieres hacer. El silencio no significa nada y asentir no cuenta. Tu compañero debe preguntar y tú debes responder sí o no. Es un asunto de respeto y también ayuda a que estés segura de que habrá malentendidos o confusiones en relación con lo que quieres que pase. Y finalmente: tienes derecho a acudir a mí siempre que tengas un problema, si sientes que alguien te ha hecho algo malo o si te preocupa haber quedado embarazada o si tienes una ITS o cualquier cosa. Tal vez no me haga mucha gracia lo que me digas, pero lo importante es que estés segura, feliz y saludable.

Laurie: OK. Tiene sentido. Digo, ni siquiera estoy teniendo sexo ahora, pero si lo hago trataré de recordarlo.

Mamá: Bien. Creo que debemos seguir hablando de este tema. Tener sexo es una decisión importante y ser sexualmente activo implica mucha responsabilidad. No se trata de un asunto que podamos agotar en una sola conversación.

Laurie: Sí, ok. Entiendo, ma.

SUSTITUTOS SEGUROS

Aunque algunos padres la pasan mal con sólo pensar que su hijo se masturbe o que incurra en cualquier conducta sexual, no es realista esperar que un ser humano carezca de un desfogue sexual, cualquiera que éste sea. Y dado que la actividad en solitario y ciertas actividades en pareja no acarrean riesgo de embarazo ni de contraer ITS, son un sucedáneo legítimo para alguien que no está listo para tener relaciones —o que prefiere decir "no" en un día cualquiera.

No es probable que su adolescente quiera hablar de la masturbación a menos que tenga dudas sobre si es normal masturbarse o preocupaciones respecto de los efectos en la salud. Pero debe usted saber que la masturbación es muy común y que no tiene efectos negativos.

Las parejas también pueden ser sexualmente activas, aun cuando no comparten fluidos corporales o no tienen contacto genital pleno. El término popular entre muchos especialistas de la salud es "tener relaciones". Esta frase se refiere a muchísimas actividades, desde la mutua masturbación hasta el sexo por teléfono, pasando por compartir fantasías, el juego erótico de representar papeles, el masaje sensual y el sexo seco (imitar tener sexo pero sin quitarse la ropa).

La gran mayoría de los padres se sentiría incómoda sugiriendo tales actividades a sus adolescentes como sustitutos del sexo ("creo que eres muy joven para tener sexo. ¿Por qué no mejor pruebas con el sexo telefónico?"). Y la mayoría de los adolescentes se sentirían mortificados si sus padres se atrevieran a hacerlo.

Sin embargo, su adolescente quizá tenga preguntas sobre alternativas al coito; escuche atentamente para captar los matices que le pueden dar a entender que quiere saber más, y esté preparado para decir a su adolescente que:

- **Los juegos sexuales requieren disciplina.** Al calor del momento, es muy tentador pasar a tener relaciones sin haberlo planeado.
- **Todavía deberá tener algunas precauciones.** Si se tocan los genitales o los fluidos, sigue existiendo riesgo de contraer ITS. Idealmente, cualquiera que toque los genitales o que entre en contacto con los fluidos corporales de otra persona debe usar guantes, aunque sería muy difícil convencer a alguien de hacerlo.
- **No estará exento de riesgos emocionales.** Este tipo de actividades son íntimas por naturaleza y, por lo tanto, se presentan algunos de los mismos riesgos emocionales que se corren al tener relaciones sexuales. Antes de involucrarse en cualquier tipo de juego o actividad sexual, los adolescentes deben considerar las consecuencias emocionales, así como las físicas.

METIENDO FRENO

Cuando recuerde a su adolescente que está bien decir "no" en cualquier momento, tiene sentido poner a su disposición algunas maneras adecuadas para negarse. Escriba algunas frases que su adolescente pueda usar para evitar que una situación sexual llegue a mayores.

Frases que funcionan:[2]

---

[2] Colorado Coalition against Sexual Assault, www.ccasa.org.

- "Pienso que eres guapo (o sexy, o agradable o cualquier otro término que le convenga a ella), pero sólo quisiera que nos besáramos".
- "He decidido que no quiero tener sexo todavía".
- "Quiero esperar a que nos conozcamos mejor".
- "Sé que hemos sido bastante atrevidos últimamente, pero hasta allí quiero llegar. Es todo lo que quiero hacer. No estoy lista para tener sexo".
- "Esto avanza demasiado rápido. Detengámonos por ahora".
- "Esto se está poniendo intenso. Necesito tiempo para pensar bien las cosas".
- "No".
- "Quiero que pares".
- "Tengo que irme a casa ahora mismo".

Para aquellas ocasiones en que se sienten presionados para hacer algo que los hace sentir incómodos:

- Debe ser muy claro al expresar qué quiere hacer. Decir: "No quiero tener sexo", firme y claramente, deja poco espacio a la especulación.
- No debe sentirse culpable de decir "no". Su adolescente es responsable de su cuerpo y con eso basta para parar, sin importar que la pareja se sienta ofendida o desilusionada.
- No debe sentirse obligado a discutir las razones de su decisión. Las razones pertenecen a su adolescente y no tiene por qué justificarse ante nadie.
- Si alguien no acepta o respeta la postura del adolescente, éste debe repetirla con toda claridad y debe hacer saber a la otra parte que la conversación ha terminado.
- Si la presión sigue aumentando, debe tratar de salir de la situación cuanto antes.

Aunque la percepción generalizada consiste en que los muchachos quieren tener sexo todo el tiempo, es necesario señalar que ellos pueden sentirse tan atribulados como las mujeres. Pueden sentir presión de los amigos, de la compañera sexual, de la sociedad para convertirse en sujetos sexualmente activos cuando todavía no están listos. Por esto, la conversación expuesta líneas arriba sirve tanto para hombres como para mujeres.

También es cierto que es más probable que los hombres sean acusados de tomar ventaja de una compañera sexual o de proceder sin el consentimiento de la pareja. Los hombres utilizan los siguientes recursos con su pareja, con el fin de verificar que una actividad en particular es consensual y placentera.[3]

- "En verdad me gustaría besarte. ¿Te gustaría?"
- "¿Estás de acuerdo en hacer esto?"
- "Oye, ¿te sientes cómoda haciendo esto? Sólo quiero estar seguro..".
- "¿Quieres continuar o prefieres parar ahora?"
- "¿Estaría bien ir más lejos?"
- "Parece que quieres tener sexo, pero quiero asegurarme de que es así. ¿Quieres tener sexo?"

Por supuesto, su adolescente podría estar pensando que si se detiene a preguntar, ella va a decir que no. Y quizá tenga razón. Es muy posible que al detener la acción para obtener la aprobación plena de la pareja, ésta decida detener las actividades. Así son las cosas y su adolescente debe saberlo. Pregúntele su opinión. ¿En verdad le gustaría que su pareja tuviera sexo con él sólo porque se siente presionada para hacerlo? ¿Qué sentiría si eso le pasara a su hermana o a alguna otra persona querida? ¿Vale la pena correr el riesgo de lastimar a alguien?

HABLAR CON LA PAREJA

Preguntar a un amante potencial si padece alguna ITS, si se ha hecho pruebas para detectar estas enfermedades o si ha tenido sexo de alto riesgo no es precisamente romántico, no importa la edad que se tenga. Ahora bien, siendo adolescente, el asunto se torna doblemente difícil, pues se está ante situaciones que no se han vivido antes y se experimentan sentimientos nuevos. Siendo así, no debe sorprendernos que sólo cerca de 50 por ciento de los adolescentes hayan afirmado que hablaron con su pareja de la anticoncepción y la protección ante las ITS antes de tener sexo por primera vez.[4]

---

[3] *Ibid.*

[4] Suzzane Ryan, Kerry Franzetta, Jennifer Manlove y Emily Holcombe, "Discussions about Contraception or STDs with Partners Proir to First Sex", *Perspectives on Sexual and Reproductive Health*, septiembre de 2007.

La mayoría estará de acuerdo en que, por desagradable que parezcan, las preguntas que preceden al sexo son menos terribles que recibir una llamada de su pareja, semanas o meses después de los hechos, para enterarse de que él o ella tienen una ITS o de que ella está embarazada.

Aunque su adolescente ya haya tenido sexo sin hacer estas preguntas preliminares, usted debe aprovechar la primera oportunidad que se le presente para dejar claro que es indispensable hacer estas preguntas a la pareja. Después de todo, los adolescentes son responsables de su cuerpo y de su bienestar. Trate de evitar los sermones. Podría sentirse tentado a decir: "Si no puedes hablar con Tom de algo tan íntimo y difícil como la prevención del embarazo y la historia sexual, entonces no estás lista para tener sexo con él", comentario que, por verdadero que sea, seguramente terminará con la conversación al instante. Su adolescente está teniendo sexo, independientemente de si está lista o no.

Si usted maneja bien esta parte de la discusión, su adolescente incluso podría adoptar las preguntas previas como una evidencia de madurez sexual. Explique los beneficios que este tipo de preguntas le brindarán:

- Como sucede con toda buena comunicación, fortalece los lazos que unen a la pareja.
- Alivian la tensión al reducirse la preocupación por estar embarazada o por haber contraído una enfermedad.
- Ayudan a valorar la madurez de la pareja y su sentido de responsabilidad, además de mostrar a la pareja que el adolescente se preocupa por la salud de ambos.
- Allanan el camino para futuras conversaciones de gran importancia.
- Aumentan las probabilidades de que el adolescente use protección. Las investigaciones demuestran que las parejas que hablan de las ITS y del control natal tienen más posibilidades de usar anticonceptivos y condones.[5]

Después de repasar los beneficios, discutan la manera en que su adolescente puede emprender la conversación que precede al sexo. En principio, podría ser bueno aclarar que a este tipo de preguntas preliminares se les llama "conversación previa al sexo", precisamente porque

[5] *Ibid.*

debe tener lugar mucho antes que el sexo mismo. El calor del momento, cuando ambas partes están excitadas y listas para el sexo, no es el momento ideal para acosar al compañero preguntándole si ha tenido erupciones sospechosas o secreciones del pene. (Obviamente, en ocasiones, justo antes del acto es el único momento disponible para hablar, en cuyo caso deben enfriarse y discutir con franqueza lo que está a punto de suceder.)

Pero, ¿qué es exactamente lo que su adolescente debe preguntar? ¿Qué debe decir? Para empezar, las parejas deben hablar de lo siguiente:

- De sus valores: qué opinión tiene cada uno del sexo premarital, el control de la natalidad, los condones, el embarazo y el aborto.
- De las ITS: si se han hecho pruebas para descartar la presencia de ITS y qué resultados obtuvieron. ¿Alguno de los dos tiene síntomas inusuales o preocupaciones por la conducta actual o pasada? ¿Hay motivos para sospechar que alguno pudiera tener una ITS, aun cuando no se presenten síntomas?
- La historia sexual: ¿cuántos compañeros sexuales ha tenido cada miembro de la pareja? ¿Usaron condón siempre?
- Conductas de alto riesgo: ¿alguno ha participado en cualquier actividad sexual de alto riesgo, como usar drogas vía intravenosa o tener sexo sin protección?
- Embarazo y prevención de ITS: ¿qué método de control natal y de protección ante las ITS usarán cuando tengan sexo?

Si las respuestas del compañero o la compañera dan motivo de preocupación, o bien parecen incompletas o mentirosas, es tiempo de dar marcha atrás e ir más lento. Esto da a ambas partes la posibilidad de averiguar más sobre la pareja y proceder con precaución.

SI NO PAGA *COVER*, NO ENTRA:
NEGOCIANDO EL USO DEL CONDÓN

Los adolescentes son maestros en el arte de convencer a sus padres de que les den dinero para comprar los caros *jeans* que están de moda, pero tratándose de pedir a la pareja que use condón, ¿mostrarán la misma tenacidad? Es posible que su plan se derrumbe ante el primer signo de resistencia.

No es que hablemos mal de los muchachos. Muchos usan condón y lo hacen voluntariamente. Después de todo, ellos han recibido la misma información que las mujeres sobre las enfermedades y la prevención del embarazo. Claro que existen adolescentes que dejarían pasar una oportunidad de tener sexo por no haber condones disponibles. Muchos jóvenes, hombres y mujeres, son capaces de sostener su opinión sin problemas.

Pero no existe garantía alguna de que el adolescente manejará bien las cosas al calor del momento. Por eso es buena idea que lo equipe con un arsenal de frases efectivas para negociar el uso del condón.

A continuación, encontrará algunas de las objeciones más comunes al uso del condón y algunas respuestas respetuosas, según la American Social Health Association (www.ashstd.org).

"¡No tengo ninguna enfermedad! ¿No me tienes confianza?"
"Claro que te tengo confianza, pero cualquiera puede tener una ITS sin siquiera saberlo. Esto es sólo una manera de protegernos a ambos".

"No me gusta el sexo con condón. No se siente igual".
"Esta es la única manera en que yo me sentiré cómoda teniendo sexo. ¡Pero créeme cuando te digo que será hermoso aun con protección! Mejor concentrémonos en nosotros mismos en lugar de preocuparnos por esos rollos..".

"Pero si tomas píldoras".
"Pero eso no nos protege de las ITS, de manera que quiero que ambos estemos seguros".

"No traje condones".
"Aquí tengo unos".

"No sé usarlos".
"Yo puedo enseñarte. ¿Quieres que te lo ponga?"

"Hagámoslo sin condón sólo esta vez".
"Sólo se necesita una vez para quedar embarazada o para contraer una ITS. No puedo tener sexo a menos que me sienta tan segura como puedo estarlo".

"¡Nadie lo hace con condón!"
"Esto es para protegernos a ambos... y no tendré sexo sin protección. Déjame mostrarte lo bueno que puede ser, aun con condón".

GLBTI: un sexo más seguro

Toda actividad sexual se parece mucho, sin importar la orientación sexual o identidad de género. Por lo tanto, los adolescentes gays, las lesbianas, los transgénero y los indecisos (GLBTI) tienen las mismas preocupaciones, riesgos y conductas que sus contrapartes heterosexuales. Pero debido a que ciertas conductas sexuales son más riesgosas que otras (el sexo anal, por ejemplo); y dado que los adolescentes GLBTI podrían tener preguntas específicas de tipo médico o social que sus contrapartes heterosexuales no tendrán, es positivo ponerlo en contacto con fuentes especializadas en los asuntos de la comunidad GLBTI.

Si hay una comunidad gay en la localidad, es buena idea hacer contacto con ésta. Esos grupos suelen ofrecer apoyo emocional a los padres y son muy importantes para hallar información que los adolescentes no encuentran en otra parte. Las redes de apoyo también ayudan a que los padres y los adolescentes den el siguiente paso: encontrar un médico que no sea hostil con los gays para hablar de sexo más seguro, de las pruebas para detectar las ITS y para obtener otras clases de cuidados en lo referente a la salud reproductiva.

Si no le han recomendado a un médico, hable con el pediatra de su hijo o hija, o con el médico familiar para saber qué tan cómodo se siente al tratar con adolescentes gays. No todos los médicos están al tanto de las necesidades específicas de los adolescentes GLBTI. Usted podría buscar a un médico completamente nuevo, especializado en la práctica que nos ocupa y, consecuentemente, con mayor experiencia en el trato con adolescentes gays.

Hasta los adolescentes que están en contacto con las mejores fuentes de información deben escuchar de boca de sus padres todo lo referente al sexo más seguro. He aquí algunas sugerencias que resultan útiles en tales conversaciones:

- No dé por hecho que los adolescentes son sexualmente activos tan sólo por ser gays (o lesbianas, bisexuales, transgénero o indecisos). La orientación sexual se refiere a la atracción, no a la actividad sexual.
- Háblele sobre control natal, incluso si su hija adolescente se identifica como lesbiana o si su hijo se identifica como gay. Las investigaciones demuestran que, por muchas razones, los adolescentes GLBTI muestran tasas más altas de embarazo que sus contrapartes heterosexuales. Esto puede deberse al abuso o a la presión de tener sexo con personas del sexo opuesto para probarse a sí mismos o a los demás que son "normales". Todos deben saber cómo prevenir un embarazo, incluso si nunca llegan a tener la necesidad de poner en práctica estos conocimientos.
- No sólo hable de la prevención del VIH. Aunque esta enfermedad suele ser la que más preocupa a los padres de adolescentes GLBTI, no es la única ni la que con mayor probabilidad podría afectarlos. Un adolescente GLBTI necesita tomar las mismas precauciones que un adolescente heterosexual para prevenir toda la gama de ITS.
- Hable con su adolescente sobre la seguridad física. Los adolescentes GLBTI enfrentan hostilidad o incluso violencia y, por lo tanto, es importante hablarles de seguridad antes de divulgar su orientación. Presente este tema como un asunto eminentemente práctico y no como algo que debe inspirar temor y vergüenza.

Capítulo 6

¿QUÉ TIENE QUE VER EL AMOR CON TODO ESTO?: CÓMO AYUDAR A QUE SU ADOLESCENTE TRANSITE EXITOSAMENTE EL TERRENO EMOCIONAL

¿Qué tiene que ver el amor con todo esto? De hecho, todo. Cuando se trata de emociones, el amor es una aplanadora. Y el amor, expresado sexualmente en el contexto de una relación sana, es uno de los grandes regalos de la vida.

Cuando el amor es mal utilizado —tratado con demasiada ligereza, orientado a alguien que trata de manipular o simplemente está en manos inexpertas o inmaduras—, el sexo tiene el potencial de hacer sufrir.

Después de todo, el sexo tiende a realzar la intensidad de nuestros sentimientos y nuestras expectativas emocionales. Lo anterior es cierto cuando se tienen 16 o 66 años de edad, pero en el caso de los adolescentes la intensidad de las emociones detonadas por el sexo y la complejidad de las situaciones suscitadas por el hecho de ser sexualmente activo, son del todo nuevas.

Sin la perspectiva de quien ya ha vivido las cosas, los adolescentes se ven forzados a aprender las lecciones del modo difícil. Pueden ser ingenuos o inexpertos para navegar las relaciones complejas. También es probable que tengan expectativas irreales o malinterpreten los actos de su pareja. Pasan por alto claves que no ignorarían si tuvieran más edad.

Por si fuera poco, los adolescentes enfrentan todo esto en una época de vulnerabilidad emocional, de transición entre la infancia y la edad adulta. En los años de adolescencia, los jóvenes tratan de descubrir quiénes desean ser y luchan por desarrollar un sistema de valores que algún día los guíe en la toma de decisiones.

Usted podría tener un adolescente que tiende a dolerse emocionalmente o que toma decisiones que más tarde lamenta, sintiendo arrepentimiento, vergüenza o culpa. O tal vez su hijo que experimenta emociones cambiantes, siendo feliz en un momento para sentir culpa o celos al siguiente. El rango de emociones —las que destacan— determina si un adolescente, en última instancia, asimila estas experiencias como positivas o negativas.

¿Pero no es normal que el corazón duela un poquito a todos en algún momento de la vida? ¿No estamos ante un aspecto de la vida que ayuda a modelar la persona que somos? Sí y no. El dolor emocional sucede, y no siempre se trata de algo malo. Gracias a éste, podemos aprender qué no hacer al experimentar la derrota en ciertas acciones. Y con las emociones exaltadas también tenemos mucho que ganar. Si no aceptáramos los riesgos del amor, estaríamos negándonos la posibilidad de experimentar esas relaciones poderosas que cambian la vida y que nos convierten en lo que somos.

No obstante, al ser lastimados a temprana edad, o bien repetida o severamente, los efectos son de larga duración —la disminución de autoestima y el temor al compromiso son sólo dos posibilidades—, especialmente en el caso de una persona que todavía está desarrollando el sentido de la autoestima y de la propia valía. En tanto que los padres no pueden esperar que su adolescente llegue a la vida adulta sin padecer rasguños emocionales, sí deben procurar que tome decisiones sólidas que disminuyan las probabilidades de sentir dolor emocional duradero y que mejoren las posibilidades de convertirse en un adulto con la capacidad de participar en relaciones sanas.

La historia de Ryan

Ryan era un adolescente de 17 años que cursaba el tercer año de preparatoria y que salía con Leah. Tras dos meses se dijeron que se amaban y, poco después, empezaron a tener relaciones sexuales. Leah enviaba mensajes, llamaba constantemente a Ryan y pasaba todo su tiempo libre con él. A pesar de que Ryan era un devoto practicante de futbol soccer en el equipo de la escuela, empezó a faltar a los entrenamientos para estar con Leah. También empezó a dedicar menos tiempo a sus deberes escolares y a los amigos, con tal de estar con ella.

A lo largo de los años, los padres de Ryan le habían hablado de sexo varias veces, comenzando con una discusión relativa a la naturaleza del sexo, lo que llevó a varias más en que se abordó la visión que de este tema tenían los padres —un aspecto saludable de la vida que, preferentemente, debe esperar hasta el matrimonio, o al menos hasta que una pareja mantenga una relación seria que conduzca al matrimonio. Estaban al tanto de la relación de Ryan con Leah, y aunque no le habían preguntado si tenían sexo, tenían fuertes sospechas en este sentido. Ninguno desaprobaba la relación, pero la madre de Ryan trataba de acercarlo a otras actividades para recordarle que en la vida había otras cosas aparte de Leah.

Leah y Ryan no habían hablado específicamente sobre sus planes futuros, pero ella daba muestras de tener la esperanza de casarse con él algún día. Ryan no estaba tan seguro de eso. No planeaba casarse hasta terminar la universidad, pero creía amarla y estaba comprometido con ella.

Sin embargo, cuando la relación llevaba cerca de seis meses, Ryan comenzó a extrañar su antigua vida social. Aunque sentía amor por Leah, estaba dispuesto a salir más con los amigos y a pasar menos tiempo con ella. Leah se resistió al cambio y empezaron a pelear con frecuencia. Eventualmente, Leah terminó con Ryan diciendo que no pensaba que él estaba verdaderamente comprometido con ella.

Al principio, Ryan sintió alivio al escapar de las constantes peleas. Pero cuando Leah empezó a salir con otro, Ryan se sintió enojado y celoso. En casa lo sentían lejano y ausente. Se distraía constantemente en la escuela y parecía malhumorado. Se preguntaba cómo había podido ser sustituido con tanta facilidad: "¿Me amaba como yo la amaba a ella? ¿Estará teniendo sexo con él también?".

Ryan se negaba a admitir estos sentimientos ante sus amigos, por lo que hablar con ellos del asunto estaba descartado; además, sentía vergüenza de acudir a su madre. Pero la madre notó algo y, gentilmente, comentó durante la cena: "Te ves realmente triste en estos últimos días. ¿Quieres hablar?".

Ryan se mostró evasivo al principio, respondiendo que estaba cansado por la escuela, pero eventualmente se abrió y admitió que estaba triste por Leah.

La mamá no podía resolver el problema, pero escuchó. Notó que ambos experimentaban fuertes emociones afectivas mutuas y que eso le gustaba a Ryan. Sin embargo, ella hizo saber a Ryan que, en su opinión, Leah no había sido muy razonable al demandar tanto tiempo y atención. ¿En verdad le parecía que Leah era la mujer ideal para él? ¿No sería que extrañaba el hecho mismo de estar enamorado? También existía la posibilidad de que Ryan sintiera celos por extrañar ser el centro de atención de alguien, y no necesariamente por Leah. No mencionó el sexo, porque Ryan no había sacado a colación el tema, pero hizo notar que, a veces, la gente se deja llevar por la intensidad de las relaciones y, cuando éstas terminan, es muy doloroso.

La madre de Ryan no insistió en que el adolescente respondiera en el momento, pero le pidió que meditara lo discutido. Ryan lo hizo y, a pesar de que no dejó de sentirse celoso, comenzó a entender que la relación tenía fallas de consideración. Pocos meses después, empezó a salir de nuevo. Esta vez procedió con más cuidado, tanto en lo físico como en lo emocional.

Respire hondo y salte al agua

Después de las difíciles conversaciones sobre ITS y control natal, usted pensará que hablar de las emociones es tan fácil como quitarle un dulce a un niño. Después de todo, se hablará de emociones cálidas como el amor, el afecto o el compañerismo. Fácil, ¿no?

Para algunos lo es. Otros necesitan ciertos conocimientos científicos para salir avante. Las emociones son complejas. Lo que parece un asunto monumental para su adolescente, le parecerá trivial a usted y viceversa. Las emociones cambian, especialmente en los jóvenes; la buena idea de hoy puede no serlo mañana.

¿Cómo comenzar a discutir las emociones? Por muy preocupado que usted se sienta respecto de los aspectos negativos, conviene empezar por reconocer los aspectos positivos de la emotividad en el sexo. No se trata de dar luz verde para que su adolescente se entregue a una actividad sexual frenética; sólo estará admitiendo una obviedad: el sexo se siente muy bien y tiene la capacidad de llevarnos más allá del placer físico.

Existe una razón biológica detrás de esa verdad, y quizá usted quiera compartirla con su adolescente: los sentimientos intensos de amor y compromiso ayudar a crear un vínculo duradero entre dos personas, y este vínculo fue alguna vez esencial para la supervivencia. El compromiso garantizaba que el hombre estuviera disponible, mientras la mujer estaba embarazada y durante los primeros años de vida del hijo o hija, momento en que la madre y la criatura son más vulnerables. Para la mayoría, el compromiso ya no es cuestión de supervivencia, pero la poderosa ola de emoción primitiva sigue azotando nuestras costas.

Así, el sexo forma parte importante de las experiencias emocionales, especialmente en el contexto de una relación sana en que ambas partes se procuran respeto y apoyo. En el caso de los adolescentes, una relación íntima también aumenta la autoestima, especialmente si provienen de una familia en que no abundan el amor y el respeto. Y en el caso de adolescentes y adultos por igual, estas relaciones tienen el potencial de satisfacer la muy humana necesidad de afecto y contacto físico.

Una manera de decirlo...

Mamá: Cuando era joven, mi mamá solía hablarme de lo terrible que es el sexo para la gente que no se ha casado. Lo hacía parecer realmente horrible y decía que no era bueno hasta alcanzar una edad mucho mayor.

Paige: Eso me suena a la mamá de Tammy. Ella le dijo a Tammy que si tenía sexo lo iba a odiar, porque su novio no sabría hacerlo bien, además de que probablemente también pescaría enfermedades.

Mamá: Wow. Ese no es mi punto de vista. Mi opinión es que, en verdad, el sexo es una forma maravillosa de expresar y compartir tu amor. Y definitivamente puede ser muy placentero. No solamente me refiero a la parte sexual, sino a la sensación de estar cerca de alguien y experimentar el caudal de emociones que eso implica. Y las emociones son intensas. Amar y ser amado es muy hermoso.

Paige: Sí.

Mamá: Todo eso dando por hecho que se está con la persona correcta y que ambos están listos para la intensidad y para todo lo que sucede cuando se tiene sexo. Tú sabes, si no eres parte de una relación sana, si no estás lista para enfrentar las emociones o la responsabilidad de evitar un embarazo o una infección de transmisión sexual, puedes salir muy lastimada.

> Quizás por eso la mamá de Tammy lo hizo parecer tan malo. El sexo no es algo que deba tomarse a la ligera. Tener sexo con otra persona es un paso muy serio.

LAS RELACIONES SANAS

Por supuesto que todas las bondades expuestas en este diálogo se dan en el contexto de relaciones sanas. Al platicar con su adolescente es buena idea hablar sobre qué son exactamente las relaciones sanas. La manera de abordar el tema puede variar. Si usted tiene inquietudes específicas —quizá el novio de su hija le parece demasiado celoso, o tal vez su hijo parece cargar solo con el peso de la relación—, abórdelas al hablar de lo que una relación sana implica. Si no tiene preocupaciones específicas, trate el tema como una herramienta que el adolescente utilizará para meditar y aplicarlo a su propio caso.

¿Qué es una relación sana? Obviamente, no hay una definición que se adapte a todos los moldes. Las preferencias personales son variantes, de manera que algunas conductas pueden ser repulsivas para una persona y atractivas para otra. No obstante, existen ciertos componentes indispensables para que una relación sea sana para ambos miembros de la pareja. Por lo general, una relación sana se construye con base en los siguientes elementos:

- **Respeto:** se integra por la valoración y la comprensión de quiénes somos en realidad, y no gracias a la versión que otros desean de nosotros mismos.
- **Comunicación:** la capacidad de hablar sobre sus sentimientos, ya sean buenos o malos, incluso si al hacerlo la otra persona se siente incómoda o molesta.
- **Consideración:** preocuparnos por cómo se siente la otra persona y hacer cosas —o no hacerlas— tomando en cuenta sus sentimientos.
- **Confianza:** la capacidad de creer en su pareja y limitar los celos. También podemos definirla como el compromiso de mantener la confianza de su pareja por el hecho de no ser deshonesto.
- **Espacio para dos**: cada persona debe tener identidad y objetivos propios que vayan más allá de la identidad y los objetivos de pareja o del compañero o compañera.

- **Responsabilidad:** toda persona debe sentirse responsable por evitar un daño voluntario a la pareja. Pero, en última instancia, cada persona es responsable de su propia felicidad y no debe pretender que la pareja la proporcione.
- **Dar sin reservas:** cada miembro de la pareja da al otro —bienes materiales o emociones— porque quiere hacerlo, no porque desee obtener algo a cambio.
- **Justicia:** se habla de justicia en una relación, tomando en consideración cuánto aporta cada persona a ésta.
- **Solución de conflictos:** ambas partes deben estar de acuerdo en solucionar los conflictos por medio del compromiso, el perdón y la comprensión. No sólo eso: deben ser capaces de considerar las cosas desde la perspectiva de su pareja, incluso si no tienen el mismo punto de vista.

Recuerde que estamos ofreciendo ejemplos de cómo hablar del tema; no se trata de una conferencia, por lo que no necesariamente es bueno ponerse a recitar los puntos anteriores. Si usted tiene la palabra y su adolescente se muestra receptivo, vea si puede abordar el asunto dejando que él o ella contribuya con sus propias ideas. Si el término "sana" resulta tieso o le parece alejado de la visión de los adolescentes, sustitúyalo por "buenas". Sólo asegúrese de dejar en claro que, al referirse a las relaciones "buenas", no quiere decir que sean divertidas o placenteras exclusivamente. El verdadero sentido de una relación sana es que promueva bienestar y plenitud sin ser dañina para ninguna de las partes.

Una manera de decirlo...

Mamá: Lilly: Caleb y tú pasan mucho tiempo juntos. Y pienso que eso es bueno, siempre y cuando los dos se estén tratando bien y la relación sea sana. Ahora que lo pienso, nunca hemos hablado sobre qué significa tener una relación sana. ¿Has pensado en qué es realmente importante en una relación?

Lilly: Supongo. Quiero decir que Caleb y yo nos divertimos mucho estando juntos. Eso es importante.

Mamá: Sí. Vaya que es importante, pero creo que el respeto también es muy importante. Él debe amarte y aceptarte por cómo eres. En realidad, hay muchos factores que entran en juego para que una relación sea verdaderamente saludable. ¿Se te ocurren algunos?

Si esa clase de conversación no le parece factible (su adolescente es demasiado joven o no es muy conversador que digamos), esto no significa que su caso está perdido. Tal vez deba hablar la mayor parte del tiempo. La clave consiste en asegurarse de que su adolescente comprenda que no todas las relaciones son sanas y que existen ciertos elementos necesarios para que lo sean. Debe saber qué elementos procurar y cuáles evitar.

Ella es una amiga con derechos (ACD): ¿debe preocuparse?

Recordará que en el capítulo 3 hablamos de las relaciones conocidas como "amigos con derechos", "amigos con beneficios" o "amigos cariñosos" —relaciones entre amigos y conocidos sin vínculo romántico. Sabemos que son muy comunes entre los jóvenes de hoy. Y dado que esta modalidad se ha arraigado en el mundo de los adolescentes, es posible que el suyo tenga o llegue a tener este tipo de relación en los años venideros.

¿Qué pasa si su adolescente es un ACD? Primero, no entre en pánico. Un estudio reciente en que se dio seguimiento a 1 700 adultos jóvenes a lo largo de varios años, descubrió que las relaciones de los ACD no tienen efectos negativos en lo referente al placer corporal y la autoestima; además, se demostró que no suele causar depresión o pensamientos suicidas en los participantes.[1] Aún así, algunos expertos expresan preocupación por el hecho de que tener ACD puede dificultar que los adultos jóvenes desarrollen las habilidades que más tarde

---

[1] Maria Eisenberg, Diann Ackard, Dianne Neumark-Sztainer y Michael Resnick, "Casual Sex and Emotional Health in Sexually Active Young Adults: Are Friends with Benefits Psychologically Damaging?", texto presentado en la reunión anual de la Society for Adolescent Medicine, primavera de 2008.

pueden ser indispensables para tener éxito en las relaciones serias.

Tenga cuidado en el caso de adolescentes con falsas expectativas de una relación como éstas, pues existe el riesgo de daño emocional. Eso sumado al riesgo físico (es posible que uno o los dos tengan relaciones con terceros, por ejemplo). La falta de compromiso puede complicar las cosas aún más en caso de un embarazo no deseado.

Cuando hable con su adolescente sobre los aspectos emocionales de las relaciones, discuta los riesgos asociados con los ACD, ya sea que tenga o no sospechas de que su adolescente participa en una relación de este tipo.

Riesgos emocionales

- Los arreglos de los ACD requieren que ambas partes tengas expectativas emocionales similares, y que ambos estén de acuerdo en suprimir el vínculo romántico. Si su adolescente tiene la esperanza de que la relación avance hasta convertirse en una relación romántica, debe saber que estos casos son la excepción a la regla.
- Al igual que sucede en toda relación, es importante discutir de antemano los términos del pacto. ¿Será monógama? ¿Qué límites tendrá la actividad sexual, tanto en lo interno como en lo externo? ¿Qué reglas románticas o emocionales habrá en la relación?
- Dado que no suele haber expectativas reales de monogamia, el sexo más seguro y las pruebas para detectar ITS adquieren importancia extrema.
- Dado que no hay expectativas de que la relación se convierta en un compromiso de largo plazo, la prevención del embarazo se torna importante en extremo.

También podría plantear a su adolescente preguntas que son importantes al considerar las relaciones de amistad con beneficios. No es esencial que usted proporcione las respuestas. Lo importante es que el adolescente tenga herramientas para explorar el concepto:

- ¿Qué me resulta atractivo de este tipo de relaciones?
- ¿Qué puedo obtener de ellas?
- ¿De qué me estoy perdiendo al aceptar ser un ACD?
- ¿Qué siento por la otra persona? ¿Me interesa como amigo o amiga, pero no como pareja romántica? ¿Me gusta como amiga y también como pareja romántica? ¿No me cae bien, pero me gusta mucho físicamente? ¿Tengo claros mis sentimientos?
- ¿Puedo llevar una relación de intimidad sin que exista un vínculo romántico?
- ¿Estoy siendo honesto con la otra persona respecto a lo que siento en este esquema de relación?
- ¿Qué pasa si me enamoro?
- ¿Qué pasa si la otra persona se enamora y yo no?
- ¿Qué tipo de reglas deben implantarse para que me sienta física y emocionalmente segura?
- ¿Puedo hablar con esa persona de las ITS e insistir en que se haga exámenes antes de tener sexo?
- ¿Puedo hablar de control natal y soy capaz de ser consistentemente responsable para prevenir un embarazo no deseado?

Consejos para hablar de las emociones

Este tema de las emociones tiene el potencial de tornarse... emotivo. Eso no es malo. Con tal de que se converse de manera sana, compartiendo sentimientos y fortaleciendo los lazos preexistentes.

No obstante, usted no querrá que sus nociones preconcebidas y prejuicios echen a perder las cosas por completo. Abajo encontrará algunos consejos para poner en práctica al discutir con su adolescente sobre sexo, drogas, la escuela y cualquier otro tema.

Asegúrese de conocer los sentimientos de su adolescente. Los sentimientos son poderosos, aun cuando se tenga la sensación de que están siendo malinterpretados o sobrevalorados. En vez de decir: "No estás enamorado", podría intentar con algo como: "Sé que tienes un vínculo amoroso", para luego dar paso a sus objeciones: "Me preocupa que te estés precipitando al involucrarte en una relación seria", o bien: "Me preocupa que no te hayas tomado el tiempo suficiente para conocerlo a fondo".

Escuche atentamente. No se trata únicamente de ser respetuoso —debe creernos: su adolescente se percatará del respeto—, sino que también le ayudará a estar seguro de que sus intervenciones reflejarán fielmente lo que su hijo o hija expresa.

Permita que su adolescente identifique la causa del problema. Hablando en general, las personas suelen entrar en acción para corregir un problema, siempre y cuando puedan identificarlo por sí mismas. En lugar de decir algo como: "Ella está siendo completamente irracional al esperar que dejes de ver a tus amigos", haga a su adolescente preguntas que le ayuden a identificar el problema y las soluciones potenciales. Podría preguntar: "¿Te parece bien eso?", o bien "¿Te sentirás satisfecho con esa situación?".

Pida permiso antes de proceder. Esto da a entender que usted respeta el ámbito personal y le da la posibilidad de detener las cosas cuando siente que alguien se entromete en su vida. Podría decir algo así: "¿Estás de acuerdo en que haga algunas preguntas?". También explique las razones para hacerlo: "Sólo quiero hablar de la parte emocional de las relaciones sexuales, porque recuerdo lo difícil que fue para mí cuando tenía tu edad", o bien "Quiero asegurarme de que tomes decisiones buenas para ti, tanto en lo físico como en lo emocional".

Si se siente incómodo, reconózcalo. Si la conversación transcurre en calma y su adolescente parece cómodo, no hay necesidad de sembrar la semilla de la incomodidad. Pero si siente que él se resiste al intercambio o si se siente un tanto nervioso, acéptelo. Diga algo como: "Esto me resulta extraño, pero..", o bien "Sé que se trata de un asunto personal, pero..". Hasta tendrá oportunidad de acudir al sentido del humor. Si usted y su adolescente tienen un sentido del absurdo parecido, relaje las cosas usando una broma, como comparar lo divertida que es la conversación con una extracción dental. Se trata de romper el hielo, pero no exagere. Si le sale forzado, será tan gracioso como... como una extracción dental.

Muéstrese firme, pero no lo obligue a hablar. Si su adolescente no quiere hablar, hágale la siguiente pregunta: "¿Cuándo te gustaría que habláramos de esto? Quiero comprenderte". Si no da resultado, respete su decisión, pero vuelva a intentarlo después. Si de nuevo se topa con una negativa rotunda, dedíquese simplemente a compartir sus ideas, sentimientos y creencias sin pretender que el adolescente haga lo mismo. Es posible obligarlo a participar, pero mejor exprese sus ideas con la esperanza de ser escuchado y comprendido cabalmente.

No asuma que conoce los sentimientos de su adolescente. Está bien comentar que parece un tanto triste, pero limite sus observaciones a lo obvio. Después de todo, usted no sabe de cierto cómo se siente la otra persona. Haga preguntas abiertas y permita que el adolescente complete las frases para darse una idea de los verdaderos sentimientos que lo acompañan.

Hable con tono neutro. Si se advierte tensión en su voz, su adolescente lo notará y responderá (o se defenderá) en la misma frecuencia que su voz denota.

¡LA TELEVISIÓN AL RESCATE!

Si no está seguro de qué opina de *Gossip Girl*, y no entiende bien quién sale con quién en la serie *One Tree Hill* siendo que su hijo ama estos programas, podría intentar entrar en contacto con él o ella viéndolos.

No decimos que pretenda ser fanático de la serie —los adolescentes tienen un olfato en extremo afinado para detectar el falso interés a millas de distancia—, pero la cultura popular es una mina de oro cuando se buscan motivos para entrar en conversación. Tal vez pueda valerse de un personaje que tiene una relación lamentable, o de alguno que deba lidiar con un novio infiel o celoso. No se necesita mucho. Un buen argumento (o uno no tan bueno) puede ayudarle a ilustrar un aspecto o darle la oportunidad de internarse en la conversación sobre el aspecto emocional de las relaciones.

Procure traer a colación una relación de las que aparecen en algún programa de televisión y pida su opinión al adolescente. ¿Qué tan sana le parece esa relación? ¿Qué opina de la decisión de la muchacha en el sentido de pintarse el pelo de rubio para agradar al tipo que dijo gustar de las rubias? Usted entiende.

Una manera de decirlo...

Mamá: Jill, estaba zapeando en la televisión y de pronto me quedé viendo *Real World*. ¿Lo has visto?

Jill: Ay, mamá, ya sabes que siempre lo veo.

Mamá: Lo sé. Lo estuve viendo un rato y siento curiosidad por la relación de Danny y Claire como pareja. ¿Qué opinas tú?

Jill: Dios mío, no puedo creer que le haya pedido que deje de salir con sus amigos. Yo lo hubiera mandado al diablo si me pidiera eso a mí.

Mamá: Sí, también me pareció fuera de lugar. Estaba tan celoso. No quería separarse de ella ni un minuto. Me parece un error. Ese tipo de aislamiento en las relaciones de pareja suele estar relacionado con el abuso. ¿Lo sabías?

Jill: Supongo que sí. Definitivamente no es bueno.

(Tal vez convenga detenerse en este momento y dejar de hacer preguntas para que no se le pase la mano. Deje que su adolescente lleve la conversación. Si parece que no quiere continuar hablando de ello, déjelo en paz. Ya habrá momentos para retomar el tema.)

CUANDO EL AMOR DUELE

Ahora que ha reconocido las bondades de las relaciones sexuales y ha hablado sobre qué es sano, aborde el asunto de los riesgos emocionales. Una vez más, aliente la conversación, no el monólogo. Podría empezar preguntando cuáles son los riesgos que su adolescente advierte en las relaciones serias.

Si no emite palabra, plantee un par de ejemplos. Siga los consejos que a continuación ofrecemos para ayudar a que su adolescente tenga una idea más clara de la situación. No los ponga en práctica como si se tratara de un interrogatorio o de una franca intrusión en su mundo privado. Eso arruinaría la conversación y es probable que termine enfrente de un adolescente mudo o a la defensiva.

He aquí los ejemplos prometidos (algunos se refieren a las relaciones sexuales y otros a cualquier tipo de relación):

- **Su adolescente puede sentirse desilusionado si la relación no satisface sus expectativas.** Un ejemplo: Mike y Lindsay han estado saliendo juntos y pasando el rato pero, hasta el momento, nada indica que sean una pareja formal. Secretamente, Lindsay tiene la esperanza de que "llevando las cosas al siguiente nivel", sexualmente hablando, logrará que se forme una relación sólida como por arte de magia. Al no suceder, ella se siente desilusionada y dolida. Sobrevive, pero la experiencia la hace dudar de la pertinencia de involucrarse emocionalmente al conocer a otro hombre que le gusta.
- **Los sentimientos de amor y compromiso quizás no sean recíprocos.** Un ejemplo: Tom se descubre enamorado de Kim, con quien ha estado saliendo a lo largo de seis meses. A Kim le gusta Tom pero no se siente enamorada. Cuando Reed, un compañero de clase, popular y atractivo, se interesa por Kim, ella bota a Tom y lo deja con el corazón roto.
- **Tal vez existan efectos negativos entre los amigos, los parientes o los conocidos.** Un ejemplo: Ethan y Olivia frecuentan el mismo círculo social y se conocen una noche en que Ethan no está saliendo con nadie, pero ha coqueteado con varias muchachas. De pronto, Olivia se descubre como víctima de los celos y los desplantes de las muchachas con quienes Tom ha coqueteado, muchas de las cuales eran sus amigas.
- **La intensidad emocional puede llevar a tomar malas decisiones, como no usar métodos anticonceptivos u omitir el sexo más seguro.** Un ejemplo: las cosas entre Dylan y Haylee han estado aumentando de temperatura física y emocional. Dylan piensa que se ha enamorado. Hayleen dice lo mismo. Ambos creen que es muy pronto para tener sexo, pero una noche, terminada la cita romántica, resulta que la tentación es demasiado fuerte. Ninguno dispone de condones, pero el calor del momento los lleva a "hacerlo de cualquier modo".
- **Si su pareja no es confiable, puede revelar información íntima a los demás.** Un ejemplo: a Paige le encanta Lucas y, después de una fiesta, tienen sexo en el coche de él. Lucas alardea de lo sucedido en un mensaje de texto enviado a un amigo, quien se lo muestra a otro amigo. En un dos por tres, Paige se convierte en el tema de conversación de toda la escuela.
- **Si las experiencias tempranas en el amor son muy negativas, podría ser más difícil tener relaciones sanas en el futuro.** Un ejemplo: Elizabeth se enamora de Dave, quien la presiona para tener sexo y luego la engaña. Lastimada y avergonzada, Elizabeth la pasa mal para volver a confiar en los hombres.

- **Existe el riesgo de padecer estrés por sospecha de embarazo o de contagio de ITS.** Un ejemplo: Brandon recibe una llamada de Lauren. "¡Me contagiaste de clamidia!", dice ella. Lauren está enojada. Brandon dice: "No tengo clamidia". De hecho, Brandon tiene clamidia, pero no lo sabe. Debe ir a una clínica para que le realicen los exámenes correspondientes. Con base en sus factores de riesgo, el médico de Brandon recomienda un set de pruebas completo, a lo que el joven accede. Luego tiene que avisar a su última pareja sexual que debe hacerse una prueba. Después debe esperar los resultados. Todo esto le provoca estrés, vergüenza y miedo.

CONCENTRÁNDOSE EN SU ADOLESCENTE

Ahora que ya ha hablado en términos generales, ha llegado el momento de llevar la conversación al caso específico de su adolescente. Si éste tiene una relación sólida o de largo plazo, seguramente tendrá una idea de qué tan comprometido está. Si no es así y usted está al tanto de que es sexualmente activo, está bien preguntar directamente si la actividad sexual tuvo lugar en el contexto de una relación, para luego darse a la tarea de explorar la relación misma a profundidad, siempre y cuando su adolescente se muestre dispuesto a discutir el tema.

La meta consiste en no "probar" nada, sino en ayudarlo a que explore los temas, ya sea con usted como parte de la conversación o a solas. Otra meta es obtener información suficiente para tener una idea de qué sucede en la vida de su hijo o hija y así poder ofrecer apoyo y guía cuando la ocasión se preste a ello, directa o indirectamente. Incluso si no obtiene mucha información que digamos —puede ser el caso si su adolescente no está listo para hablar—, habrá allanado el camino para una futura conversación abierta, además de dar el mensaje de que está al pendiente y dispuesto a hablar.

ALGUNAS PREGUNTAS QUE PUEDE FORMULAR:

- ¿Qué son? ¿La relación es seria? ¿Sólo salen a divertirse? ¿Algo intermedio?
- ¿Estás saliendo con ella en exclusiva o sales también con otras personas?
- ¿Ya hablaron de eso?
- ¿Cómo van las cosas?

- ¿Qué tal se llevan ustedes dos?
- ¿Te parece que son justos el uno para el otro?
- ¿Te sientes feliz con la relación? ¿Infeliz? ¿Algo intermedio?

Una manera de decirlo...

Mamá: David, he notado que tú y Claudia han estado saliendo mucho. ¿Te molesta si te hago algunas preguntas?
David: Es mi vida personal, mamá.
Mamá: Lo sé. Y no pretendo entrometerme. Es sólo que no quiero que salgas lastimado y me pregunto cómo van las cosas. ¿Qué tan en serio van?
David: No lo sé. Sólo nos divertimos. Quiero decir... no salimos con otras personas, pero no pensamos casarnos, si eso es lo que quieres saber.
Mamá: Bueno, supongo que eso es bueno dado que tienes muchos planes para los próximos años. ¿Han hablado de la exclusividad o se trata de algo que solamente intuyes?
David: Hemos hablado del tema. Ella suele decirme que más me vale que ni siquiera mire a otra chica.
Mamá: ¿En verdad? Wow. ¿Es una broma o qué?
David: Sí. Ella no es así.
Mamá: Claro, no recuerdo haberte oído comentar que ella fuera celosa, por eso me sentí sorprendida con tu comentario. ¿Y crees que las cosas van del todo bien entre los dos?
David: Pues sí. Nos gusta estar juntos y ya. Nos gusta llevar las cosas tranquilamente.
Mamá: Bien. Supongo que ambos están de acuerdo y que el esquema les funciona.
David: Sí, funciona. Nos la pasamos muy bien juntos.

ATRACCIÓN, AMOR, LUJURIA...
¿O ALGO MÁS?

Quizás reconozca el sentimiento: conoce a una persona y siente una oleada de emoción. Tienen los mismos intereses, se sienten cómodos de inmediato. Estamos ante una atracción física al rojo vivo. ¿O se trata de lujuria? ¿Un mero enamoramiento? ¿Será amor? ¿Ha encontrado al amor de su vida o sólo a su compañero de cama?

Para los adolescentes que experimentan estas sensaciones por primera vez (o tercera o quinta), poner una etiqueta a la vivencia puede ser particularmente confuso. Como sea: ¿qué es el amor?, ¿cómo saber si la persona que recién conoció es la indicada?

Es natural que los adolescentes se sientan presionados por hallar el amor eterno —un mensaje que los medios y la cultura pop refuerzan constantemente; ni los adolescentes ni los adultos escapan a él. Es común que el sexo termine formando parte de la siguiente ecuación: cuando un adolescente se siente "enamorado", el sexo puede ser una expresión inevitable de esa emoción. Entonces, la pregunta sería: "¿Cómo puedo saber si alguien me importa lo suficiente como para tener sexo?". Y dado que los adolescentes acostumbran tener relaciones más breves que los adultos, esta pregunta puede presentarse de nuevo una y otra vez en el futuro cercano.

Aunque es casi seguro que usted no encontrará una fórmula que le ayude a determinar si el amor es real, sí podrá ayudar a su adolescente al considerar si es conveniente tener o no sexo con una persona determinada. He aquí algunas preguntas que ayudarán a meditar al respecto (su adolescente no tiene que responderlas en voz alta):

- ¿Es sana la relación?
- ¿Qué puedo esperar de la relación cuando el sexo entre en la ecuación?
- ¿Es probable que se cumplan mis expectativas?
- ¿Estoy considerando la posibilidad de tener sexo porque me siento presionada a hacerlo?
- ¿Me sentiré bien respecto de mi decisión después de tener sexo?
- ¿Me siento listo o lista para tener sexo con esta persona?
- ¿Le tengo confianza?

Como sucede en todo proceso de toma de decisiones, es útil tener una visión clara de nuestros valores. Si su adolescente no tiene muy claros sus valores, debe cuestionarse lo siguiente:

- En general, ¿cuándo considero correcto que la gente tenga sexo?

- ¿En qué casos me parece un error?
- ¿Qué tipo de casos me hacen dudar?
- En general, ¿qué me conviene?

Por supuesto, su adolescente no debe olvidar el elemento de seguridad: el riesgo de contraer ITS aumenta con cada compañero sexual y, por lo tanto, reducir el número de compañeros o compañeras sexuales es parte de un sexo más seguro; se debe elegir con cuidado para evitar a quienes participan en actividades de alto riesgo.

Cuando su adolescente está en las nubes

Puede ser difícil escuchar a su adolescente hablar del primer amor, o del segundo o el quinto. La idea de que su bebé se dirige a la vida adulta no es tan fácil de aceptar. Tampoco es fácil despojarse del papel de madre o padre protector, lo que provoca que usted vea con recelo a cualquier prospecto o que lo considere como un rompecorazones en potencia.

Y en algunos casos, tendrá razón. Usted goza del beneficio de la experiencia. Y dado que su perspectiva no se encuentra obnubilada por el amor, ve claramente las fallas de la pareja de su adolescente. Con algunas excepciones (llegaremos a esto en el capítulo 8), éste no suele ser un momento apropiado para cuestionarlo.

Aún cuando no le guste lo que ve y escucha, trate de no juzgar y mantenga el tono neutral. Decir cosas como: "Te está usando", o bien "No lo amas de verdad", seguramente provocará una respuesta defensiva y hará que su adolescente rehúya la conversación. Y de esta manera tendrá pocas posibilidades de influir en la situación. No se trata únicamente del hecho de estar tratando con un adolescente. Las personas de cualquier edad se disgustan cuando se les dice que están siendo engañadas, que toman malas decisiones, que son tontas o cosas similares. Tenga cuidado.

En lugar de debatir enconadamente con su adolescente sobre las percepciones, destaque las contradicciones que ha detectado. En vez de decir a su hija: "Te está usando", señale el hecho de que sus palabras no parecen coincidir con los hechos. Si su hijo se declara "enamorado", tras conocer a alguien durante una semana, reconozca que la atracción puede sentirse como el amor, pero recuérdele que, por lo general, el amor verdadero requiere de un conocimiento mayor del que se obtiene en siete días.

Una manera de decirlo...

Mamá: Parece que en verdad sientes que Jason te ama.

Nina: Sí, me ama.

Mamá: Viendo las cosas desde afuera, no parece que te trate con mucho amor, he notado que nunca te cita para estar contigo, y que llama en el último momento cuando no tiene qué hacer. Parece que tú debes dejar de lado cualquier cosa para estar con él, pero no parece dispuesto a hacer lo mismo. ¿Te has fijado en eso?

Nina: Es cierto, pero lo hace porque está muy ocupado con sus amigos. Le resulta difícil poder zafarse de ellos.

Mamá: Puede ser que esté ocupado con la escuela y los amigos, pero tú también tienes cosas que hacer. Tú jamás le harías a ningún amigo lo que Jason te hace. Quizá te convenga poner atención en qué sientes cuando te trata así.

Nina: A veces me molesta, pero cuando estoy con él me dedica el cien por ciento de su atención. Eso vale tanto para mí.

Mamá: Gracias por comentarlo. Mi única intención es evitarte dolor.

Nina: ¿Se puede amar a alguien sin sentir dolor?

Pregunte a los expertos: el increíble caso del adolescente desaparecido

Pregunta: Mi hija adolescente solía ser muy independiente. Insistió en vestirse de pirata cuando todos se disfrazaron de hadas en Halloween; quería ser apicultora cuando era niña y le dio por cortarse el pelo, cuando la moda dictaba que largo era mejor.

Ahora que está saliendo con Alex parece una persona distinta. Se la pasa ahorrando para comprar ropa que le guste a Alex y se hace rayos en el cabello porque, justamente, Alex adora los rayos. Se metió a clases de tae kwon do para estar más tiempo con él (quien, por cierto, practica tae kwon do). La mitad de sus oraciones comienzan con "Alex dice que..". o "Alex piensa..". ¡Argh! Estoy harta. No parece ser un mal sujeto y la verdad no creo que la esté forzando a hacer este tipo de cosas. Ella parece feliz. Pero siento que mi hija ha sido sustituida por un robot que sólo quiere hacer las cosas para satisfacer a su hombre. ¿Qué puedo hacer para que me devuelvan a mi hija?

Respuesta: Primero, debe aplaudir a su hija por ahorrar su dinero y por practicar una actividad que, de seguro, mejorará su estado físico. Estamos ante dos pasos positivos en el camino a la vida adulta.

En cuanto a lo que le preocupa, es muy natural sentir que se está perdiendo al hijo o hija adolescente conforme esta etapa transcurre. En cierto modo, es verdad. Después de todo, algún día dejará de ser adolescente. Para prepararse, ella debe decidir cómo quiere presentarse al mundo. También comienza a conocer la mecánica de las relaciones, lo cual implica un proceso de prueba y error. Por ahora, experimenta con cosas que agraden a Alex, ya sea porque le gustan o porque le gusta la atención que, consecuentemente, recibe de él.

Eventualmente, es probable que se percate de que ha ido demasiado lejos al tratar de dar gusto a una pareja y quizá no lo vuelva a hacer. Pero también es posible que en el proceso haya sido capaz de explorar el mundo y de explorarse a sí misma, lo que fue muy útil dado que no perdió la identidad ni nada parecido. Se trata de asuntos que debe resolver sola. En tanto no advierta indicios de una relación abusiva (ver el capítulo 8), no debe esforzarse demasiado por "recuperarla".

En cualquier caso, sí puede hablar con ella para saber qué piensa, qué le gusta y qué quiere. Le vendrá bien conocerse mejor, un paso importante en el camino a la vida adulta.

Las siguientes sugerencias le ayudarán a establecer una comunicación efectiva en este sentido:

Pregunte qué le gusta a ella. Me refiero a la apariencia personal, las aficiones y las actividades en general. Esto se logra al combatir el típico: "A Alex le encanta que use vestidos cortos", con un: "¿Y qué te gusta a ti?". La vida cotidiana le ofrecerá buenas oportunidades para poner esta idea en acción.

Aliente la independencia. Piense en los mensajes que transmite a su adolescente: ¿alienta usted el conformismo o la individualidad? En su ámbito familiar, ¿se considera positivo o negativo buscar su propio camino? El caso es que usted debe alentar el pensamiento independiente siempre que le sea posible. Explique por qué es importante que su adolescente piense por sí misma: porque sólo ella puede decidir qué le conviene; tiene el derecho y la responsabilidad de hacerlo.

Aliente la reflexión. Pida a su adolescente que piense en cómo se siente respecto de sí misma. ¿Cuáles son sus fortalezas y debilidades? ¿Es esencialmente feliz con su forma de ser? ¿Se siente fuera de lugar? ¿Qué cambiaría y qué no cambiaría de su propia personalidad? ¿Está transformando su forma de ser por complacer a otra persona?

Aliente la confianza en sí mismo. A todos nos gustan los cumplidos y es natural desear este tipo de recompensas que nos ofrecen los demás. Pero depender de otros para validar nuestras decisiones o sentirnos valiosos es peligroso. Aliéntela a que reconozca sus virtudes y a que se sienta orgullosa de ser quien es. Al desarrollar el amor propio de su adolescente, se estará asegurando de que su hijo o hija no dependa de otros para obtenerlo.

¿Algo que lamentar?

Si usted está interesado en hablar de los aspectos emocionales de las relaciones sexuales a causa de algún suceso que le preocupó, es probable que conozca al menos parte del contexto —si su adolescente ha tenido sexo con algún desconocido, algún encuentro casual con un conocido o sexo como parte de una relación de compromiso. Pero también es posible que no sepa absolutamente nada.

Si se preocupa porque su adolescente parece triste o lastimado por lo sucedido, podría tratar de conocer algunos detalles. Comience con un simple: "¿Qué pasó?", o bien: "¿Qué ha estado sucediendo?". Tal vez no obtenga respuesta o sólo le refieran los generales de la situación. Pero también se sorprenderá de lo mucho de lo que se enterará si crea una atmósfera apropiada al escuchar activamente. Cuando el tema ha salido a la luz, los adolescentes —la mayoría de los cuales afirma sentirse incómodo al hablar de sexo con sus padres— pueden incluso sentirse aliviados al ser capaces de hablar sobre lo que les preocupa con alguien que aman y respetan.

Si su adolescente se muestra receptivo, explore cómo se siente respecto de volverse sexualmente activo o al formar parte de una relación de tipo sexual. Recuerde que debe apoyarlo y evitar los juicios. Es natural que un adolescente lo desafíe, en especial si es joven. Incluso los adolescentes que saben que han tomado una mala decisión pueden tener miedo de admitirlo. Hablar del tema puede ayudar a que los adolescentes reconozcan sus errores para aprender de ellos.

HAGA LAS SIGUIENTES PREGUNTAS:

- ¿Se trata de algo que querías hacer?
- ¿Te sentiste presionado? ¿Se salieron las cosas de control?
- ¿Te arrepientes de lo sucedido? ¿Desearías que hubiera pasado en otro momento?
- ¿Crees que actuarías de otra manera si pudieras volver el tiempo atrás?
- ¿Has pensado en qué deseas de esta relación (si existe alguna)?
- ¿Le has dicho a tu pareja lo que sientes?
- ¿Qué tan contento te sientes de haber tomado esa decisión? ¿Te gustaría haber actuado de otra manera?

Cuando los adolescentes manifiestan arrepentimiento, procure que piensen en qué harían en el futuro si se presentara una situación similar. Es común que digan que las cosas se salieron de control y nada más. Esto puede deberse al uso de drogas o alcohol, a la presión de satisfacer a alguien o al hecho de sentir impotencia por no ser capaces de controlar su propio cuerpo (los adolescentes suelen alegar que su cuerpo tomó el mando de las cosas).

También puede ayudar a su adolescente a encontrar soluciones a problemas potenciales antes de que éstos se presenten. Los adolescentes se encuentran bajo enorme presión de adaptarse al grupo, así que la labor puede orientarse a encontrar soluciones que ofrezcan protección sin marginarlo. Hasta pueden inventar un juego de representación de papeles, de manera que su adolescente tenga ciertas frases listas para la ocasión.

TEMAS A CONSIDERAR JUNTOS:

Pregunta: ¿Qué puedes hacer si te invitan a una fiesta y al llegar te das cuenta de que todos están bebiendo alcohol?

Respuesta: Debes encontrar la manera de irte. Di a los demás que acabas de "recordar" que prometiste llamar a casa a las 10. Luego diles que tu mamá insiste en que te vayas a casa inmediatamente. O finge dolor de estómago, de cabeza o una diarrea repentina (la última opción puede hacer que se rían de ti) y vete a casa.

Pregunta: ¿Qué puedes decir a una pareja que insiste en que hagas algo que no quieres?

Respuesta: Di "no" con firmeza y continúa negándote todo el tiempo que sea necesario. Amenaza con terminar la relación, si lo crees necesario.

Pregunta: ¿Qué puedes hacer si te sientes tentado a hacer algo al calor del momento, sabiendo que después te arrepentirás?

Respuesta: Evita las tentaciones. Si cada vez que entras a la sala de tele de su casa las cosas terminan en dilema moral, dejen de ver la tele ahí. Procura que tus actividades se realicen en sitios públicos y en compañía, de modo que no sientas la tentación de hacer algo para lo que no estás listo. Si estás harta de acabar liada con Billy cada vez que te lo encuentras en una fiesta (porque no vuelves a saber de él hasta la siguiente fiesta), procura ir a fiestas a las que no asistirá o quedarte en una zona alejada de donde está él (zona libre de "Billies").

Pregunta: ¿Qué puedes decir si otros te presionan para que hagas algo que te incomoda?

Respuesta: Mantente firme. Di "no" con convicción. Míralos a los ojos, párate derecho y dilo con confianza. Recuérdales que eres un individuo (el típico "todos lo hacen" no aplica para ti porque tú no eres todos, eres tú). Si no respetan tus límites, ha llegado el momento de buscar nuevas amistades. No tienes por qué estarte defendiendo de los amigos.

Además de la presión de grupo, los adolescentes pueden pensar que todos están teniendo sexo cuando eso no es verdad. Brinde a su adolescente una versión más cercana a la realidad. Háblele acerca de la verdadera situación de los adolescentes y el sexo.

Nada de qué arrepentirse (en serio)

Algunos adolescentes le dirán que están contentos con su decisión. Pueden sentir que haber tenido sexo fortalece una relación, los vínculos con su pareja o que la situación los hace sentir adultos. Quizá el encuentro sexual fuera de una relación comprometida haya sido maravilloso. Si es el caso, reconozca la validez de los argumentos. Si parecen genuinos y está de acuerdo en que la pareja es un ser humano decente, comparta la felicidad de su adolescente.

Si su adolescente se jacta de que el sexo fuera de una relación comprometida no presenta problemas emocionales, asegúrese de que reduzca los riesgos hablándole de limitar lo más posible el número de parejas sexuales, instándolo a que use protección y aconsejando que tenga cuidado al elegir a su pareja.

Si duda que las afirmaciones de su adolescente sean genuinas, deje la mesa puesta para futuras conversaciones. Diga algo como: "Espero que sepas que, si las cosas cambian, mi puerta siempre estará abierta para ti. Quiero que seas feliz".

Justo para su edad: el sexo y las relaciones

Menos de 15 años. Los adolescentes más jóvenes podrían preocuparse más que los mayores por meterse en problemas con sus padres o desilusionarlos. Para hacerlos hablar, podría tener que confrontar esos temores. Una buena manera de hacerlo sería: "Estoy molesto, pero quiero hablar del asunto para asegurarme de que estás bien", o incluso "No te castigaré por lo sucedido", o "No sé qué vamos a hacer para afrontar el hecho de que has roto las reglas, pero ahora me preocupa más asegurarme de que estás bien". Cuando hablan, es común que les interesen más los acontecimientos presentes que las posibles consecuencias a futuro.

15 a 17 años. Si su adolescente es inexperto en el campo de las relaciones, lleve la conversación al ámbito de la exploración del significado de las relaciones, y cómo el sexo las ha cambiado (o no). Los adolescentes de esta edad suelen enfocarse un poco más en el futuro, pero aún les preocupan más los acontecimientos presentes.

Más de 18 años. Los adolescentes de esta edad están en condiciones de evaluar sus sentimientos respecto de estar en una relación sexual (si todavía quiere hablar con usted de sus dudas, háganlo sin pensarlo dos veces). Estos adolescentes pueden mostrarse más abiertos a hablar del futuro de sus relaciones, de cómo se sentirían si terminaran y de cómo planean manejar la cuestión sexual en las relaciones futuras.

¿IMPORTA LA REPUTACIÓN?

Por importante que sea para usted que los demás piensen bien de su adolescente, no es probable que tenga éxito al insistir en que cambie su conducta con el argumento de la reputación. Los adolescentes no suelen tomar en cuenta el papel de su familia en la comunidad como lo hace usted, y ya saben que los otros jóvenes hablan y pueden ser crueles.

La excepción a esta regla la encontraremos en los adolescentes más jóvenes, que generalmente no son capaces de medir las consecuencias de sus actos. Por ejemplo, podrían asumir ingenuamente que sus acciones no se conocerán y, por lo tanto, pueden sorprenderse cuando su compañero o compañera ventila el asunto. O tal vez no son capaces de anticipar las consecuencias sociales de sus actos. En este caso, es bueno hablar de las muchas consecuencias que una acción puede tener.

También los adolescentes de más edad pueden tener problemas para anticipar el daño que se le puede hacer a alguien con una computadora o un teléfono celular. En nuestros días, es común que se "suban" o den a conocer en Internet (y así al mundo entero) fotos y videos incriminatorios, y sucede mucho más rápido de lo que usted y yo pensamos. Los chismes se propagan por medio de los *blogs*, los mensajes de texto y las redes sociales. Crecer en la era de Internet requiere que los adolescentes nunca olviden que sus actos pueden darse a conocer en poco tiempo.

A pesar de que no necesita entrar en muchos detalles, le ofrecemos algunos temas que puede discutir con su adolescente:

- **Los chismes sí se propagan.** Ya sea en la escuela, el trabajo o hasta en la alberca comunitaria del barrio, en donde quiera que haya un grupo de personas, habrá chisme casi seguramente. A veces se basan en hechos reales; a veces no. No se puede detener la carrera de un rumor o chisme, pero sí se puede tener en mente que nuestros actos, o hasta la percepción de éstos, puede llegar a discutirse públicamente.

- **Lo que pasa en público no es un asunto privado.** Con la abundancia de adolescentes armados con teléfonos celulares que toman fotos y video, el efecto de un hecho que se hace público es mayor que nunca. Enséñeles la lección antes de que deban aprenderla por la vía difícil: si no quieres que lo que haces sea puesto en YouTube el día de mañana, no lo hagas en público. Y al decir "en público" nos referimos a cualquier lugar en que haya gente que no conoce bien o a la que no le tiene una confianza implícita.

- **Las cosas que se "suben" a Internet o que se envían digitalmente se mueven rápido.** Esto es aplicable a las palabras y las imágenes. Así que, aunque puede ser tentador enviar material subido de tono por el celular a su pareja, debe estar consciente de que es muy fácil que el envío se haga público. Esto sucede también con las imágenes que se mandan por *e-mail* o que se suben a las páginas web personales. Una vez que se han "subido" no hay manera de recuperarlas, borrarlas o de revertir el daño.

- **El sexismo apesta, pero existe.** Las chicas que tienen sexo son putas, los hombres que tiene sexo son garañones. Es mentira. Lo sabemos. Es injusto y no todos piensan así, pero aún hay muchas personas que consideran que una chica sexualmente activa es disoluta. Esto no significa que su adolescente no deba tener sexo (si la decisión ha sido sopesada y se actúa responsablemente). Significa que debe tomar en cuenta cómo se percibirán sus acciones y que tenga en mente las reacciones posibles.

- **La homofobia existe.** Esto no será sorpresivo para los adolescentes GLBTI, pero hasta los que no se reconocen como GLBTI pueden tener dudas y probar con diversas identidades. Hablar con los adolescentes del hecho de que los jóvenes GLBTI enfrentan agresión e incluso violencia por su orientación o identidad de género, es útil en términos de difusión. La posibilidad de una reacción negativa de los demás no significa que los GLBTI deban permanecer "en el clóset" o que no tengan derecho a su sexualidad. Se trata de una realidad para la que deben prepararse conociendo sus derechos (incluyendo las políticas de acoso en las escuelas, si las hay) y desarrollando una fuerte red de apoyo.

Si está hablando con su adolescente como consecuencia de un incidente particular, no debe extenderse en el tema de la reputación, como ya hemos mencionado antes. Pero sí puede alentar un poco de introspección sobre la posible mala reputación que ciertas conductas pueden causar.

Pregunte a los expertos: cuando la reputación nos preocupa

Pregunta: Mi hija de 16 años fue suspendida en la escuela por violar las políticas de baile. Se supone que estaría en el baile pero se escapó con el novio y la encontraron en la calle trasera de la escuela teniendo sexo oral con él. Obviamente, me pone los pelos de punta pensar en lo que hacía, pero también me siento enojada. Ahora tiene mala reputación en la escuela. Me sentí tan avergonzada cuando me llamaron. ¿Qué clase de padre pensarán que soy? No sólo ha afectado su reputación, sino también la mía.

Respuesta: Es perfectamente razonable que se sienta preocupado por su hija y que esté molesto a causa de su pobre juicio. Y es importante que, cuando una cosa así sucede, la aprovechemos para hablar de temas muy importantes. Pero antes de hablar con su hija hable con alguien que le pueda brindar apoyo a usted. No permita que sus temores sobre el "qué dirán" o la ira terminen por conformar un muro que lo separe de su hija.

Temas a discutir:

• **Comparta sus valores.** Si todavía no habla con ella de su visión del sexo —nos referimos a todo tipo de sexo—, hágalo ahora. Eso significa ser mucho más específico que salir con: "Estoy en contra de que cualquier persona de tu edad tenga sexo". Defina el sexo y también el tipo de conducta que gustaría ver en su adolescente. Podría decir: "Pienso que la actividad sexual —y con esto me refiero a cualquier contacto íntimo, incluyendo el sexo oral y tocarse sexualmente— debe esperar hasta estar en una relación seria y hasta tener la edad suficiente para afrontar las consecuencias, tales como un embarazo y las infecciones de transmisión sexual".

- **Descubra qué sucedió y qué sucede.** Quizá su adolescente no le diga gran cosa, pero si evita los juicios y está dispuesto a sentarse y escuchar, podría enterarse de algo. Diga algo como: "En verdad me importa cómo te sientes después de lo sucedido". Y luego: "¿Cuál es tu relación con (nombre del muchacho)? ¿Cómo quieres que sea la relación? Si pudieras volver el tiempo atrás, ¿cuáles de tus decisiones o actos cambiarías?". Eche un vistazo a los consejos anteriormente expuestos en este capítulo para hablar de las relaciones sanas, el arrepentimiento y cómo evitar situaciones que causan problemas.

- **Concéntrese en la salud.** Tal vez la pareja de su hija usó condón, pero si se salieron furtivamente del baile por unos cuantos minutos, las probabilidades de que hayan usado condón son muy bajas. Y aunque lo haya usado existe la posibilidad de contagio por ITS. Quizás usted ignore si es la primera vez que su hija hace algo así, pues bien podría darse el caso de que tenga contacto sexual regularmente o que lo haya hecho con otra persona. Lo importante es que ha llegado el momento de ir al médico si ella no lo ha hecho. Evite los comentarios alarmistas como: "Debes ir al doctor para asegurarte de que no pescaste una enfermedad". Y evite los insultos tipo: "Eres una cualquiera". Mejor deje claro que la visita al médico es un procedimiento indispensable para todas las personas sexualmente activas. Y asegúrese de que entienda que su principal preocupación es su seguridad y bienestar. Ella podrá hablar con el médico sobre salud reproductiva, ITS, control natal y cualquier otra cosa que quiera discutir.

- **No deje dudas: las reglas serán respetadas.** Ella rompió las reglas al salirse del baile: un error muy obvio. Si se muestra triste y siente remordimiento como consecuencia de lo sucedido, es probable que usted se ablande un poco. Y eso no es malo por sí mismo, pero no olvide dejar muy claro que si se rompen las reglas habrá consecuencias. (Vea el capítulo 7 para más consejos sobre el establecimiento de reglas y las sanciones correspondientes.)

• **Haga hincapié en el peligro de hacer ciertas cosas en sitios públicos.** A usted le preocupa la reputación y eso es natural. No obstante, es muy probable que ella no responda si usted prohíbe el sexo oral con el argumento de que va a tener mala reputación. Eso sí: puede tomar la delantera, si aborda una preocupación secundaria, como que haya participado en un acto sexual en un lugar público. Puede dar inicio a esta parte de la conversación diciendo que está preocupado porque sabe lo dañinos que pueden ser los chismes —y la facilidad con que un chisme corre en nuestros días. Recuérdele que la sociedad todavía suele aplicar un doble estándar sexista; el entorno escolar le dará al muchacho cinco estrellas por sus logros, pero no serán igual de tolerantes en el caso de una chica. Pregunte cómo se siente ahora que sus compañeros de clase y amigos están al tanto de lo sucedido. ¿Qué pasaría si otros muchachos que le gustan se enteran? ¿Y qué tal si algún tipo con teléfono celular toma una foto de los hechos y la publica en Internet?

Estos son todos los pasos que usted puede dar con su adolescente, pero aún no hemos llegado a su principal temor: que su hija sea molestada, marginada, insultada y tenida por "golfa". Desafortunadamente, no hay mucho qué hacer en este sentido, a no ser por brindar apoyo incondicional a su hija durante las semanas y meses por venir. Probablemente el incidente pase al olvido gracias al nuevo incidente que acaparará la atención tras la fiesta de la semana entrante (espere un poco y verá que es factible), pero existe la posibilidad de que ella lamente su caída social por mucho tiempo. Hable con ella regularmente para asegurarse de que todo marcha bien. Pregunte si se siente contenta en la escuela y si quiere hablar con usted. No olvide que sí se puede apoyar a un hijo, aun cuando desapruebe su conducta.

Y esté al pendiente de señales que indiquen que las cosas no van bien: retirarse de un círculo social determinado puede ser bueno si es para preservar la integridad física (encontrará un nuevo grupo social en poco tiempo), pero si da muestras de alejarse de todos los grupos que frecuentaba, si la nota triste con frecuencia, si baja de calificaciones drásticamente o si falta a la escuela seguido debido a enfermedad, podríamos estar ante un problema más serio (consulte el capítulo 8 para conocer lo relacionado con la depresión).

Justo para su edad: el chisme

Menos de 15 años. Los adolescentes más chicos se preocupan sobremanera de lo que otros opinan sobre ellos pero, a diferencia de los adolescentes mayores, son menos propensos a pensar en las consecuencias de sus actos. Haga que su adolescente medite sobre los rumores —qué tan comunes son y qué tan fácil y rápidamente pueden extenderse. Exponga la regla de oro que consiste en jamás hacer en público algo que no se quiere hacer público.

15 a 17 años. A los adolescentes de esta edad también les preocupa mucho cómo son percibidos por el grupo al que pertenecen. La diferencia es que ahora les importa mucho menos la opinión de los amigos del mismo sexo y más la del sexo contrario (por ejemplo, suele preocuparles cómo serán percibidas si han tenido muchas parejas, etcétera), por lo que sería bueno explorar el tema con ella. Recuerde que, nos guste o no, la reputación de los varones sufre menos que la de las mujeres.

Más de 18 años. El grupo social no influye tanto en los adolescentes de esta edad. Si el chisme constituye un problema para su hija o hijo, ciertamente pueden y deben discutirlo.

Comparta su experiencia —o tal vez no

Aunque la mayoría de los adolescentes seguramente no querrá escuchar el relato del primer encuentro sexual de su padre o madre, sí les interesará saber cómo se sintió usted, especialmente si es capaz de establecer paralelismos con la situación de su adolescente. Después de todo, usted es una persona real y su experiencia puede resultar más cercana que cualquier ejemplo teórico. Además, si aprendió alguna lección con su vivencia, existen buenas posibilidades de que su adolescente obtenga también provecho de ésta.

No es raro que los adolescentes pregunten qué edad tenían sus padres cuando tuvieron sexo por primera vez, y quién fue la primera pareja. Incluso cuando su experiencia real no sea muy ilustrativa y parezca contradecir los valores que tiene usted en la vida adulta, no es buena idea mentir descaradamente. Su adolescente merece más respeto. Sin embargo, tome en cuenta que existe una línea muy delgada entre la franqueza útil y el exceso de información. Usted sabrá hasta dónde llegar en el relato. Si se siente en extremo incómodo podría decir algo como: "Es un asunto personal y no me agrada hablar de ello, pero me parece importante que sepas que..".", y lleve la conversación al terreno de los valores o lecciones aprendidas a raíz del hecho.

Si se extiende en el relato, es mejor ser cuidadoso con los detalles para hacer hincapié en el mensaje. Si tuvo su primera relación sexual a los 16 años, no hay necesidad de referir el suceso —en realidad, a nadie le gusta enterarse de la vida sexual de sus padres—, pero sí de relatar cuál fue la enseñanza (si la hubo). Si la relación naufragó y usted lamenta la decisión que tomó entonces, dígalo a las claras. Esté atento a signos de desagrado por parte de su adolescente. Si parece que su adolescente se siente incómodo, cambie la estrategia y el tono. Puede acudir a ejemplos de relaciones que le resulten cercanas al adolescente, ya sean de amigos, parientes o surgidas de la cultura pop.

QUÉ HACER CUANDO SUS INTENTOS POR CONVERSAR FRACASAN

Usted quiere que su adolescente hable. Está dispuesto a no emitir juicios, a escuchar y ayudar. Pero, ¿qué sucede si su adolescente no le responde? ¿Qué tal si sus esfuerzos provocan la ira de su hijo? ¿Qué hacer si el muchacho se empeña en no hablar?

Si nota señales de cerrazón —brazos cruzados, respuestas demasiado convenientes y tersas o decidida animadversión— sea cuidadoso, pues al continuar así es posible que el o la muchacha se cierre por completo. Mejor sería dar por terminada la sesión e intentarlo cuando su adolescente haya tenido tiempo para calmarse. No dé la impresión de que emprenden una lucha de voluntades. Usted no debe responder cosas como: "Bien, pero vamos a hablar de esto más tarde", pues el mensaje implícito es que hablarán sin importar si le gusta o no la idea al joven. Mantenga la calma y ofrezca una salida: "Veo que ahora estás enojado, así que no pienso que sea el mejor momento para hablar". Luego abra la posibilidad de un intercambio futuro: "Pero en verdad me gustaría saber cómo te sientes y qué ha estado sucediendo en tu vida". Y explique la razón: "Estás tomando decisiones de adulto cuando aún estás delineando al adulto que serás en el futuro. Sólo quiero hablar de esto para que ambos podamos estar seguros de que tomas las decisiones que más te convienen".

Está bien que cualquiera de las partes reconozca sentir enojo, desilusión, tristeza o cualquier otra emoción. Se trata de emociones genuinas y reconocerlas sólo comunica a su hijo o hija que usted es humano. Sólo recuerde mostrarse calmado y respetuoso, incluso si se siente triste o enojado. Si tiene problemas para controlar sus emociones, reconózcalo también. Explique cómo se siente y pida continuar la conversación más tarde. Asegúrese de no soltar el tema y retome la conversación en un tiempo razonable.

Justo para su edad: tiempo de hablar

Menos de 15 años. Los adolescentes más jóvenes corren mayores riesgos cuando una relación se torna sexual, por lo que necesitan una mano paternal más firme. Si su adolescente no quiere hablar, ofrezca un número limitado de opciones a ponerse en práctica cuando se reinicie el diálogo. Si la respuesta a: "¿Cuándo será un buen momento para que volvamos a hablar?", es: "Nunca", deberá proceder a poner fecha y hora. "Debemos hablar, así que 'nunca' no es opción. Hagámoslo mañana, a las tres de la tarde o después de la cena. ¿Qué horario prefieres?".

15 a 17 años. A esta edad la negociación es normal. Está bien dar respiro a su adolescente, pero deje en claro que será limitado y que estará pendiente de la situación. Podría decir: "Sólo quiero que sepas que aquí estaré cuando te sientas listo para hablar", y luego siga con "Pero si este asunto empieza a afectar tus calificaciones porque estás triste y no puedes dormir bien, tendremos que sentarnos a hablar".

Más de 18 años. Si su adolescente no quiere hablar, no lo obligue. La meta es hacer llegar el mensaje de que está dispuesta a hablar si él lo requiere. También puede ponerlo en contacto con alguna persona con la que sí quiera hablar.

Capítulo 7

"No. Mark no puede dormir aquí": ¿Por qué es importante poner reglas y hacer que se cumplan?

Así que ha aceptado la realidad de que los adolescentes tienen derecho a tomar ciertas decisiones respecto a lo que hacen con su cuerpo. Ha compartido sus valores, le ha hablado de seguridad, ha respondido sus preguntas y ha estado al pie del cañón para apoyarlo. Sabe ya que prohibir el sexo es una batalla perdida. Felicidades.

Pero su labor no ha terminado. Dar a su adolescente cierto grado de libertad no significa renunciar a su autoridad. De hecho, dado que está permitiendo a su adolescente tomar más decisiones, es importante establecer, discutir y hacer respetar los límites adecuados. Puede hacerle sentir mejor saber que, a pesar de ser maestros en el arte de la queja, la mayoría de los adolescentes espera, acepta y desea la seguridad de una estructura como la que proponemos. Disminuye la ansiedad. Las investigaciones demuestran consistentemente que los padres que implementan reglas y las hacen cumplir, suelen tener hijos con menos probabilidades de incurrir en conductas riesgosas.

¿Cuál es su estilo de paternidad?

Probablemente usted creció en una familia en que no se permitía negociar las reglas o, a la inversa, en una familia sin reglas. Tal vez haya sentido que las restricciones eran excesivas e injustas —o deseaba un poco más de guía sobre cómo comportarse. No hay duda de que su pasado influye en la forma en que usted maneja y obliga el cumplimiento de las reglas en su familia. Podría sentirse más cómodo siguiendo un patrón similar al experimentado en la infancia, o tal vez esté dispuesto a adoptar la postura contraria.

Otros factores —el temperamento de su adolescente, las dinámicas familiares y todo lo que haya resultado efectivo en el pasado— también tendrán impacto en su estilo personal de ser padre o madre. Vale la pena tomarnos un momento para pensar los estilos de paternidad y saber qué funciona de cierto en relación con dichos estilos.

En la década de los sesenta, la psicóloga clínica e investigadora Diana Baumrind describió los cuatro estilos principales de paternidad y, desde entonces, su teoría ha tenido gran aceptación. Veamos:

El padre permisivo. Los padres permisivos suelen ser cálidos y amorosos, pero tienen pocas expectativas de que las reglas se cumplan. De hecho, requieren pocas cosas de sus hijos, ya sea porque están muy ocupados o porque desean evitar el conflicto. Pueden tratar de crear un ambiente más parecido al de la amistad que al de la relación padre-hijo.

El padre apático. Es casi igual al padre permisivo, pero se caracteriza por una mayor distancia y apatía al involucrarse en la vida de su hijo o hija. Este estilo puede ser en extremo dañino, pues los niños crecen sin el apoyo de un ambiente amoroso y careciendo de las estructuras provistas por las reglas y los límites.

El padre autoritario. Este estilo de paternidad impone las reglas y niega la posibilidad de discutirlas abiertamente. Podrían declarar algo parecido a: "Haz lo que te digo porque lo digo yo". Los padres autoritarios inhiben el desarrollo de la independencia. En los casos de familias que viven en peligrosos ambientes urbanos, por ejemplo, existen evidencias de que este estilo puede funcionar. Pero en casi cualquier otro contexto, el estilo autoritario es contraproducente y padres e hijos entran en una dinámica de lucha de poder. Este estilo puede dañar la relación con su adolescente en el largo plazo; además, suele derivar en el desperdicio de buenas oportunidades para compartir con él su sabiduría y conocimiento.

El padre con autoridad. En este estilo, los padres comunican abiertamente y negocian con sus hijos. Alientan el pensamiento independiente, pero también esperan un cumplimiento cabal de las reglas. Son estrictos pero dan razones para serlo. En la mayor parte de los casos, este estilo es considerado como el más saludable y efectivo. Los padres con autoridad tienden a tener hijos disciplinados, con buen autocontrol y buen desempeño académico y social. En relación con la actividad sexual, los hijos de los padres con autoridad son menos dados a involucrarse en conductas de alto riesgo, tienen menos probabilidades de enfrentar un embarazo no deseado y usan condón en mayor medida.[1] ¿Qué tipo de padre es usted? Idealmente, usted querría pertenecer al modelo de padre con autoridad, pero en la vida real las fronteras se difuminan. Puede ser autoritario en ciertos aspectos, pero padre con autoridad en otros. O padre con autoridad en unos casos, pero permisivo en otros. Al pensar en las reglas y su cumplimiento, tenga en mente el modelo de padre con autoridad y recuerde lo siguiente:

- **Comunique abiertamente las reglas y las razones que las justifican.** Esto demuestra respeto por su adolescente. Tendrá mejores posibilidades de cumplimiento si sus reglas parecen razonables.
- **Negocie.** Conforme su adolescente crece y se gana el derecho a tener más responsabilidad, la negociación adquiere mayor importancia.
- **Deje en claro que sus expectativas de cumplimiento son altas.** Todos cometemos errores, pero usted debe esperar al menos 80 por ciento de cumplimiento la primera vez que la ley entra en vigor, y más de 95 por ciento de cumplimiento después de la segunda o tercera llamada de atención.
- **Sea consistente en la exigencia de cumplimiento.** Ya se trate de una falla menuda o grave, si el asunto es lo suficientemente importante como para ser cubierto por una regla, es esencial exigir su cumplimiento.
- **Confíe en su adolescente, pero no deje de supervisarlo.** La supervisión demuestra que a usted le importa su adolescente, le brinda protección y permite incrementar su independencia sin perder el control.

Esté siempre atento

Su adolescente ha estado creciendo. Tal vez su hija está embebida en su círculo social o bien esté ocupada con la escuela y las actividades

---

[1] Li y Stanton Feigelman, 2000; Miller, Forehand y Kotchick, 1999; Rai, Stanton, Wu, Li y Galbraith *et al.*, 2003, "Biological, Familial, and Peer Influences on Dating in Early Adolescence", *Archives of Sexual Behavior*, diciembre de 2007.

extracurriculares. Quizá su hijo esté inmerso por completo en el mundo de los deportes, estudiando o practicando con su banda de rock en el sótano. Usted conoce a sus amigos; desayuna, come y cena con él, e incluso se las arregla para procurar un poco de diversión cuando hay tiempo libre. Pero aunque de vez en cuando su adolescente le cuente la noticia de moda —el típico reporte de quién le hizo qué a quién—, puede estar seguro de que desconoce la mayor parte de la situación y el entorno.

Es natural preguntarse cuáles son las piezas que le faltan para completar el rompecabezas. ¿Hace su adolescente cosas que le erizarían la piel? ¿Es seguro asumir que su hija está en la biblioteca porque eso le dijo? ¿No será que la pijamada del sábado en la noche, en casa de Beth, incluye también invitados masculinos? ¿Cuánto debe confiar? ¿Cuánto y cuándo debe verificar las cosas?

Como siempre, la respuesta es que depende de su adolescente, de su edad, grado de madurez, temperamento e historial de conducta. Si ustedes tienen una relación abierta y comunicativa, ya tendrá una buena idea de su grado de madurez y sabrá más o menos qué tan probable es que su hijo o hija ceda ante la presión de grupo, o qué tan factible es que rompa las reglas.

Recuerde: su adolescente está en camino a la vida adulta y merece ser tratado con respeto. Sin embargo, "en camino" constituye la parte fundamental. Los adolescentes están dolorosamente al tanto de que aún no son adultos y, por lo tanto, requieren supervisión. Hablando en general, los más jóvenes necesitan más monitoreo y deben recibir menos independencia que los adolescentes mayores. La decisión de qué tanto monitoreo es necesario o de cuánta independencia brindarle es enteramente suya. No obstante, hay algunas sugerencias valiosas para supervisar efectivamente a los adolescentes. Recomendamos que, como mínimo:

Conozca a los amigos de su adolescente. No puede saber qué está haciendo su hijo o hija cada momento del día, pero conocer a sus amigos lo puede orientar para saber qué tipo de influencias están en juego. Invítelos a su casa —sugiera que su hijo sea anfitrión de una noche de pizza, de una competencia de juegos de video, o de cualquier otra actividad social. Pase algún tiempo tratando de conocerlos, pero no convierta la convivencia en un interrogatorio y no se quede más tiempo del indispensable. Se trata de diversión entre jóvenes, así que limite su participación y váyase.

Haga saber que estará al pendiente. Si establece la supervisión como un hecho incontrovertible desde el principio, tendrá menos resistencia por parte de su hijo o hija. Si no lo ha hecho, nunca es tarde para empezar. Puede presentar sus supervisiones como un requisito indispensable para obtener privilegios adicionales conforme va creciendo. Podría decir: "Te has ganado el derecho a pasar más tiempo fuera de casa, y está bien que duermas en casa de Kelly, pero necesito hablar primero con su madre". Luego asegúrese de hacerlo. Tal vez su hija no lo admita, pero esto le servirá como pretexto para salir de situaciones en que la presión de grupo influye ("No me dejaron ir a la fiesta, y mi mamá se dará cuenta si voy. Siempre llama para corroborar").

Esté presente en casa. Si tiene que ir al trabajo no podrá estar en casa para supervisar a su hijo o hija constantemente. Sin embargo, lo más probable es que esté en casa lo suficiente como para hacerle llegar el mensaje de que está atento. Si normalmente llega a casa después de las seis, haga un esfuerzo por modificar su horario de vez en cuando. Llegue antes, sólo para estar tranquilo. ¿Y qué hay del fin de semana largo que ha estado planeando? Si tiene un adolescente en casa —incluso si se trata de uno que usted considera responsable y maduro—, estará ofreciéndole tentaciones casi imposibles de resistir. Puede llevar a su hija al viaje, arreglar que se quede en casa del algún pariente o amigo, o pedir a alguien que se quede en su casa con ella. Sabemos que esto es muy molesto y que, cuando su adolescente jure con toda solemnidad portarse a la altura, es fácil ceder. Pero no olvide que con el simple hecho de quitar la tentación, ha dado un gran paso para ayudar a que su hijo o hija se mantenga alejado de situaciones peligrosas.

Responda justa y firmemente. Todos sabemos que la constancia es la clave de la disciplina. Es verdad desde que la época en que su hijo era bebé, y sigue siendo verdad hoy. Si establece una regla y su adolescente la rompe, usted debe responder con una consecuencia razonable. Siempre. Pero sea justo; el castigo debe ser equivalente a la falta. Cálmese hasta que su voz se normalice. Si no puede calmarse, espere hasta haberse enfriado para decidir la sanción (pero no espere demasiado, pues las consecuencias deben ser prácticamente inmediatas).

Sea ejemplar. Hable de sus valores y luego demuestre estar comprometido con ellos. Si es madre o padre soltero y le dice a su hijo que no cree en el sexo antes del matrimonio, viva su vida de acuerdo a este precepto. Si quiere que su adolescente sea honesto con usted, sea honesto con él. Después de todo, usted encarna el modelo de conducta que quiere ver imitado.

No rehúya el conflicto. ¿Recuerda los días en que su adolescente era niño y usted era su héroe? Le encantaba estar con usted y, aparte del berrinche ocasional, aceptaba su autoridad como un absoluto. Como ya habrá notado, esos días están contados gracias a la combinación del intelecto más desarrollado de su hijo (eventualmente se dará cuenta de que usted no es perfecto) y del creciente deseo de independencia. Aunque puede ser tentador aferrarse a la adoración que el niño le profesaba pasando a la modalidad de "mejor amigo", recuerde que no le hará a su adolescente ningún favor con esa actitud. Los adolescentes necesitan padres más que amigos. Esto significa que es probable que entren en conflicto cuando su adolescente se rebele a las restricciones impuestas, o cuando trate de escabullirse de la supervisión paterna. Sea respetuoso, actúe calmadamente y sea consistente para tener las mejores posibilidades de resistir la tormenta. Si evita el conflicto sistemáticamente, podría necesitar ayuda, ya sea para fijar límites o para afrontar el conflicto resultante. Si usted vivió una relación conflictiva con sus padres, puede que su modelo no sea el mejor para basar su propia conducta parental. Un buen libro, un consejero familiar o terapeuta puede ayudarle a fijar y hacer cumplir las reglas, y también trabaje con su familia para resolver conflictos. Si siente que el conflicto afecta seriamente el desempeño social, escolar y doméstico de su hijo, es posible que requiera de ayuda profesional. Lea el apartado "Cuando el conflicto se agrava: qué hacer con un adolescente problemático", en la página 208 para aprender más sobre esto.

Encuentre alternativas sanas. Una manera de procurar que su adolescente pase el tiempo en ambientes que usted considera seguros, es llevarlo a estos ambientes. Empiece desde una edad temprana y aliente su participación en actividades organizadas por grupos que cuentan con supervisión adecuada. Puede tratarse de actividades organizadas por la iglesia o de eventos deportivos, artísticos, de voluntariado social o cualquier otro. Tener más de un grupo social da al adolescente opciones en caso de que la relación con uno de éstos se vaya a pique. No olvide que los grupos organizados no son niñeras, ni son responsables por la conducta de los demás miembros del grupo que participan en las actividades. Sigue siendo su trabajo participar en la vida de su adolescente y saber qué está haciendo y con quién.

¿Por qué tienen sexo los adolescentes?

Aunque muchos padres suponen que las horas posteriores a la escuela o las anteriores al final del día son las que más se prestan para el sexo adolescente, la evidencia señala lo contrario.

Un estudio realizado lo largo de seis años por la Indiana University School of Adolescent Medicine, con la participación de 106 adolescentes de entre 14 y 18 años, encontró que era dos veces más probable que los jóvenes tuvieran sexo por las noches, y no en las horas de la tarde tras salir de la escuela.[2] Las noches en fin de semana son la opción más popular. La supervisión paterna tiende a reducir los encuentros sexuales por las tardes, mas no por las noches. De igual manera, a pesar de que faltar a la escuela se relacionó con un incremento de las posibilidades de tener sexo en horas de la tarde, el hecho no tuvo ningún efecto en el sexo nocturno.

La actividad sexual de los adolescentes es compleja y se relaciona con muchos más aspectos que la supervisión, según concluyen los autores del estudio. Otros factores como el tiempo que se pasa con la pareja, las peleas con la pareja (incrementan la posibilidad de sexo vespertino 60 por ciento), el estado de ánimo y haber tenido contacto sexual la semana anterior, todos estos factores demostraron tener repercusión en la actividad sexual de los adolescentes a una hora determinada.

Puede sentirse aliviado por uno de los hallazgos del estudio: los adolescentes estudiados reportaron que la actividad sexual era bastante esporádica, teniendo lugar en sólo 12 por ciento de los días analizados.

---

[2] Dennis J. Fortenberry, Barry P. Katz, Margaret J. Blythe, Beth E. Juliar, Wanzhu Tu y Donald P. Orr, "Factors Associated with Time of Day of Sexual Activity among Adolescent Women", *Journal of Adolescent Health*, marzo de 2006.

¿Reglas justas? Las reglas que
puede implantar y las que no

No existe un instructivo para los padres de los adolescentes ni una serie de puntos que toda familia pueda seguir. Ya que todo adolescente es único, tampoco el hecho de haber navegado antes por esas aguas lo convierte en experto.

Aun así, existen ciertos lineamientos generales que pueden ayudarle. Primero, cuando se trata de adolescentes hay ciertas cosas que no debe pretender reglamentar: quiénes son o serán amigos de su hijo o hija, con quién deben salir y la forma de expresarse.

Prohibir las amistades, las parejas románticas o las expresiones creativas —como el estilo punk en el cabello, sí, ése que tanto odia— deriva casi siempre en una lucha de poder y alienta la conducta que precisamente usted objeta. Recuerde que los años de adolescencia son propicios para la experimentación. Su hija puede decidir que ama el estilo gótico y ajustarse a él por el resto de su vida, pero también existe la posibilidad de que unos meses (o años) más tarde, el negro dé paso al rosa y ella opte por un estilo completamente nuevo. O tal vez el arete en la lengua que tanto deseaba no llamó la atención como quería. En suma, deje que su adolescente experimente, especialmente en las áreas que implican muchos riesgos específicos.

Cuando usted establece las reglas, lo ideal es dar a los adolescentes el campo necesario para tomar decisiones y aprender de sus errores —y disfrutar de la vida—, mientras los mantiene seguros y alejados de situaciones que requieran un juicio más desarrollado o capacidades que aún no tienen para la toma de decisiones.

Conforme su hijo avance en la adolescencia, usted deberá negociar más cada vez. Piense en la prohibición que ha estado vigente desde hace seis meses: llegará el momento en que su adolescente le pedirá que la elimine, ya sea permanentemente o para una ocasión especial. Tal vez su adolescente ya esté listo para responsabilidades mayores. O tal vez no. Al negociar, tenga en mente su objetivo final (la seguridad) y los puntos en que no desea ceder, pero tome en cuenta que la necesidad de independencia de los adolescentes es creciente.

Habiendo dicho lo anterior, llegamos ya a las áreas que se relacionan con la actividad sexual. Aquí sí debe proveer la estructura de la reglamentación. A continuación presentamos algunas recomendaciones:

El sitio donde duerme el adolescente. Puede establecer que el adolescente no tiene permiso de dormir en casa de su novia o novio, o que debe dormir siempre en casa. A pesar de esto, recuerde que las políticas en extremo inflexibles —prohibir completamente que duerma en casa de un amigo— son contraproducentes en el largo plazo. En lugar de ello, deje en claro que espera honestidad (que los adolescentes irán a donde dicen), conozca a sus amigos, supervise regularmente y haga que las reglas se cumplan.

Lo que sucede en el hogar. Es bueno establecer límites respecto de las conductas aceptables en casa. Si no permite que su adolescente tenga sexo en el hogar, es una regla válida. Si no admite que jóvenes del sexo opuesto entren a las recámaras, también es razonable. De cualquier modo, siempre ayuda si ofrece una explicación plausible, como: "Me disgusta que tengas sexo aquí", o "No quiero que tu hermano vea esas cosas". Además de todo, es justo establecer reglas y hacerlas cumplir cuando se trata de actividades potencialmente relacionadas con el sexo, como el uso de alcohol o drogas. Ambas son ilegales para los adolescentes y reducen la inhibición —dos buenas razones para restringir su uso.

La manera en que los adolescentes se muestran al mundo. Aquí llegamos a un tema lleno de claroscuros y que varía mucho según la edad. No recomendamos que entre en luchas de poder con respecto al deseo de expresión de su adolescente, ya sea que pretenda ponerse un tercer arete o que pruebe un nuevo color de pelo cada semana. Tampoco recomendamos involucrarse en luchas de poder por temas de expresión si su principal preocupación es la opinión que otros tendrán de usted (mal padre, por ejemplo). Sin embargo, sí es aceptable establecer lineamientos familiares en cuestiones de ropa que considera inapropiada para un adolescente de cierta edad; también es válido limitar las expresiones que no se borran o eliminan fácilmente (esa rosa tatuada en el hombro, por ejemplo). Se trata de un acto de prestidigitación; una discusión sobre la atrevida blusita de su hija puede escalar hasta convertirse en toda una lucha de poder (e incluso si usted gana es probable que su hija vaya a cambiarse y guarde su blusita en la mochila para ponérsela después, cuando no esté presente).

La lucha puede valer la pena, dependiendo de su edad, si piensa que la blusita da una imagen de sexualización inapropiada (lo que atrae el tipo de atención que su adolescente no está preparada para manejar). Y de nuevo: quizá no valga la pena luchar por eso. Piense en qué es verdaderamente importante para usted y concentre su esfuerzo en esos puntos. Aunque usted odie su afición por los *jeans* rotos y por la playera esa que parece recién sacada de la basura, dado que los riesgos implícitos en usar esas cosas son mínimos, podría optar por dejar esa elección a su adolescente. Como sea, podría decidir prohibir las playeras con lenguaje o mensajes obscenos, el *piercing* o la ropa muy provocativa (no olvide que su concepto de ropa provocativa puede distar muchísimo del de su adolescente).

También puede aprovechar el hecho de que en muchos estados se necesita permiso de los padres para que un menor de edad se haga un tatuaje (si cuando cumpla 18 años decide hacerse un tatuaje, confórmese con haberle explicado la importancia de ir con un verdadero profesional calificado que use equipo esterilizado, ya que las agujas usadas pueden transmitir VIH).

Decida lo que decida, comuníquelo a su adolescente calma y razonadamente. Idealmente, esto debe hacerse antes de que su hijo regrese a casa habiendo comprado una playera con motivos obscenos, y también antes de que su hija opte por salir con tacones de aguja y una minifalda del tamaño de una servilleta. Organice una sesión especial para discutir las reglas de la casa y reclamar con justicia llegado el momento. También aproveche los programas de televisión o cualquier otro suceso cotidiano para sacar el tema a colación.

Una manera de decirlo...

Heidi, una adolescente de 15 años, tiene una buena relación con sus padres. Es responsable, madura y generalmente cumple con las reglas de la casa y la escuela. A pesar de todo, sus padres han notado que sus amigas comienzan a vestirse con ropa que, a su parecer, es demasiado atrevida o decididamente adulta. Hasta ahora, Heidi no ha hecho nada que preocupe seriamente a los padres. Aun así, deciden hablar sobre las reglas y responsabilidades de la apariencia. Aunque los horarios de la familia hacen que las cenas familiares sean menos frecuentes de lo que quisieran, los padres de Heidi hacen un esfuerzo para sentarse a cenar juntos al menos tres veces a la semana. El padre de Heidi aprovecha una de estas ocasiones para abrir una conversación sobre el tema:

Papá: ¿Sabes? En la fila del súper me tocó estar detrás de una muchacha que tenía *piercings* en toda la cara. Nada más faltaba que se pusiera aretes en los párpados.

Heidi: Ja, ja.

Papá: Eso me hizo pensar en que nunca hemos hablado de lo que está bien usar y lo que no.

Heidi: ¡No pienso ponerme un arete en la nariz, papá!

Papá: Pues qué buena noticia, pero ya que estamos juntos creo que es un buen momento para hablar de este tema. Mamá y yo sabemos que eres responsable y estamos orgullosos de ti. No es que pretendamos decirte de qué color pintarte el pelo o qué color de ropa usar.

Heidi: Gracias a Dios.

Papá: Queremos que te veas hermosa, inteligente y equilibrada, pues sabemos que eres así, si optas por usar un nuevo *look* o insistes en que la ropa arrugada está de moda, no nos meteremos. Tienes derecho a tomar tus propias decisiones, pero también tienes la responsabilidad de seguir algunas reglas básicas. Hay cuestiones de tu apariencia que son muy importantes para nosotros.

Heidi: Sospecho que esto no va a gustarme.

Papá: Tal vez no, pero toma en cuenta que nuestra intención no es impedir que seas tú misma. Al contrario; hazlo, pero sin alejarte demasiado de la zona de comodidad de la familia. Principalmente nos preocupa cierta ropa que se comercializa como si fuera apropiada para chicas de tu edad, cuando no lo es. Hay muchas cosas que los adolescentes no consideran ofensivas, pero los demás sí. Este es el caso de la ropa demasiado atrevida, incluso para la mayoría de los adultos. No está bien usar ropa que puede ofender a la mayoría de la gente. Eso significa que no usarás ropa con groserías impresas o símbolos ofensivos.

Heidi: Me parece lógico. Ese tipo de ropa me parece tonta.

Papá: Qué bueno. También pensamos que debes usar ropa apropiada para tu edad. Las blusas muy escotadas o las minifaldas extremadamente cortas suelen atraer un tipo de atención que no estás lista para manejar. No vamos a medirte el largo de las faldas con una regla pero, en general, pensamos que las faldas que suben más allá de la mitad del muslo son inapropiadas.

Y en cuanto a las blusas o tops, te pedimos que uses tu buen juicio para determinar si enseñan demasiado. Si piensas que mamá o yo nos molestaremos por ponerte cierta prenda, o piensas que es "demasiado sexy", pregúntate si es correcto usarla fuera de la casa. ¿De acuerdo?

Heidi: Ay, papá. Todas mis amigas usan minifaldas cortas. ¿Quieres que me vista como una perdedora?

Papá: No. Te juro que no. Hablo de prendas extremas. No pensamos meternos a dictar el curso de la moda. Hay mucha ropa que no se pasa de la raya y que es apropiada para una muchacha de 15 años. Cuando seas mayor podrás decidir si te sientes cómoda con la atención que la ropa de adulto puede atraer.

Heidi: Está bien. Seguro que esos vestidos de niña boba se me van a ver hermosos con el anillo que me pienso poner en el ombligo.

Papá: Muy graciosa. Precisamente queríamos hablarte de los tatuajes y los *piercings*. Están prohibidos y esa es la segunda regla que debes respetar. Los tatuajes son permanentes y existen riesgos para la salud, así que olvídate de ellos hasta que tengas 18 años. Entonces decidirás por ti misma. No es que estemos en contra de los *piercings*, pero para hacértelos requieres de nuestro permiso. Todo depende del lugar en que quieras ponértelos y de la edad que tengas en el momento. Pregúntanos y pensaremos el asunto en su momento.

Heidi: Están de suerte: por ahora no tengo planes de hacerme ningún *piercing* o tatuaje.

Papá: Somos muy afortunados de tenerte con nosotros, Heidi.

Recuerde que si usted es el que paga, está en una posición de poder (puede negarse a comprar a su adolescente ropa interior muy atrevida, por ejemplo). Esto es muy útil con los adolescentes jóvenes, aunque conforme su adolescente crezca y se vuelva financieramente independiente, dejará de tener ese poder. Todavía tendrá que establecer reglas y vigilar su cumplimiento, pero debe aceptar que cada vez será necesario negociar más. Y de nuevo: concentre sus esfuerzos en lo verdaderamente importante y brinde a su adolescente espacio suficiente para crecer.

Explique las reglas. Puede sonar obvio, pero no puede esperar que alguien siga una regla si no la explica primero. Para hacerlo, necesitará pensar en qué conductas quiere regular y qué tan importante es el cumplimiento de cada una. Tómese ahora mismo unos minutos para hacer una lista de las conductas que son importantes para usted. Recuerde que lo esencial es la seguridad, tema que usted puede reglamentar, y no tanto los valores, los cuales no se prestan a la reglamentación.

La mesa del comedor es un gran escenario para las discusiones familiares, así que no es mala idea hablar sobre las reglas mientras comen. Si lo prefiere, convoque a una reunión familiar o simplemente diga a su hijo que quiere hablar con él. Al hacerlo, asegúrese de lo siguiente:

Avanzar poco a poco. En lugar de sacar una larguísima lista de reglas a cumplir (su adolescente empezará a distraerse pasada la regla cuatro o cinco), seleccione unas pocas para someter a discusión. Si la actividad sexual constituye su principal preocupación por el momento, enfoque la discusión a las reglas relacionadas con este tema. Puede tratarse de los lugares en que estará permitido que pase la noche, la conducta apropiada en la casa cuando esté presente alguien del sexo opuesto, la hora máxima de llegada a casa, la actividad en línea u otros temas que le conciernan.

Destaque el lado positivo. En lugar de "dictar la ley", opte por presentar la conversación como una "discusión sobre los privilegios y las responsabilidades". Claro que es un truco simple y su adolescente puede muy bien darse cuenta, pero si al empezar usa el sentido negativo de las cosas, está garantizado que se pondrá a la defensiva.

Discuta los privilegios. El grado de libertad que otorgue a su adolescente dependerá de muchos factores, incluyendo la edad, el grado de madurez, el historial de conducta y la confianza familiar. En el caso de los más jóvenes, los privilegios pueden incluir ir a dormir a casa de sus amigos del mismo sexo o salir con su novia. Para los adolescentes de mayor edad, los privilegios pueden consistir en llegar más tarde a casa y tener más libertad de ir a donde quieran con quien quieran. Los privilegios que se pueden discutir son el auto, la mesada, las vacaciones no familiares, las salidas o eventos.

Discutan las responsabilidades. También conocidas como "reglas". Sea específico con respecto a sus expectativas y explique por qué es importante cada regla. Y en lugar de "regla" diga "responsabilidad". Ejemplo: "Ya eres lo suficientemente grande como para ir al cine con tus amigos los fines de semana, pero es tu responsabilidad regresar antes de las 10 de la noche". Adhiérase al modelo de padre con autoridad y negocie los detalles si es necesario. El único punto delicado es que debe tomar en cuenta el carácter de su adolescente. Si su adolescente responde mejor a una "regla" que a una responsabilidad, entonces utilice el término "regla".

Hablen de las posibles consecuencias. No tiene que hacerlo cada vez que su adolescente salga de la casa —no es muy efectivo decir a alguien cada viernes: "Llega a la hora acordada o no vas a ninguna parte mañana por la noche". Pero ya que está usted hablando de privilegios y responsabilidades, tiene sentido establecer claramente cuáles serán las consecuencias de romper las reglas. Al hacerlo, recuerde que:

- **Debe relacionar los privilegios con las consecuencias.** Por ejemplo: "Si llegas después de la hora límite, no podrás usar el coche el fin de semana", o bien "Si no llegas a casa antes de las 10 de la noche no saldrás la noche del próximo viernes".
- **Sea específico.** Las demandas vagas como: "No hagas nada de que lo que me pueda sentir avergonzado", o "No quiero que andes afuera toda la madrugada", no son efectivas. Mejor defina claramente lo que quiere decir. Unos ejemplos:

  o "Los fines de semana, la hora límite de llegada son las 12 de la noche. Entre semana, la hora límite será a las 10 de la noche".
  o "En nuestra casa no se permite que la gente del sexo opuesto pase a las recámaras".
  o "No pienso que el sexo sea apropiado para la gente de tu edad, así que no quiero que tengas sexo en esta casa, ya sea que yo esté o no en ella".

Tome en cuenta el temperamento y la historia de su hijo. Un adolescente impulsivo o que la pasa mal siguiendo las reglas desde la infancia, no suele convertirse de pronto en un adolescente "modelo" (si el suyo lo hace, le permitimos dar unas vueltas de carro para celebrar). Si su adolescente cumple menos de la mitad de sus peticiones, o si es rutinariamente áspero o irrespetuoso con usted, es probable que necesite aumentar la supervisión en la modalidad de reglas más estrictas, comparadas con las que se impondrían a un adolescente cumplido por naturaleza. No olvide que nadie es perfecto. Su adolescente resbalará de vez en cuando (unos lo hacen más que otros).

Destaque la buena conducta. Puede y debe alentar el respeto a las reglas recompensando la buena conducta. Su adolescente no tiene que saberlo. (Podría considerar la posibilidad de usar el sistema de recompensas por puntos que Gerald R. Patterson y Marion S. Forgatch exponen en su libro *Parents and Adolescents Living Together*. En este sistema *se dice* a los adolescentes que se está recompensando la buena conducta.) Cuando los adolescentes sigan las reglas, reconózcalo y alabe la conducta. Los abrazos y las sonrisas obran milagros también. Y, por supuesto, no dude en dar sorpresas como boletos para el cine, para un concierto o algún videojuego nuevo si su adolescente lo merece. No olvide la importancia de pasar tiempo juntos —no importa si se trata de un viaje al centro comercial, un paseo en bicicleta o cualquier otra actividad; es una manera de estrechar los vínculos y que al mismo tiempo le permitirá jalar la rienda cuando necesite ser firme respecto de las reglas.

Justo para su edad: las reglas apropiadas

Menos de 15 años. Estos adolescentes son novatos en muchas de las situaciones sociales en que pueden verse involucrados. Las herramientas más eficientes son: limitar la hora de llegada, restringir las actividades en línea y establecer límites en ciertas actividades del hogar. Nosotros recomendamos:

- **Limitar la hora de llegada.** Tendrá que hacer excepciones que dependerán de las actividades extracurriculares de su adolescente, pero la mayoría de los jóvenes de esta edad no deben llegar a casa después de las ocho de la noche en días de escuela. Los fines de semana, las 10 de la noche nos parece una hora razonable, aunque debe estar pendiente de dónde está su hijo y con quién.

Recuerde a su adolescente que los límites en el horario constituyen una manera de aprender a respetar las reglas o la ley (una habilidad que necesitarán toda su vida) y también una forma de ganar confianza y privilegios. También sirven, claro, para asegurarnos de que estén seguros.

- **Restricción de actividades en línea.** Hable con su hijo o hija sobre la conducta apropiada en lo referente a Internet y demás herramientas con conectividad a la red. Dígale qué sitios están prohibidos (también puede adquirir programas que limitan el acceso o usar el "filtro familiar" de algunos buscadores, pero también debe ser claro con su hijo o hija sobre qué sitios están prohibidos, dado que estos filtros no son infalibles y no estarán disponibles en todas las computadoras a las que su adolescente tiene acceso). Ahora, algunas sugerencias: todo sitio marcado como "xxx" o que requiera que los visitantes tengan 18 años o más, queda prohibido, lo mismo que cualquier página con contenido pornográfico o de actividad sexual. Si por accidente su hijo entra a una página para adultos, debe avisarle inmediatamente. También puede sugerir algunas páginas orientadas a los adolescentes a las que su hijo pueda acudir para obtener respuesta a preguntas relacionadas con el cuerpo humano y la sexualidad (al final del libro presentaremos algunas sugerencias).

- **Conducta en casa.** Estamos seguros de que ya existen muchas reglas de conducta en su casa (no subir los pies al sofá, la ropa sucia debe llevarse a la lavandería, etcétera), pero considere algunas otras relacionadas con la sexualidad. Usted deberá determinar qué limitaciones se ajustan al estilo de su familia, pero en el caso de los adolescentes de esta edad le sugerimos: no permitir la entrada de personas del sexo opuesto a las recámaras; no permitir que personas del sexo opuesto entren a la casa si los padres están ausentes; nada de invitados de los que los padres no estén al tanto; o prohíba cerrar la puerta cuando el joven está en una habitación con alguien del sexo opuesto.

15 a 17 años. Durante estos años, su adolescente estará ansioso por negociar las reglas y usted deberá ceder un poco. Conforme su adolescente se acerque a los 17 años, considere dejarlo llegar más tarde, relajar las restricciones de actividades en línea y, tal vez, hasta relajar las reglas de conducta en el hogar (es posible que éstas permanezcan relativamente inalteradas mientras su adolescente viva en casa).

- **La hora de llegada.** Los adolescentes más cercanos a los 15 años deberían tener más restricciones que los mayores. Para los quinceañeros, una hora límite de llegada como las ocho de la noche entre semana, y las 10 de la noche en fines de semana, tiene sentido (hable con otros padres para saber cuáles son las tendencias de las familias de su comunidad). A los de 16 años permítales llegar un poco más tarde, y para los de 17 años es común el límite de las 10 de la noche entre semana, y la medianoche o la una de la mañana los fines de semana.
- **Restricción de actividades en línea.** Si aún no lo ha hecho, debe hablar con los adolescentes de cualquier edad sobre la seguridad en Internet. Para los de 15 a 16 años, los programas y los filtros todavía tienen sentido, lo mismo en el caso de las páginas que requieren ser mayor de edad para tener acceso o las que ofrecen material para adultos. Los de 17 años probablemente estén listos para navegar sin restricciones, y aunque usted sugiera que eviten los sitios para adultos —todavía no cumplen 18 años, así que siguen estando prohibidos—, lo más probable es que si desean encontrar pornografía, lo harán de cualquier forma.
- **Conducta en casa.** Puede ser más laxo con su adolescente en este rubro, dependiendo de sus puntos de vista y valores.

Más de 18 años. Si su adolescente tiene más de 18 años, pero todavía no sale de la preparatoria, deberá equilibrar su independencia tomando en cuenta aspectos prácticos como dormir lo suficiente entre semana y mantener el orden en la casa. Pero en la mayoría de los casos, una vez que los adolescentes cumplen 18 años ha llegado el momento de dejarlos ir y confiar en ellos.

Una manera de decirlo...

Cara, una adolescente de 16 años, y sus padres tienen una buena relación. Durante años han hablado sobre sus valores, las reglas de la casa y las consecuencias de romper las reglas. Cara ha salido con Brian por seis meses, y los dos parecen estar tomando las cosas en serio. Los padres de Cara volvieron a abordar recientemente los temas de las ITS y el control natal con su hija, y le recordaron que pensaban que debería esperar hasta salir de la preparatoria para tener sexo. También le dijeron que si lo tenía debía protegerse de un embarazo y de las ITS. Al final de la conversación, hablaron sobre las reglas de la casa.

Mamá: Sabemos que eres responsable y estamos muy orgullosos de que siempre llegues a casa antes de la hora límite. Pero ahora que estás en una relación seria, hay otras responsabilidades que debemos discutir.

Cara: Bien. ¿Como cuáles?

Mamá: Bueno. Primero, está bien que Brian venga a la casa y pase tiempo contigo, pero las recámaras están fuera de discusión. Si vas a pasar el rato con él aquí, debes hacerlo en la sala o en las otras áreas comunes. Eso significa que no podrá quedarse a dormir y que debes mantener las cosas relativamente frías cuando estés en la casa.

Cara: ¡Ay, mamá! ¡No voy a tener sexo con él en la habitación de junto! Dios, qué grotesco.

Mamá: Sé que no lo harías, pero eso me recuerda un punto importante: debemos tener en mente a tu hermano. Es más chico y hay ciertas cosas a las que todavía no debe verse expuesto. Eso significa que, aun cuando papá y yo no estemos en casa, en verdad necesitamos que Brian y tú respeten las reglas y nuestros deseos. ¿Tiene sentido?

Cara: Sí, tiene sentido. No voy a corromper a la familia, mamá.

Mamá: Me da gusto escucharlo (sonríe). Y no pienso que seas corrupta, querida. Bien. Ahora hablemos de otras responsabilidades.

Qué hacer cuando los adolescentes rompen las reglas

Ha establecido reglas y sus correspondientes consecuencias. Su adolescente las aceptó y prometió sinceramente cumplirlas pero... *ups*, llegó tarde anoche. ¿Qué debe hacer un padre en este caso? Eso depende de su dinámica familiar, de la historia de su adolescente en relación con el acatamiento de las reglas (o su desacato) y de las circunstancias particulares de la situación. Para ello hay lineamientos específicos en los que puede apoyarse cuando una regla haya sido rota.

No permita que las pequeñeces pasen desapercibidas. Es fácil caer en el territorio de los padres permisivos cuando enfrentamos violaciones menores a las reglas. Después de todo, el conflicto es desagradable y consume tiempo. ¿En verdad importa si su adolescente llega media hora después del límite? ¿Y qué si le ha dicho que estaba con Lisa cuando en realidad estaba con Lori sin avisarle? La respuesta es: si se rompen las reglas, sí, es importante. Ignorar las faltas menores y luego ponerse "rudo" cuando la falla es grave, no es un estilo de paternidad efectivo. Las menudencias deben atajarse siempre, aunque con consecuencias más leves. De este modo, llegar un poco después de la hora límite resultará en la perdida inmediata (pero relativamente pequeña) de un privilegio, como el derecho de salir la noche siguiente o llegar a casa una hora antes durante una semana.

Utilice un tono de respeto. El sarcasmo o los comentarios irónicos dan como resultado una respuesta similar por parte de su adolescente. Usted gruña y su adolescente gruñirá. Al contrario, si se dirige a él calmado y con respeto, tendrá muchas más probabilidades de tener una conversación constructiva. Sabemos que no es fácil. Cuente hasta 10 (en silencio), respire hondo, recite el alfabeto, haga lo que sea necesario para calmarse antes de hablar con su adolescente. Y si no puede...

Programe una conversación. Como mencionamos en el capítulo 2, hay buenos y malos momentos para hablar. Recuerde que las consecuencias deben darse con relativa prontitud. Procure calmarse y enfrente la situación; cuanto antes, mejor.

Identifique la regla que se ha violado. Puede ser obvio de qué regla se trata, pero posiblemente no lo sea tanto. Recibir a su adolescente en la puerta con algo como: "¡Estarás encerrado una semana!", no es el mejor sistema. En lugar de hacerlo así, explique calmadamente qué cree que su adolescente hizo mal.

Conozca los hechos. Pregunte qué pasó. Es muy posible que su hijo tenga alguna razón para haber roto la regla (si se trata de una razón válida o no, es otra historia). Dele la oportunidad de hablar y escuche.

Sea claro al referirse a las consecuencias de romper las reglas. Las consecuencias efectivas son las que cumplen con los siguientes requisitos:

- Deben tener espectro limitado: en lugar de aventarle un libro en la cabeza a su adolescente, por así decirlo, elija una consecuencia. Puede tratarse de algo como: "No usarás el coche el fin de semana", y no algo como "No hablarás con tus amigos ni usarás el coche ni saldrás". Si existen circunstancias atenuantes, propicie la negociación.
- Deben tener duración limitada. Es mejor decir: "No saldrás a ningún evento social los próximos fines de semana", que algo como: "Estás castigado".
- Deben tener obligatoriedad: asegúrese de estar disponible y deseoso de llevar a sus últimas consecuencias el castigo establecido. Si no está usted en casa cuando su adolescente regresa de la escuela, evite castigos como: "No verás tele al llegar de la escuela". Si su adolescente necesita el coche para ir al trabajo, a la terapia o a cualquier otra actividad importante, evite decir: "No usarás el coche" (pero sí diga algo parecido a: "No usarás el coche, excepto para ir a..".).
- Deben ser justas: debe existir proporción entre la falta y la consecuencia de romper una regla. En otras palabras, el castigo debe ser congruente con la falta cometida.
- Debe ser productiva, dentro de lo posible: una opción es crear consecuencias que deriven en el logro de algo positivo y concreto. Por ejemplo, podrían arreglar el jardín, lavar el coche o hacer trabajo de voluntariado. Mejor aún si pueden hacerlo juntos (si es así, procure hacerlo alegremente. Es una consecuencia, no una tortura).

Limpie su expediente. Cuando su adolescente haya cumplido la labor o consecuencia, empiecen de nuevo. Sólo discuta las faltas pasadas si parece haber un patrón de desobediencia, en cuyo caso podría usted decir: "Parece que esto se está convirtiendo en un mal hábito", y luego discutan cómo romperlo.

A pesar de sentir ganas de aumentar la pena por una violación reiterada a las reglas, no caiga en la trampa de entrar en escaladas. En algún punto, será imposible obligar el cumplimiento. Si su adolescente ignora el castigo o sigue violando las reglas, busque ayuda, ya sea con un consejero familiar o leyendo un buen libro (recomendamos *Parents and Adolescents Living Together*, de Gerald Patterson y Marion S. Forgatch).

La historia de Ashley

Ashley era una estudiante de tercero de preparatoria que tenía 17 años cuando empezó a salir con Nate, de 24. Lo conoció por medio de una comunidad de Internet dedicada al *anime*, un tipo de ilustración que le fascinaba. Nate tenía trabajo, vivía solo y solía llevarse con personas que parecían demasiado sofisticadas para Ashley.

A lo largo de los años, los padres de Ashley, Cliff y Mona, habían hablado con ella sobre sus valores: no creían en el sexo antes del matrimonio. Pensaban que Ashley compartía sus valores, pero se alarmaron al enterarse de la edad de Nate. Pensaron que Nate podría ejercer presión sobre Ashley para que se comportara más adulta de lo que en realidad era. Siempre que Ashley lo mencionaba, su madre hacía un gesto de desagrado antes de responder: "Es muy grande para ti. La verdad no me gusta que andes con él". A pesar de que no prohibió a Ashley ver a Nate, Mona dejó en claro que Nate no era bienvenido en la casa.

Ashley debía llegar a casa antes de medianoche los fines de semana, pero Nate solía llevarla después de la hora límite. Cuando los padres de Ashley la confrontaron, ella se quejó de que la hora límite era imposible de cumplir puesto que ella, Nate y sus amigos acostumbraban cenar tarde y tener largas sobremesas. Ashley explicó que se sentía mal llevándose a Nate cada vez que salían y que se sentía apenada por ser "la chiquilla" que debe llegar a casa antes de las 12. Los padres de Ashley respondieron que no cambiarían la hora de llegada, pero solían pasar por alto las ocasiones en que rompía la regla con un simple: "Habrá consecuencias si no empiezas a respetar la hora límite", las cuales nunca llegaban.

Al paso de los meses, continuó llegando tarde y las objeciones de Mona aumentaron. Se descubrió enojándose —y dejándolo ver— cada vez que se mencionaba el nombre de Nate. En respuesta, Ashley se fue poniendo cada vez más a la defensiva.

Cuando Ashley se graduó de la preparatoria, Nate sugirió hacer un viaje de fin de semana. Los padres de Ashley se opusieron diciendo que, hasta cumplir los 18 años no querían que fuera de vacaciones con el novio. Ashley reclamó, se quejó, gritó y se fue de todos modos. Cuando regresó, su padre la enfrentó y, muy enojado, le dijo que estaba castigada sin salir durante un mes y que no tendría contacto con Nate en ese tiempo. Ashley argumentó que ya tenía edad suficiente para tomar sus propias decisiones. Su padre contraatacó con el clásico: "Mientras vivas bajo mi techo, seguirás mis reglas".

Ashley sentía que le habían faltado al respeto y que la habían obligado a elegir entre sus padres y Nate. Y eligió mudarse con Nate. Los padres de Ashley se sintieron devastados, pero también extremadamente enojados con su hija. Tuvieron contacto mínimo con ella durante los siguientes meses. Al año siguiente Ashley decidió que entre ella y Nate no iban bien las cosas después de todo. Se salió de la casa y él siguió su vida. Eventualmente mejoró la relación con sus padres, aunque a ambas partes les tomó varios años perdonarse.

La mayoría de los padres pueden comprender la reacción de Cliff y Mona. Tenían una razón válida para tener reservas acerca de la relación. Pero su combinación de paternidad permisiva y autoritaria probó ser dañina para la relación con su hija, además de poco efectiva. Hubiera sido mejor intentar las cosas desde una perspectiva de padres con autoridad. He aquí algunos lineamientos que deberían haber seguido:

El cumplimiento de las reglas. Llegar después de la hora límite siempre debe tener consecuencias. Al dejar que Ashley se saliera con la suya cada vez que llegaba tarde, sus padres mandaban el mensaje de que el rompimiento de las reglas no acarrearía sanciones, con lo que prepararon el escenario para el drama posterior, cuando una regla "más importante" fue violada.

Negociación. En realidad, Ashley estaba saliendo con un adulto, lo que implicaba que sus padres debían cambiar la hora límite de llegada o ser creativos para ayudarla a seguir las reglas. Podrían haber trabajado con Ashley para que regresara sola a casa (incluso si Nate no quería irse todavía) prestándole el coche los fines de semana o, al menos, hablando con ella para asegurarse de que siempre tuviera dinero para pagar un taxi y un teléfono celular a la mano. Esto le hubiera dado más control en relación con el regreso a casa y menos excusas que oponer a sus padres. Sus padres pudieron haber practicado con Ashley diversas formas para irse de las fiestas sin llamar la atención a causa de su edad.

No emitir juicios. Mona decidió desde el principio que Nate no le gustaba por su edad y se aseguró de dejárselo saber a Ashley siempre que pudo. En lugar de ello, podría haber hablado con Ashley en un tono neutro y sin emitir juicios sobre los riesgos de salir con una persona más grande. Además, si Cliff y Mona hubieran hecho un esfuerzo para conocer a Nate —pasando tiempo con Ashley y Nate en lugar de prohibir la entrada a la casa— habrían ganado credibilidad a los ojos de su hija y podrían haber tenido una mejor idea de la relación. Quizás hasta les hubiera agradado Nate y, con el tiempo, podrían haber llegado a la conclusión de que no era una amenaza que justificara tanta preocupación.

Comparto sus valores, pero respeto los derechos. Cliff y Mona tenían razón al decirle a Ashley cómo se sentían respecto de los adolescentes y el sexo, pero también debían haber reconocido que, a los 17 años, Ashley tenía edad suficiente para decidir por sí misma si quería ser sexualmente activa (y con quién). Con eso en mente, podrían haberle hablado de las its y del control natal, además de alentar que visitara a un especialista en medicina adolescente para tener más información. Podrían haber sugerido aplazar el viaje con el fin de que ella y Nate tuvieran una conversación previa al sexo, una vez que ambos hubieran hablado con un médico.

La manera equivocada (y correcta) de decirlo...

Piense en los dos ejemplos que ofrecemos a continuación. En ellos diseccionamos dos conversaciones. Ambas corresponden a la misma situación: una adolescente ha roto las reglas al permitir que su novio pasara a la recámara. En los dos casos, la madre se percata de que el novio sale de la casa a las cuatro de la madrugada y confronta a la hija.

Lo que no debe decir...

Mamá: (levantando la voz) Lindsay, no puedo creer que hayas metido a Brad a tu recámara. ¿Qué crees que estás haciendo? ¿Cómo pudiste hacer eso a escondidas? Es tan indecente... ¿Y qué crees que pasará si los vecinos lo han visto salir al amanecer?

[El error: la madre comete muchos errores al dejar que la ira la domine (al gritar, calificar su conducta de indecente y luego hacer preguntas sucesivas sin esperar respuesta) y al hacer referencia a los vecinos. Debería haber conservado la calma para concentrase en su hija y no en los vecinos.]

Lindsay: No estábamos haciendo nada, lo juro.

Mamá: Mientes. Sé que están haciendo cosas.

[El error: en lugar de escuchar a su hija para saber qué pasó, la mamá pasa directamente a la acusación.]

Lindsay: ¿Por qué debo hablar contigo si ni siquiera me escuchas? Odio vivir aquí.

Mamá: Mala suerte. Estás atrapada en esta casa. Y estás castigada. Ni se te ocurra salir de la casa hasta que yo lo permita.

[El error: la madre ignora completamente la queja de su hija y luego, sin esperar a calmarse, decreta una sanción cuyo cumplimiento es imposible exigir y que no tiene una vigencia definida.]

Cómo actuar...

Mamá: Lindsay, estoy muy desilusionada. Ya hemos hablado de que no se permite que los hombres pasen a tu recámara. También hemos hablado del respeto y la honestidad. Meter a Brad a tu cuarto rompe ambas reglas.

[*Lo correcto: mamá reconoce sus sentimientos e identifica la regla que ha sido rota.*]

Lindsay: Sé que no debí hacerlo, mamá, pero no sucedió lo que tú crees.

Mamá: Te escucho. Cuéntame que pasó.

[*Lo correcto: la madre da a su hija la oportunidad de explicar las cosas.*]

Lindsay: Bueno, Brad tuvo una pelea muy fuerte con su padre y se salió enojado. No quiso ir a casa inmediatamente. Se sentía enojado y triste, y necesitaba hablar. No supe qué otra cosa hacer. No podía dejarlo afuera con este frío.

Mamá: Ahora que has tenido tiempo de pensarlo bien, ¿cuál hubiera sido una mejor opción?

[*Lo correcto: mamá escucha y ayuda a que Lindsay comprenda que pudo haber manejado la situación mucho mejor.*]

Lindsay: Ummm, creo que debí haberlos despertado para pedirles permiso. Pero mañana tienen que trabajar. Me hubieran matado si los despierto y lo sabes.

Mamá: ¿Sabes, Lindsay? No pienso que hubiéramos reaccionado así. Sé cómo te sientes respecto a Brad. Y sí, puedo ponerme de mal humor cuando no duermo bien, pero si crees que debes ayudar a tu amigo, lo hubiéramos entendido bien. Y ciertamente despertarnos era una mejor opción que meterlo a escondidas.

Lindsay: Entiendo. Juro que no lo volveré a hacer.

Mamá: Bueno. Entiendo por qué lo hiciste, pero aun así debemos respetarnos y respetar las reglas de la casa, así que quiero que canceles tus planes para salir el viernes y el sábado por la noche; te quedarás en casa. Así Brad entenderá también la lección. Hablemos con tu papá y discutamos si está bien o no que Brad se quede por la noche en el futuro cuando las cosas no estén bien en su casa. Si decidimos que está bien, puede dormir en el sofá, pero no en tu cuarto.

[*Lo correcto: mamá es consistente al sancionar la violación a la regla a pesar de la excusa de Lindsay. También establece una consecuencia razonable que se ajusta a la gravedad de la falta, al tiempo que muestra confianza y preocupación por Brad. Dado que Lindsay debe ahora cancelar sus planes para el viernes y el sábado, mamá podría organizar una salida o viaje familiar el fin de semana (por ejemplo, ir al cine o salir a caminar por el campo). Eso transmite el mensaje de que mamá todavía ama a Lindsay, pero también reafirma el concepto de que la hija debe seguir las reglas.*]

¿Ella no miente? Bueno, no precisamente...

No todos los adolescentes mienten. Sin embargo, los años de adolescencia suelen traer consigo momentos en que incluso la gente honesta se sentiría tentada a ser deshonesta. A veces mentimos para ocultar un error, a veces para hacer algo que nos gusta (pero que se supone no debemos hacer), y en ocasiones para evitar el conflicto.

En ocasiones, los adolescentes terminan viéndose atrapados en una red de mentiras, diciendo una nueva para encubrir la última y adentrándose en un agujero cada vez más profundo en un mundo de deshonestidad que nunca pretendieron crear. Recuerde: los adolescentes carecen de experiencia y tratan de descubrir, a veces por medio de la prueba y el error, el funcionamiento de las relaciones humanas.

Sea cual sea la razón, el mentir es bastante común. En un estudio realizado a 281 estudiantes del primer año de universidad, la gran mayoría admitió haber mentido a sus padres durante la preparatoria, y 49 por ciento reportó haber mentido en relación con su conducta sexual (sólo un tema tuvo un porcentaje más alto: alrededor de 65 por ciento de los estudiantes afirmó haber mentido en relación con dónde estaban en un momento determinado). Las mujeres mintieron con mayor frecuencia que los hombres sobre su conducta sexual, y se le mintió más al padre del sexo contrario que al del mismo sexo. Aún así, 85 por ciento de los encuestados dijo ser "básicamente honesto", y cerca de 75 por ciento dijo que, conforme crecía, mentía menos.[3]

---

[3] David Knox, Kristen McGinty, Marty E. Zusman y Jennifer Gescheidler, "Deception of Parents During Adolescence", *Adolescence*, otoño de 2001.

Así que el hecho de que su adolescente mienta de vez en cuando no significa que se convertirá en un adulto deshonesto. No obstante, en función de que la confianza es parte crucial de toda relación, y dado que los estudios demuestran que las mentiras frecuentes dañan la relación entre padres e hijos, las mentiras exigen actuar inmediata y consistentemente.

Si ha descubierto alguna mentira de su adolescente, o sospecha que lo ha engañado, su respuesta debe ser similar a la que daría en caso del rompimiento de cualquier otra regla. En general, usted deberá:

Mantener a raya su ira. Puede resultarle muy penoso darse cuenta de que su adolescente le ha mentido, pero una respuesta airada no ayudará a que las cosas mejoren. Recuerde que todavía no conoce los hechos.

Conocer los hechos. Pregunte a su hijo o hija qué pasó exactamente. Podría obtener una confesión, pero también es posible que siga mintiendo con la esperanza de convencerlo finalmente. Si tiene fuertes sospechas de que está engañando, dígalo y explique por qué es importante para usted conocer la verdad. Podría aducir razones de seguridad o el hecho de que necesita saber la verdad para recuperar la confianza. Después de todo, no se puede tener una relación de respeto mutuo si no hay confianza.

Comprender las razones que llevan a la mentira. Pregunte por qué su adolescente sintió la necesidad de mentir. Su respuesta puede sugerir que algo debe cambiar. Por ejemplo, si mintió por creer que usted es deshonesto con él, quizá se trate de un asunto más grave que esté juego. Si la razón de la conducta fue lastimar deliberadamente a otros, debe asegurarse de encontrar la causa para que esta conducta no llegue a convertirse en un patrón durante la vida adulta.

Recordar a los padres con autoridad. Al igual que en otros temas, deje en claro que espera un comportamiento modelo en relación con decir la verdad. "En verdad espero que seas honesto conmigo", es una buena forma de decirlo. Vincule sus expectativas con los privilegios que el adolescente disfruta. Si la expectativa no se cumple, anule los privilegios.

Exaltar la honestidad. Si su adolescente revela la verdad, agradézcalo. Reconozca que a veces es difícil decir la verdad y que para ser honesto se requiere valor. Insista en que la confianza es parte esencial de su relación y en que al ser veraz ahora estará cooperando para restaurar su confianza.

Minimizar las excusas. Debe escuchar, pero no tiene por qué aceptar justificaciones a la mentira. De hecho, debe enfrentar esos pretextos con un firme: "Entiendo lo que dices, pero no existe una buena razón para mentirme".

Ser justo. Su respuesta dependerá de las circunstancias y de la relación que tenga con su adolescente. Si el propósito de la mentira fue esconder otra violación a las reglas —digamos, asistir a una fiesta a la que no tenía permiso de ir—, la consecuencia de haber roto la primera regla puede ser suficiente (y debe seguir las reglas que se detallan en la página). Si su adolescente mintió para evitar desilusionarlo (decirle que era virgen cuando no lo era), tal vez no se requiera establecer consecuencias. En ese caso, es más efectivo crear un ambiente en que su hijo se sienta seguro al decirle las cosas, incluso si es probable que la noticia lo desilusione.

CUANDO EL CONFLICTO SE AGRAVA: QUÉ HACER CON UN ADOLESCENTE PROBLEMÁTICO

Es normal que los niños cuestionen el sistema ocasionalmente y que el conflicto forme parte de las relaciones con los padres. Sin embargo, la conducta genuinamente rebelde en la adolescencia debe preocuparnos.

Si su adolescente se rehúsa a cooperar frecuentemente o es abiertamente hostil, hasta el punto de afectar la vida en la escuela, en el hogar o con sus amigos, puede tener un problema mayor entre manos y que requiere la ayuda de un profesional en salud mental.

La causa esencial de ese problema puede variar. Entre 5 y 15 por ciento de los adolescentes sufre de Trastorno de Oposición Desafiante (TOD; ODD por sus siglas en inglés), según la American Association of Child Psychiatrists (AACAP). Los síntomas, de acuerdo con la AACAP, pueden incluir berrinches frecuentes, argumentación excesiva con los adultos, desafío activo, la negativa a cumplir con las peticiones y reglas de los adultos, intentos deliberados para molestar o entristecer a las personas, culpar a otros por sus errores o por su mala conducta, sentirse incómodo en presencia de los demás, ira y resentimiento frecuentes, lenguaje soez y lleno de odio al expresarse estando enojado y deseo de venganza.

Otros males pueden causar conductas similares, por lo que es indispensable que un profesional de la salud mental calificado dé su opinión. Además, los niños y los adolescentes que padecen tod pueden llegar a desarrollar desorden conductual, una seria enfermedad que incluye una serie de problemas de comportamiento y emocionales que van desde la agresión hasta la mentira, pasando por otras conductas peligrosas. De nuevo: la ayuda de un profesional calificado es esencial en estos casos.

Reglas para un mundo global: cómo mantener seguro a su adolescente al navegar en internet

Para los padres, internet puede ser aterrador. Ofrece acceso fácil a material para adultos —parte relativamente inofensivo y parte francamente inapropiado, incluso para la mayoría de los adultos— con anonimato casi completo. Por si fuera poco, puede ser mal utilizado por cualquiera que busque explotar a una persona joven.

Pero internet forma parte inherente de la vida de los adolescentes. Es poco probable que usted tenga éxito al intentar alejar a su adolescente de internet, por mucho empeño que ponga en ello. Sin embargo, ¿sería deseable? A pesar de los problemas que plantea, internet puede ser un recurso invaluable para los jóvenes, ya que ofrece un sinfín de información educativa, los relaciona con otras personas con intereses o preocupaciones similares y proporciona una rápida y eficiente comunicación con los amigos.

A pesar de todo, es buena idea instaurar medidas de seguridad. Si le preocupa la pornografía, hay programas que restringen el acceso a ciertos sitios y algunos buscadores ofrecen filtros familiares (el de Google se llama SafeSearch, y filtra casi todo el contenido para adultos). Recuerde que ningún programa es perfecto, así que no debe apoyarse exclusivamente en el software para procurar la seguridad de su hijo cuando está en línea.

A muchos padres les aterra la presencia de depredadores aun más que la pornografía misma. La percepción general consiste en que los depredadores fingen ser iguales a los muchachos para luego asaltarlos violentamente. La realidad es que los crímenes de Internet suelen ser mucho más siniestros.[4]

De hecho, la mayoría de los criminales sexuales que inician sus tropelías en Internet no ocultan su condición de adultos, y sólo una minoría recurre a la fuerza. En cambio, los ofensores sexuales invierten mucho tiempo en "preparar" a las víctimas, esforzándose por ganar su confianza para luego seducirlos llevándolos a tener relaciones sexuales. Los depredadores basan su engaño en factores como el romance, la aventura sexual o ambos.

Lo bueno es que, en tanto ciertas conductas incrementan claramente el riesgo de que un adolescente sea víctima de un depredador en línea, el simple hecho de estar en línea no aumenta estos riesgos. De hecho, las investigaciones indican que no se ha vinculado el uso de redes sociales como MySpace o Facebook con un incremento del riesgo.

Lo que sí pone en peligro a los adolescentes son ciertas conductas, como mantener listas de amigos que incluyan extraños, hablar de sexo con desconocidos y ser rudo y grosero al estar en línea.

Es importante hacer notar que los adolescentes con historial de abuso físico o sexual, problemas familiares o conductas riesgosas tienen mayores probabilidades de ser víctimas de estos depredadores. Los adolescentes GLBTI pueden ser más vulnerables que la población adolescente en general, especialmente si no han comunicado su identidad de género a la familia y amigos.

En suma: ¿cómo puede mantener seguro a su adolescente? Un buen comienzo consiste en definir ciertas reglas para el uso de Internet. He aquí cómo protegerlo cuando navega en la red:

- Ponga la computadora en un lugar de mucho tránsito en que un adulto pueda echar un vistazo a la pantalla periódicamente.
- Revise regularmente el historial de su programa de navegación (si no sabe cómo, pida a alguien que le enseñe) para ver las páginas que el joven ha visitado. Tenga en mente que si su hijo o hija es hábil en el manejo de la computadora puede borrar el historial.
- Pase tiempo navegando con sus hijos en Internet. Cuando lo haga, llévelos a páginas más seguras y hábleles de los peligros de la red.

---

[4] Janis Wolak, David Finkelhor, Kimberley J. Mitchell y Michelle L. Ybarra, "Online 'Predators' and Their Victims: Myths, Realities, and Implications for Prevention and Treatment", *American Psychologist*, vol. 63, núm. 2, febrero-marzo de 2008.

Diga a su adolescente que evite entrar en páginas que sean consideradas xxx, "para mayores de 18 años"; pida que le avise inmediatamente si da con una página inapropiada o si ve algo que lo haga sentir incómodo o atemorizado. También puede mandarlos a visitar NetSmartz.com (www.netsmartz.org), una página web perteneciente al National Center for Missing and Exploited Children orientada a enseñar a niños y adolescentes lo relacionado con la seguridad en internet (la página www.NetSmartz411.org ofrece consejo a los padres que quieren mantener a salvo a sus hijos).

- Procure que su hijo sea versado en la red. Los adolescentes deben ver el contenido de internet (y el contacto en línea con otras personas) con ojo crítico; deben estar al tanto de que no todo lo que leen o lo que le dicen en la red es cierto. También debe indicarle que no comparta las contraseñas y que limite la información personal que sube o comparte en la red. Finalmente, los que usan redes sociales deben saber utilizar las funciones de privacidad, para que sólo la gente que conocen tenga acceso a su información.
- Pregunte a su proveedor de internet sobre las funciones que permiten a los padres bloquear el acceso a páginas de adultos, cuartos de chat y foros. Y utilice el filtro familiar en el caso de los buscadores más populares.
- Hable francamente con su hijo o hija sobre cómo operan los depredadores sexuales. Explique que éstos no necesariamente raptan a los pequeños para asaltarlos violentamente. Es más probable que localicen a un chico o una chica y pasen meses desarrollando una relación con el fin de obtener sexo. La víctima puede reunirse voluntariamente con el depredador e incluso dar su consentimiento para tener sexo. Esto no significa que los depredadores sean inofensivos o que sus actos no constituyan un crimen (si el adolescente es menor de edad). Su hijo debe sospechar de cualquiera que muestre un interés romántico o personal si la persona le lleva más de cuatro años de edad.
- Hable con su adolescente de las condiciones en que es aceptable encontrarse con alguien que han conocido en Internet. No es lo mismo que decidir quiénes serán sus amistades. Más bien se trata de establecer lineamientos sobre qué hacer antes de encontrarse en persona con cualquiera por primera vez (*ver abajo*).
- Reporte el contacto inapropiado. Es ilegal enviar conscientemente material obsceno no solicitado a una persona menor de

16 años, o usar un nombre de dominio ambiguo para hacer que un menor vea material dañino (sin importar si se clasifica o no como "obsceno"). Reporte estos incidentes a las autoridades. También debe reportar a su proveedor del servicio cualquier contacto sospechoso. Si teme que un depredador se está comunicando con su adolescente, debe contactar a las autoridades locales (lo que es casi obligatorio cuando siente que el depredador trata de convencer a su criatura de tener un encuentro cara a cara).

Si no tiene malas intenciones, ¿por qué no me da su número?

Entrar en contacto con otras personas en internet forma parte de la vida de los adolescentes de hoy. A veces se encuentran a conocidos y a veces forman vínculos con completos extraños. La mayoría de los contactos son seguros; pero una buena parte no lo es.

Aunque usted podría querer evitar las citas a esta edad, es mejor que dedique el tiempo a explicar a su adolescente qué hacer si conoce a alguien en internet, dado que la pretendida cita puede no ser presentada como tal.

Los lineamientos a que nos referimos están pensados para asegurarse de que su adolescente no está siendo engañado por una persona con malas intenciones. Incluso si ese conocimiento no es importante aún debido a la edad de su hijo o hija, es muy probable que le sea necesario conforme avance a la edad adulta y experimente con las citas acordadas en línea. Los lineamientos son:

Asegúrese de que la gente es quien dice ser. Obtenga el nombre completo, el número telefónico y tanta información como le sea posible. Luego verifique todos los datos obtenidos. Eso incluye llamar al número telefónico varias veces y, cuando menos, hacer una búsqueda en Google con el nombre de la persona. Si los datos no coinciden —dijo tener 20 años, pero su perfil de Match.com dice que tiene 45, o dijo que vivía solo pero el mensaje de la contestadora corresponde a la voz de una mujer, piénselo dos veces antes de conocer a esta persona cara a cara.

Procure que el encuentro se lleve a cabo en un lugar público y que otros estén enterados. Si piensa encontrarse con alguien que ha conocido en línea, hágalo en un lugar público como una cafetería, por ejemplo. Y asegúrese de que muchas personas sepan exactamente cuándo se reunirán y dónde. También es bueno acordar una llamada "de seguridad" a una hora exacta para corroborar que las cosas marchan positivamente. Esto significa que el adolescente debe pedir a un amigo que le llame (o quedar en llamarle a un amigo) a cierta hora para decirle que está bien.

No beba alcohol ni use drogas. Especialmente cuando está con alguien que apenas conoce, no es buena idea estar bajo la influencia de cualquier cosa que disminuya sus reflejos o baje sus inhibiciones. Y no deje de vigilar su bebida pues corre el riesgo de que le pongan algo.

Siempre lleve su teléfono celular y dinero en efectivo. Lleve siempre con usted un teléfono celular y suficiente dinero para pagar un taxi. No acepte que lo lleven de regreso a su casa si acaba de conocer a la persona.

No comparta demasiada información personal. Esto es obligatorio para cualquier encuentro en línea, pero también aplica una vez que se ha conocido a la persona. Espere hasta haberse encontrado varias veces para revelar su dirección u otra información personal.

Siga sus corazonadas. Si siente que algo anda mal o que la persona no dice la verdad, confíe en su instinto. Dé por terminada la reunión y vaya a un lugar seguro.

TOME EN CUENTA EL FUTURO

Hay otro riesgo que puede ser ajeno a los adolescentes siendo que, en general, han adoptado un grado de exhibicionismo que haría temblar a la mayoría de los padres. Para los adolescentes, subir detalles de la vida cotidiana a las redes sociales y blogs es tan natural como lo fue una conversación casual en la banqueta en el caso de sus padres. Pero eso no significa que no existe riesgo.

De la misma forma en que habló con su hijo sobre la reputación entre amigos, es importante recordarle que todo lo que haga en línea estará disponible al mundo entero, incluso habiendo pasado años del suceso.

Los reclutadores de universidades y colegios revisan rutinariamente las redes sociales y hacen búsquedas en Google para investigar a los candidatos potenciales. Siendo así, aunque su hijo o hija puede encontrar divertido el relato de una relación fugaz en la fiesta de anoche, debe estar consciente de que es posible que personas ajenas al círculo inmediato —un futuro jefe o la familia política tal vez— lo vean. Y si eso no parece importarle gran cosa ahora, podría cobrar gran importancia en el futuro inmediato.

Por atemorizante que parezca que todo detalle de la vida de su adolescente pueda hacerse público, ¿debe usted convertirse en un policía cibernético para proteger la virtud virtual de su adolescente? ¿Qué hacer si se encuentra accidentalmente la página de su adolescente? ¿Tiene derecho a leerla sólo porque está en Internet?

La respuesta no es tan sencilla como parece. A diferencia de los diarios escritos a mano —que están claramente excluidos de las atribuciones paternas— los datos en línea son, por su naturaleza misma, de dominio público. Quizás su adolescente no objete que usted sea su amigo en las redes públicas, por lo que no tendrá problemas al ver los datos. De cualquier manera, le recomendamos que no esculque ni haga revisiones clandestinas.

Si se topa con información que represente un riesgo (o una violación seria a las reglas) debe atender el asunto de inmediato. Sea honesto respecto de cómo obtuvo la información y después hable de lo que descubrió.

También recuerde que tal vez el supuesto descubrimiento no sea una mera coincidencia. Una página web que se deja desplegada en la pantalla o una carta dispuesta en un sitio donde es probable que usted la vea, puede indicar un intento deliberado de su adolescente para abordar cierto tema. De ser el caso, reconozca que su hijo le está pidiendo ayuda con los medios a su disposición. Esto puede implicar ser más suave en las consecuencias para concentrar los esfuerzos en ayudar a que encuentre una solución.

Capítulo 8

Cuando las cosas no están bien: Señales de alerta y conducta sexual riesgosa

La sola presencia de este capítulo puede ser alarmante. Como si no fuera suficiente con las ITS, el embarazo o los depredadores, resulta que nos disponemos a aterrorizarlo un poco más. Sabemos que no es fácil soportarlo, pero hemos incluido este capítulo porque queremos advertirle sobre conductas dañinas que tienen el potencial de convertirse en algo muy serio. Antes de seguir con la lectura, recuerde que la mayoría de los adolescentes son felices, saludables y perfectamente capaces de enfrentar los retos de la etapa que atraviesan.

No obstante —ahí vienen las malas nuevas—, los peligros existen. Incluso cuando usted ya ha aceptado la actividad sexual de su adolescente y su derecho a tomar decisiones propias, existen ciertas condiciones que pueden hacer necesaria su intervención para protegerlo.

Algunas de las situaciones que se prestan para una intervención directa de los padres son, como ya hemos dicho en capítulos anteriores:

- Cuando un menor de 14 años ha tenido relaciones sexuales.
- Cuando un adolescente sexualmente activo de 16 años o menos tiene relación con una pareja tres o más años mayor, o en el caso de un adolescente más grande que anda con alguien cuatro o más años mayor.
- Cuando la pareja abusa física, emocional o verbalmente de él o ella.
- Cuando se involucra en actividades sexuales de alto riesgo, como tener coito vaginal o anal sin usar condón.
- Cuando la actividad sexual está relacionada con el abuso de alcohol o drogas.
- Cuando muestra síntomas de depresión.
- Cuando se hace daño.

Cuando la edad sí importa

No todos los adolescentes maduran al mismo ritmo; además, las normas familiares y el barrio en que vive pueden influir en la idea de cuándo es aceptable que tenga sexo. Sin embargo, los expertos coinciden en que la actividad sexual es inapropiada para cualquiera menor a 14 años.

La edad también tiene importancia si existe una diferencia considerable entre los miembros de la pareja. Esto es especialmente cierto en el caso de los adolescentes más jóvenes. Los investigadores han demostrado que los adolescentes sexualmente activos con parejas mayores tienen mayor riesgo de embarazo y de contagiarse con ITS. En un estudio que examinó las respuestas de alumnos de varios grados (de primero de secundaria a tercero de preparatoria), se demostró que las niñas que tuvieron sexo antes de los 16 años con una pareja al menos cuatro años mayor, tenían el doble de posibilidades de padecer una ITS en comparación con las muchachas menores de 16 que habían tenido sexo con una pareja de edad similar; en el caso de los muchachos mayores que mantienen relaciones con parejas de más edad, se obtuvieron resultados equivalentes.[1] Los varones tienen menos posibilidades de tener relaciones sexuales con una pareja de más edad antes de los 16 años, pero los que lo hicieron tuvieron el doble de posibilidades de contagiarse con una ITS, en comparación con los que retrasaron su debut sexual, sin importar la edad de la pareja.

¿Por qué aumenta el riesgo? En las relaciones con gran diferencia de edad suele haber un desequilibrio de poder que puede derivar en que el miembro más joven de la pareja sea engatusado para tener sexo, en muchos casos sin protección.

¿Qué hacer si su adolescente tiene menos de 14 años o está involucrado con una pareja mayor? Eso depende de su adolescente, de su relación y de la situación concreta. Los adolescentes más jóvenes suelen beneficiarse al pertenecer a grupos con actividades organizadas que aumentan su rango de amigos y actividades. Este involucramiento puede ayudar a que deje de tener una actividad sexual prematura. Además, la supervisión de los padres es crítica a esta edad. También podría considerar buscar la guía de un experto en relaciones familiares o un psicólogo.

---

[1] Franzetta Ryan, S., K. J. S. Manlove *et al.*, "Older Sexual Partners during Adolescence: Links to Reproductive Health Outcomes in Young Adulthood", *Perspectives on Sexual and Reproductive Health*, marzo de 2008.

En el caso de los que tienen una pareja mayor, recomendamos no tratar de borrar a la persona de la vida de su hijo o hija, a menos que se detecte un peligro real. Si lo hace, seguro llegará a una lucha de poder, que puede producir un resultado contrario al esperado: que se vincule aún más con la pareja.

Sin embargo, puede implantar restricciones que limiten el tiempo que el joven pasa sin supervisión y, al menos, establecer reglas claras para el comportamiento en casa. Al hablar sobre estas reglas, no convierta a la pareja en protagonista de la conversación. A continuación, algunas sugerencias:

- En lugar de decir: "No quiero que salgas de noche con Brian", podría establecer una hora de llegada que limite el tiempo que su hija pasa con él.
- En lugar de decir: "Debes pasar menos tiempo con Clara", puede intentar con algo parecido a: "Puedes salir a socializar los sábados por la noche, pero los viernes son para estar en familia exclusivamente". Luego invente actividades agradables para cada viernes.
- En lugar de decir: "Jeff no es bienvenido en esta casa", podría explicarle por qué le preocupa que tenga una relación con una persona mayor (y recordarle todo lo relativo al sexo más seguro y el control natal). Luego limite las situaciones en que la pareja puede estar en la casa y aborde las conductas que usted considera aceptables. Podría intentar con: "No me siento cómoda cuando tu novio está en casa en mi ausencia. Si estoy aquí puedes invitar a Jeff, pero está prohibido pasar a las recámaras con alguien del sexo opuesto".

Por difícil que le resulte hacerlo, debe tratar de saber tanto como pueda sobre la pareja de su hijo o hija. Conocer a la pareja quizá le parezca absurdo (si tiene objeciones contra esa persona como pareja de su hijo o hija... ¿valdrá la pena tal animadversión?), pero resulta útil en más de un sentido. Primero, podría descubrir que la persona no es tan objetable como creyó en principio. Segundo, le permitirá observar a su adolescente en compañía de la pareja, con lo que podrá detectar señales de alarma, como indicios de abuso o conducta manipuladora, por ejemplo. En tercer lugar, al rehusarse a tener contacto con la pareja de su adolescente o prohibir el contacto entre ellos, es muy probable que se dañe la relación con su hijo o hija; también tendrá menos posibilidades de que acuda a usted en busca de ayuda o consejo si se presentan esos peligros que tanto le preocupan. Finalmente, si advierte signos de conducta abusiva o de actividad sexual riesgosa, tendrá mejores probabilidades de que su adolescente reconozca el problema (y haga algo al respecto).

Al mismo tiempo, debe enfocarse en compartir sus valores con su hijo o hija, en expresarle sus preocupaciones (sin emitir juicios) y en propiciar que llegue a sus conclusiones sobre la relación. Si su adolescente tiene menos de 14 años, háblele de por qué las relaciones sexuales pueden ser peligrosas a esa edad (concéntrese en los riesgos emocionales abordados en el capítulo 6, y en los riesgos de embarazo e infección por ITS analizados en el capítulo 4). Si sostiene una relación con alguien que le lleva más de 4 años (o tres en el caso de los menores de 16 años), discuta con él los resultados de las investigaciones que hemos citado y explique cómo el desequilibrio de poder suele afectar al más joven de la pareja.

También recuerde que, aun después de haber expresado sus preocupaciones, tal vez su adolescente no concluya que la relación es problemática. Siendo así, tiene sentido redoblar esfuerzos para asegurarse de que está teniendo sexo más seguro y usa algún método de control natal.

Carly, una adolescente de 16 años, está saliendo con Jack, de 19, a quien conoció en la fiesta de un amigo. En el pasado, la mamá de Carly ha hablado con ella sobre las ventajas de retrasar la iniciación sexual hasta sentirse emocionalmente lista, y también sobre el sexo más seguro y el control natal. La última vez que hablaron de estos temas, Carly mencionó que ella y Jack estaban saliendo. La mamá recién se entera de la edad de Jack y se preocupa. Decide abordar el asunto con Carly, así que espera a que su hija se refiera a los planes con Jack para el fin de semana y pone el tema sobre la mesa con tono cordial y amigable.

Mamá: Parece que estás muy emocionada con Jack.
Carly: Lo estoy. Es tan maravilloso. Todas las chicas piensan que es guapísimo, súper listo y divertido.
Mamá: Me parece bien, Carly. Qué gusto por ti. Pero me preocupa que Jack sea mucho más grande que tú. He leído

mucho sobre las relaciones de los adolescentes, y hay estudios que demuestran que las muchachas como tú que salen con hombres mayores tienen más posibilidades de contraer una ITS o de quedar embarazadas.

Carly: Por favor, mamá. Jack no es así. Es muy responsable. Y ni siquiera estamos teniendo sexo.

Mamá: Qué bueno. Recuerdo que la última vez que hablamos mencionaste que no te sentías lista para el sexo y estoy de acuerdo con eso. Es un gran paso. Sólo que, al tratarse de una pareja mayor, es común que una chica joven se sienta presionada para tener sexo, incluso si él no la presiona intencionalmente. Podrías llegar a pensar que tener sexo te hará más adulta, o que un hombre mayor no querrá salir con una muchacha que aún es virgen.

Carly: La verdad es que ya he pensado en eso. Me refiero a que él es humano, ¿no? Pero no me presiona ni nada parecido.

Mamá: Eso es bueno. ¿Han hablado de tener sexo?

Carly: Un poco. Le dije que pienso esperar. Y, de cualquier modo, antes de que pasara algo tendría que escoger un anticonceptivo, como hemos hablado. Así que, creo, primero tendría que ver a un doctor, como me has dicho.

Mamá: Sí, ese es el plan. Y, tú sabes, sería importante para ambos hablar de qué esperan de una relación; y debes ponerte a pensar si es la persona en la que confías para dar ese paso. El sexo puede intensificar las emociones y no quiero que salgas lastimada.

Carly: Lo sé, mamá. Yo tampoco quiero eso.

Mamá: Ok. Supongo que también querrán hablar sobre si él se ha sometido a exámenes para detectar ITS o si presenta otros factores de riesgo. Ya hemos hablado de eso, ¿recuerdas? Cosas como inyectarse drogas o tener cualquier tipo de contacto sexual —incluyendo sexo anal y oral— sin usar condón. Sé que puede resultar extraño hablar de estos temas, pero es muy importante hacerlo, Carly. Si quieres, puedo darte los datos de una clínica que hace estas pruebas para que se los pases a él.

Carly: Ok. Estaré a salvo. Y te pediré el número si llegamos a necesitarlo.

Justo para su edad: influyendo en su vida

Menos de 15 años. Los adolescentes más jóvenes dependen más de usted en lo financiero y lo emocional. Conforme van madurando la dependencia se reduce; eso significa que ahora tiene la ventaja de establecer y forzar el cumplimiento de las reglas, además de otorgar privilegios. La siguiente es una lista de pasos para ejercer su influencia correctamente:

Limite el tiempo no supervisado y aumente el tiempo que su adolescente invierte en actividades organizadas y con diferentes grupos sociales.

Trabaje para mejorar el pensamiento crítico de su adolescente y sus capacidades para la solución de problemas. Para ello, le recomendamos juegos de posibilidades en que se consideren varios escenarios y consecuencias potenciales.

Ayude a que su hijo comprenda y procure las relaciones sanas.

Hable con su hijo sobre los desequilibrios de poder que son comunes en las relaciones con una pareja mucho más grande, y del hecho de que los adolescentes jóvenes que se relacionan con parejas mayores tienen más probabilidades de embarazarse o de contraer una ITS.

Asegúrese de que su hijo o hija tiene una percepción realista de las normas para este grupo de edad. En el caso de los que salen con alguien mayor, puede parecerles que todos están teniendo sexo, pero la realidad es otra (en este grupo, el porcentaje de adolescentes sexualmente activos podría ser mucho más bajo de lo que imagina).

15 a 17 años. Conforme va creciendo su adolescente y se vuelve menos dependiente, disminuye su capacidad de "detener" ciertas conductas, al tiempo que se incrementan las probabilidades de que pierda en una lucha de poder. De acuerdo con la situación y la edad de su adolescente, querrá seguir muchos de los pasos arriba señalados, pero dado que la actividad sexual se hace más probable cuanto más crece el joven, consideramos preferible concentrar los esfuerzos en cerciorarse de que dispone de las herramientas necesarias para estar seguro sexualmente.

Más de 18 años. Su capacidad de influir en su adolescente es limitada, pero sigue siendo vital su apoyo. Haga un esfuerzo por estar siempre disponible para dialogar, dar consejo o apoyo emocional, y esté atento a cualquier señal de problemas. Esté preparado para discutir cualquier acontecimiento y bríndele su apoyo.

Negocio riesgoso

Su actitud respecto del sexo casual dependerá de sus valores, pero también de quién esté teniendo ese sexo casual. Los padres, por ejemplo, pueden ser más permisivos con los encuentros sexuales de sus hijos, aun cuando no se den en el contexto de una relación. Un padre (o una madre) podría interpretar su actividad sexual como un detonante de autoestima o como una parte importante de la adolescencia masculina, la cual allana el camino para comprometerse con una sola mujer más tarde.

A pesar de esto, lo más probable es que la mayoría de los padres —y hasta la mayoría de los adolescentes— estarían de acuerdo en que el sexo casual o tener muchas parejas sexuales representa un riesgo para la salud, y en algunos casos un riesgo emocional que debemos evitar. Después de todo, tener sexo casual o varias parejas aumenta el riesgo de contraer ITS (recuerde que ni siquiera los condones protegen contra todas las ITS, así que el sexo siempre tiene aparejado cierto grado de riesgo). Y los adolescentes, especialmente las chicas, que participan en actividades sexuales de alto riesgo tienen mayores probabilidades de padecer depresión si se les compara con otros adolescentes (en el caso de los varones, sólo se encontró un vínculo entre la depresión y las actividades sexuales de alto riesgo).[2]

Aún así, hay adolescentes (y adultos) que prefieren los encuentros sexuales casuales, practicar el sexo anónimo o casi anónimo, o tener sexo con numerosas parejas, por un buen número de razones. Quizá son tan tímidos que sólo les es posible tener sexo con extraños; tal vez gozan de la emoción de la conquista sexual sin ataduras; probablemente se avergüenzan de su orientación sexual. Las razones, insistimos, son muchas.

---

[2] Denisse Hallfors D., Martha W. Waller, Daniel Bauer, Carol A. Ford y Carolyn T. Halpern, "Which Comes first in Adolescence —Sexs, Drugs or Depression?", *American Journal of Preventive Medicine*, octubre de 2005.

Si su adolescente está teniendo sexo casual o con múltiples parejas, la discusión de temas como la seguridad sexual (capítulo 5) y las reglas en el ámbito doméstico (capítulo 7), cobran importancia capital. También puede ser útil identificar y discutir la raíz del problema. En algunos adolescentes, la conducta inapropiada o destructiva —incluyendo la actividad sexual de alto riesgo— es un indicador de baja autoestima o de conflictos familiares. Quizá estén tratando de llamar la atención de los padres o afirmando su propia autoridad. Si ése es su caso, un profesional de la salud mental ayudará a que las necesidades de su adolescente reciban la atención debida.

También, algunos adolescentes son incapaces de controlar sus impulsos, lo que puede ser signo de inmadurez o de alguna otra cosa. Aquellos con trastorno por déficit de atención con hiperactividad requieren ayuda especial para controlar sus impulsos. Las conductas sexuales maníacas o patológicas indican también la temprana manifestación del trastorno bipolar (por otra parte, las investigaciones más recientes han dado por tierra con la teoría de que los adolescentes combaten la depresión con actividad sexual y abuso de drogas).

Si siente que la conducta de su adolescente es causada por problemas mentales o por otros aspectos fuera de su control, tiene sentido buscar ayuda profesional. Su pediatra, el médico familiar o el hospital infantil de su localidad lo orientarán para encontrar un psicólogo especialista en adolescentes. Además, la American Psychological Association (www.apa.org) tiene una base de datos de psicólogos calificados, lo mismo que la Society for Adolescent Medicine (www.adolescenthealth.org).

Si sospecha que su adolescente está consumiendo alcohol o drogas, debe reconocer que parte del problema radica en la inhibición reducida, lo que resulta en un incremento de los riesgos asumidos en la actividad sexual. Si sabe que está usando alcohol o drogas, hable con él de sus expectativas y de las consecuencias de romper las reglas. Si el consumo de sustancias parece representar un problema más serio, debe buscar ayuda profesional.

La historia de Sara

Sara, de 15 años, estaba pasándola mal al enfrentar el divorcio de sus padres. Estaba muy enojada con ambos, pero especialmente con su padre, Bob, quien en una batalla financiera con la madre había dejado de pagar la escuela privada de Sara.

Sara, enojada con su padre y triste por el divorcio, encontró refugio en su relación con Dave, a quien había estado viendo por tres meses. Al padre de Sara le disgustaba Dave, en parte porque había dejado la escuela y en parte porque tenía la impresión de que Sara cargaba con la mayor parte del peso de la relación. Bob notó que Dave pedía dinero prestado a Sara con frecuencia, que le cancelaba los planes en el último minuto para irse con los amigos y que a veces dejaba de llamarla por días. Bob pensaba que Sara merecía algo mejor, y se lo dijo.

Un fin de semana en que Sara se estaba quedando en casa de su padre, Bob regresó temprano a casa para encontrarse con que Sara y Dave estaban desnudos en la recámara principal. A Bob le enojaba que Sara hubiera tenido sexo, pero le disgustaba más que hubieran tenido sexo en la casa paterna y, peor aún, en su propia cama. Bob peleó con su hija y le prohibió salir con Dave. Sara lo ignoró y no sólo siguió saliendo con Dave, sino que continuó metiéndolo a escondidas a casa de su papá para tener sexo.

Bob nunca relacionó la conducta de Sara con el divorcio ni con el hecho de haber dejado de pagar su educación privada. Ninguno habló de sus sentimientos o del motivo por el cual seguía viendo a Dave a pesar de haber sido irrespetuoso con ella.

Finalmente, la madre de Sara, Diane, entró a mediar la situación. Comenzó con una observación simple: "Parece que estás muy enojada con tu papá". Luego sugirió amablemente que la molestia de Sara podía derivarse de la decisión de él de no pagar más su educación. En principio, Sara insistió en que su conducta con Dave nada tenía que ver con su padre, pero al fin reconoció que haber tenido sexo en la cama de su padre —e incluso haber seguido saliendo con Dave—, podía haber sido una forma de venganza. Diane y Sara hablaron después de cómo podía Sara expresar su ira de manera responsable y saludable.

Con el paso del tiempo, Sara también empezó a exigir más respeto a Dave, aunque a fin de cuentas la relación terminó.

Cuando teme el abuso

Cualquiera, hombre o mujer, adulto o adolescente, puede ser víctima de un abusador. Pero las mujeres jóvenes de entre 16 y 24 años corren el mayor riesgo. De todos los grupos de edad, ellas reportan los porcentajes más altos de violencia íntima, con una tasa de cerca de 20 mujeres por cada 1000 que reportan ser víctimas de abuso.[3]

Esa cifra puede ser mucho mayor en la realidad, dado que las víctimas se muestran reticentes a reportar esos crímenes. En una encuesta nacional, uno de cada cinco adolescentes que habían tenido una relación seria dijo haber sido golpeado, abofeteado o empujado por un compañero o compañera.[4] Uno de cada tres dijo haber estado seriamente preocupado por la posibilidad de ser lastimado por su pareja. Y 64 por ciento de los adolescentes dijo tener una pareja que frecuentemente actuaba movida por los celos.

Sumado al riesgo presente y futuro de ser lastimado por una pareja abusiva, las niñas abusadas enfrentan otros riesgos: tienen de cuatro a seis veces más probabilidades de quedar embarazadas y entre ocho y nueve veces más probabilidades de haber intentado suicidarse.[5]

A veces parece obvio que alguien está viviendo una situación de abuso. Quizás usted sea testigo de una conducta que sabe abusiva o tal vez vea la innegable evidencia física del abuso. Pero es más frecuente que el abuso se oculte y que las víctimas mismas no identifiquen la conducta como abuso. Pueden estar convencidas —muchas veces con la influencia del abusador— de que hicieron algo que ameritaba ese trato o de que es normal ser tratado así. Pueden experimentar sentimientos encontrados por su abusador —odiando el abuso, pero sintiendo un fuerte vínculo con la persona. Muchos abusadores tienen también sus buenos momentos en los cuales la relación se siente emocionante o relajante, haciendo que la persona abusada se confunda aún más.

Usted deberá analizar con su adolescente en qué consiste exactamente una relación de abuso. La violencia o abuso que tiene lugar en las citas está conformada por un patrón de conductas que un miembro de la pareja usa para controlar al otro. El abuso mismo puede ser físico,

---

[3] U.S. Department of Justice, "Intimate Partner Violence", mayo de 2000.

[4] "Controlling Behavior in Teen Relationships", Liz Clairborne Inc., marzo de 2006.

[5] Jay Silverman G., Anita Raj y Karen Clements, "Dating Violence Against Adolescent Girls and Associated Substance Use, Unhealthy Weight Control, Sexual Risk Behavior, Pregnancy, and Suicidality", *Pediatrics*, agosto de 2004.

sexual o emocional, y los abusadores pueden ser hombres o mujeres. Una pareja abusiva podría:

- Tratar de controlar con quién pasa el tiempo su pareja.
- Tratar de controlar la manera en que su pareja pasa el tiempo, o cómo se expresa, incluyendo la imposición de la forma de vestir.
- Pegar, golpear, sacudir, apretar o dañar físicamente a la pareja de alguna otra manera.
- Amenazar con lastimar a la pareja.
- Presionar a la pareja constantemente para tener sexo.
- Asaltar sexualmente a su compañero.
- Insultar públicamente o en privado o humillar a su pareja.
- Tener reacciones explosivas o cambios de ánimo repentinos.
- Culpar a la víctima por la conducta abusiva.
- Actuar irracionalmente celoso o suspicaz.

Tenga en mente que muchas víctimas de abuso se muestran reticentes a reportarlo, y que los adolescentes pueden mostrarse particularmente reacios a hacerlo porque temen que sus padres se enojen, que la reacción sea desmedida o que se incrementen las restricciones. Lo más probable es que su adolescente no acuda a usted mientras persista en la relación con el abusador. Pero existen ciertos indicios de abuso ante los que debe estar atento:

- Heridas injustificadas, huesos rotos u otras lesiones.
- Alejamiento de los amigos y la familia.
- Cambios repentinos de intereses o de participación en actividades sociales.
- Accesos repentinos de explosividad.
- Faltar a clases o una súbita baja de calificaciones.
- Temor de hacer enojar a una pareja o de cambiar su conducta para evitar una pelea.

Si teme que su adolescente esté siendo abusado debe buscar ayuda. Dos buenas fuentes de orientación: la National Teen Dating Abuse Helpline (www.loveisrespect.org) y el Dating Violence Resourse Center on the National Center for Victims of Crime (www.ncvc.org). Recurra también a las últimas páginas de este libro para revisar la sección de fuentes y obtener información más detallada.

Y, por supuesto, podría hablar con su adolescente sobre la relación sin emitir juicios, dándole información sobre las relaciones abusivas y, de ser posible, trabajar con él para terminar dicha relación.

Una manera de decirlo...

Deb, de 16 años, ha estado saliendo con John desde hace tres meses. Ellos sostienen una relación muy intensa con peleas frecuentes y apasionadas, surgidas casi siempre de los celos de John. La madre de Deb escucha al paso una de estas peleas en que queda muy claro que John está siendo emocionalmente abusivo. Ella habla con Deb a la mañana siguiente...

Mamá: Deb, sé que John te importa mucho, pero estoy muy preocupada por la forma como te trata. Escuché que anoche te gritó. Te llamó golfa, basura y mentirosa. Eso es abuso, Deb.

Deb: ¿Qué? Mamá, sólo estábamos peleando. No lo decía en serio. En la mañana me mandó un mensaje de texto diciendo que lo sentía. Grita así porque me ama.

Mamá: Cariño, no creo que tengas razón. Existe una página web que se llama Love is Respect. Ven conmigo a la computadora. Quiero que leamos la información que contiene porque estoy preocupada por ti...

Incluso si su hijo no forma parte de una relación abusiva en este momento, debe hablar con él o ella sobre el abuso. Puede ayudar a que detecte las señales de alarma en el futuro o para que apoye a un amigo. Cuando hable del tema, recuerde a su adolescente que:

- Nadie merece ser amenazado o lastimado; la violencia no es una respuesta válida ante ninguna conducta. Punto.
- Los abusos más graves suelen estar precedidos por abusos menores (un empujón, abuso verbal o comentarios amenazantes) y la violencia en las relaciones puede escalar rápidamente. Es importante reconocer los signos lo antes posible para salir de la relación antes de que el comportamiento se vuelva extremo.
- No podrá hacer que un abusador cambie. Permanecer en una relación con la esperanza de que cambiará a alguien no sólo es inútil, sino que en el caso de las relaciones abusivas es peligroso.

- Debe reportar el abuso. Si la pareja se torna violenta, su adolescente debe procurar ir a un lugar seguro y luego llamar a la policía.

Lo harías si me amaras...

Cuando amamos a alguien hacemos cosas que hacen feliz a la persona, ¿no? Y eso es bueno, ¿no? Éste es un par de buenas preguntas que su adolescente podría formularle (y aunque no le pregunte a usted, puede estar seguro de que su hija se lo ha cuestionado alguna vez).

Si usted ha estado hablando, o mejor, si ha sido modelo de conducta amorosa, seguramente ha proporcionado ya la respuesta a su manera. Cuando amamos a alguien, a veces hacemos cosas que no queremos hacer particularmente —acompañarlo a esperar a que le laven el coche para que no se aburra, o llevarle sopa y Gatorade cuando está enfermo, ayudarle a estudiar para un examen importante. Éste es el tipo de cosas que hacemos por la gente que amamos y también forman parte de las relaciones sanas.

Por supuesto que existen límites y no están claramente definidos, así que bien vale una discusión con su adolescente. Hablando en general, nadie debe hacer algo por otra persona si lesiona sus valores personales. Aceptar tener sexo sólo para complacer a otro (si no es lo que se quiere hacer) es un ejemplo importante.

Otro elemento vital de las relaciones saludables es el respeto, y esto aplica a ambas partes. Significa que cada persona debe respetar los sentimientos y decisiones de la otra. Si un chico presiona a su novia para tener sexo o si dice cosas como "lo harías si me amaras" frecuentemente (lo perdonaremos si tiene el mal gusto de decir esto una sola vez), está violando esa regla. Lo mismo en el caso de una muchacha que hace eso a su pareja. Es nocivo e injusto, y califica como abuso si la conducta es recurrente.

Esa conducta es bastante común entre adolescentes. En un estudio nacional, 47 por ciento de los adolescentes afirmó haber hecho algo en contra de sus convicciones con tal de complacer a la pareja (aquellos entre 16 y 18 años tuvieron mayor probabilidad de hacerlo que los más jóvenes). Uno de cada cuatro dijo haber ido más lejos de lo deseado, sexualmente hablando, como resultado de la presión ejercida por la pareja.

¿Qué puede hacer su adolescente cuando le salen con la típica frase "si me amaras..".? Primero, trate el asunto como lo que es, una frase (y no muy original, por cierto). Segundo, es esencial decir "no" calmada y firmemente (repitiéndolo tanto como sea necesario). Finalmente, su adolescente debe continuar con algo como: "Si me amaras, no me presionarías". Asegúrese de dejar claro que ésta es una manera de respetarse, condición indispensable para ganarse el respeto de los demás.

Aunque su adolescente no tome en serio las amenazas, usted debe hacerlo. En el caso de los menores de 16 años, y cuando se teme por la seguridad del joven (sin importar la edad), alerte a las autoridades y tome medidas para poner distancia entre el adolescente y su abusador. En casos extremos, como cuando una pareja tiene un historial de violencia y encarcelamiento, tal vez la única solución sea cambiar al joven de escuela o mudarse. Y a pesar de que solemos recomendar a los padres que no se metan en el tema de con quién salen sus hijos, si la seguridad está en juego entonces debe hacerlo.

Recuerde que encontrar desagradable a alguien no es una razón para borrarlo de la vida de su adolescente. Quizá odie las malas palabras que dice o su motocicleta, pero a menos de que se trate de una cuestión de seguridad, su mejor arma será oponer una sonrisa ante la persona o la conducta que le incomoda. Esté disponible para hablar y busque oportunidades para discutir los sentimientos de su adolescente y expresar sus preocupaciones.

Si la pareja de su hijo o hija tiene 16 años o menos, también podría advertir de la situación a sus padres, siempre y cuando piense que será útil hacerlo (y no olvide que tal vez no valga la pena). Si lo hace, asegúrese de no utilizar palabras y tonos que impliquen juicio. Hágase a la idea de que está pidiendo ayuda de padre a padre (para más detalles en relación con esto, vea el capítulo 9).

Una manera de decirlo...

Paige y Robby, de 16 y 17 años respectivamente, han estado saliendo en exclusiva desde hace meses. Los padres de Paige conocen a Robby desde hace años y lo consideran un muchacho bueno y responsable. Nunca ha mostrado signos de ser violento y los padres de Paige están prácticamente seguros de que no es abusivo física o sexualmente. De cualquier modo, les preocupan las demandas de Robby en el sentido de que quiere que Paige esté con él todo el tiempo. Cuando Paige pasa triste frente a su padre tras una discusión, él aprovecha para abordar el tema...

Papá: Parece que estás muy triste, Paige. ¿Quieres hablar de lo que te sucede?

Paige: No, la verdad no. Es sólo que Robby se está portando muy mal conmigo y no lo soporto.

Papá: ¿A qué te refieres?

Paige: No lo entenderías, papá. Y de cualquier manera, tú odias a Robby.

Papá: No odio a Robby, Paige. Me preocupa que no respete tus sentimientos. Parece que te pone triste todo el tiempo.

Paige: Sólo está actuando como un tonto. Tengo competencia de atletismo este fin de semana y él insiste en que vaya con él a su juego de basquetbol. No puedo estar en dos lugares al mismo tiempo.

Papá: Así que tuviste que elegir. Seguro fue una decisión difícil.

Paige: Dice que si lo amara de verdad, estaría en su partido animándolo.

Papá: Parece que está confundido con el amor. Piensa que ser pareja significa estar pegados todo el tiempo —a donde vaya vas y a donde voy irás. Pero esto no siempre es sano en el largo plazo. El verdadero amor da a la persona amada espacio para que sea feliz, incluso si eso significa hacer las cosas por separado. Es una cuestión de respeto. Como cuando mamá quiso regresar a la escuela. Yo quería que ella fuera feliz, pero también que estuviera en casa por las noches para acompañarnos a ti y

233

a mí. Aunque la extrañamos, le di mi bendición porque respeto su derecho a cumplir sus sueños.

Paige: Sí. Me acuerdo de esos tiempos. Nos divertimos viendo Danger Mouse juntos, pero la verdad sí extrañaba a mamá a la hora de acostarme.

Papá: Mira, podemos diseñar un plan para que hables con Robby sobre el respeto y tu derecho a hacer lo que consideras importante. ¿Quieres intentarlo?

Paige: Creo que vale la pena.

ASALTO SEXUAL: CUANDO EL SEXO NO ES CONSENSUAL

La mayoría de las veces el sexo implica el consentimiento de ambas partes. Pero los asaltos sexuales suceden. De hecho, las mujeres adolescentes constituyen, por mucho, el grupo en más riesgo de padecer asalto sexual, según el Departamento de Justicia de Estados Unidos. Desafortunadamente, los adolescentes, e incluso los adultos, no suelen tener una noción clara de lo que constituye un asalto sexual.

La definición legal de asalto sexual varía de acuerdo con las legislaciones específicas, así que no es posible identificar un único escenario que califique como asalto sexual. No obstante, el asalto sexual se refiere a cualquier contacto físico no deseado y que sea sexual por naturaleza. La violación (también llamada asalto sexual forzoso) se define típicamente como cualquier penetración —genital, oral o anal— de una parte del cuerpo del asaltante o con un objeto sin el consentimiento de la víctima.

La fuerza que somete no tiene por qué ser física —una amenaza verbal o implícita basta—, y no es necesario que la víctima se resista físicamente. Tomar ventaja de alguien que no puede dar su consentimiento por estar incapacitado debido a la ingesta de alcohol o drogas, también se considera asalto sexual, dado que la víctima no es capaz de consentir el sexo.

También hay subcategorías:

- La violación por parte de un conocido (también llamada violación en cita) que se da cuando la víctima conoce al asaltante.
- La violación equiparada ocurre cuando alguien tiene contacto sexual consensual con un menor de edad que no está facultado

todavía para otorgar su consentimiento. Algunos estados no consideran que se trata de una violación si el contacto sexual se da con el consentimiento del menor y los involucrados tienen una edad similar (qué tan similar, varía de legislación a legislación). Si la pareja sexual es mayor y mantiene una posición de autoridad —maestro, entrenador o tutor, por ejemplo— se aplican penas más severas.

Tome en cuenta que las víctimas de cualquier tipo de asalto sexual son hombres o mujeres, y que los asaltos sexuales por lo común son cometidos por alguien que la víctima conoce.

El asalto sexual es un crimen con una tasa sumamente baja de reporte a las autoridades. En particular, las víctimas de violación por una persona conocida suelen tener problemas para reconocer que lo ocurrido es un crimen. Se culpan por haber estado borrachas, por haber estado a solas con el asaltante, por su atuendo, por lo dicho o lo hecho. Se sienten avergonzados, apenados, asustados por la posibilidad de represalias o preocupados por la reacción de los padres o amigos.

Si sospecha o sabe que su adolescente es víctima de asalto sexual, el primer paso es dar a lo sucedido su nombre correcto: violación o asalto sexual, o al menos probable violación o asalto sexual. Quizás su adolescente esté confundido o conflictuado y no identifique lo sucedido correctamente.

Incluso si no queda muy claro qué sucedió, pero usted teme que haya sido un asalto sexual de cualquier tipo, debe hacer que su adolescente visite a un médico que los aconseje y luego tomen las medidas médicas necesarias. Si el incidente es reciente, digamos la noche anterior, es mejor acudir a los servicios de emergencia de los hospitales, preferentemente en uno pediátrico si hay cerca. Esos hospitales atienden a adolescentes de hasta 18 años (aunque algunos lo hacen hasta los 21) y disponen de instrumental con tamaño apropiado para los jóvenes. También se muestran más sensibles al estado emocional del adolescente. Si no existe un hospital pediátrico en las inmediaciones, acuda al servicio de emergencia más cercano pues en esas instituciones tienen un protocolo especialmente planeado para tratar a las víctimas de asalto sexual.

No se sorprenda si su adolescente se muestra reacio a revelar detalles, como el nombre del asaltante. Debido a que los asaltos sexuales suelen ser cometidos por personas conocidas por la víctima, se propicia en el joven un sentimiento de traición y confusión. Tal vez su adolescente no quiera implicar al asaltante o tema su reacción y se preocupe por ser castigado o por la posibilidad de que usted tome el asunto en sus propias manos y confronte al asaltante.

Por mucho que desee hacer justicia, no es conveniente obligar a que revele nombres. Mejor dedíquese a buscar ayuda médica. Podría decir: "No nos preocupemos por eso ahora. Te llevaré al médico".

Es muy probable que en el hospital le den los datos de algún centro de atención para víctimas de violación. En muchos casos, esos centros enviarán a un especialista a atender el asunto en el hospital mismo.

También existen páginas en Internet que ofrecen consejo y, además, disponen de medidas de seguridad que garantizan la confidencialidad. Algunos adolescentes se sienten más cómodos buscando apoyo en estos grupos. Por ejemplo, una chica víctima de asalto sexual no era capaz de contar lo ocurrido a su madre. De pronto, en medio de una sesión de terapia, salió, pidió a su madre que entrara a la habitación y le mostró la pantalla de la computadora. No se atrevía a hablar, así que permitió que lo hiciera la pantalla.

Qué hacer si sabe o sospecha que su adolescente ha sido víctima de un asalto sexual

Tome en serio las acusaciones. Aunque sí se da el caso de acusaciones falsas, éstas suelen ser poco frecuentes. En especial en el caso de un abuso sexual, es importante que las víctimas sepan que si le dicen a un adulto éste les creerá.

Busque ayuda. En Locatel, por ejemplo, informan dónde acudir o lo ponen en contacto con un centro de atención a víctimas del delito. Si el crimen no es reciente, sugieren nombres de profesionales médicos y psicólogos que ofrecen ayuda.

Conserve la evidencia. En el caso de un asalto sexual reciente, es importante preservar la evidencia del crimen, lo que significa que la víctima no debe bañarse, practicarse duchas vaginales, lavarse los dientes o lavar su ropa o manos (las uñas de las manos puede proveer evidencia muy útil para la investigación oficial del crimen).

No decida quién tiene la culpa. El asalto sexual nunca es un castigo válido para la conducta de cualquier tipo. Usted necesita dejar muy claro este punto a su hijo o hija. Eso significa que no sólo debe evitar acusar a su adolescente de haber "provocado" los hechos —un consejo obvio para la mayoría de los padres—, sino que también debe evitar comentarios que, implícitamente, den el mismo mensaje al adolescente. Al preguntar cosas como: "¿Por qué volviste a su cuarto?", o "¿Qué estabas pensando cuando decidiste emborracharte en la fiesta?", usted da el mensaje de que de alguna manera la víctima es cómplice en el crimen.

Deje que su adolescente lleve la iniciativa. Es posible que su hijo o hija quiera hablar, o no. Los crímenes sexuales dejan un rastro de impotencia, por lo que de ser posible permita que su adolescente decida cómo responder. Ayúdelo ofreciendo su apoyo, su comprensión y empatía. Si no quiere hablar, asegúrese de que sepa que usted estará disponible cuando esté listo.

Manténgase atento a las señales de alarma. Las personas enfrentan el trauma de distinta manera y a distinto ritmo. Esté atento para detectar indicios de depresión, ansiedad, abuso de sustancias, desórdenes alimenticios u otros problemas de salud mental (estas señales de alerta pueden suscitarse mucho tiempo después de lo ocurrido); lleve a su hija o hijo con un profesional para obtener ayuda.

Drogas que facilitan la violación

Las drogas que facilitan la violación, sobre todo en citas, fiestas o sucesos similares, han llamado la atención de los medios y de las instituciones educativas, sobre todo en años recientes. Son una pesadilla potencial: se trata de medicamentos que son insípidos y/o inodoros, imposibles de detectar al ser mezclados con alguna bebida, e incapacitan a una persona haciendo que no recuerde ser sexualmente asaltada.

Por lo menos, existen tres medicamentos que tienen estos efectos:

- GHB (ácido gammahidroxibutírico).
- Rohypnol (flunitrazepam).
- Ketamina (hidroclorido de ketamina).

Aunque suelen ser utilizados por hombres para asaltar sexualmente a las mujeres, las víctimas también pueden ser varones.

Hable con su adolescente para que sea capaz de reducir los riesgos de padecer asalto sexual asistido por drogas. He aquí algunas recomendaciones del Departamento de Salud y Servicios Humanos de Estados Unidos:

- No acepte bebidas de otras personas.
- Abra los contenedores (botellas, etcétera) usted mismo o pida que las abran en su presencia.
- No deje su bebida sola, incluso al ir al baño.
- No comparta bebidas.
- No beba de recipientes comunes como poncheras, etcétera.
- No beba nada que sepa o huela extraño (el GHB puede saber salado, por ejemplo).
- Si bebe, hágase acompañar por un amigo o amiga que no esté bebiendo.
- Si sospecha que le han puesto algo a la bebida de otra persona, pida ayuda inmediatamente.

Si piensa que su adolescente ha sido drogado y asaltado sexualmente, es importante buscar ayuda de inmediato, ya sea llamando a la policía o acudiendo al hospital (también llame a alguna institución especializada en la atención de este tipo de delitos). Las drogas se detectan con exámenes de orina, pero no debemos olvidar que estas sustancias permanecen en el cuerpo poco tiempo (entre 12 y 72 horas), así que es muy importante buscar ayuda rápido. También es importante preservar toda evidencia, lo cual significa evitar bañarse o cambiarse de ropa antes de obtener ayuda.

Los adolescentes GLBTI y las conductas riesgosas

Los adolescentes gays, lesbianas, bisexuales, transgénero e indecisos corren los mismos riesgos que sus contrapartes heterosexuales, pero enfrentan problemas adicionales. Primero, es importante señalar que el estigma asociado con ciertas orientaciones sexuales e identidades de género hace más difícil que los adolescentes GLBTI busquen ayuda para resolver sus problemas. Esto es especialmente cierto si no han revelado sus preferencias a amigos y familiares, o si no tienen apoyo en casa. Un adolescente gay cuya familia piensa que es heterosexual, por ejemplo, no tenderá a hablar con sus padres sobre si su novio súper celoso se muestra abusivo, o si ha sido víctima de asalto sexual.

Los adolescentes gays tienen más posibilidades de involucrarse en conductas de alto riesgo, como el sexo con múltiples parejas o con extraños, en parte porque las relaciones casuales son aceptadas en ciertos círculos de la cultura gay, y también porque toda persona que se ve obligada a ocultar su orientación tendrá más problemas para mantener relaciones de largo plazo. (No olvide que esto no siempre es cierto: muchos adolescentes gays evitan las conductas de alto riesgo.)

Por último, los adolescentes GLBTI afrontan molestias y humillaciones que sus amigos heterosexuales no tienen que soportar. De hecho, los adolescentes GLBTI reportan que es muy común la violencia y el acoso en la escuela y otros lugares. Cuatro de cada cinco estudiantes GLBT dijeron que, regularmente, son insultados en la escuela por ser gays[6] (los estudiantes indecisos no fueron clasificados como tales en esta encuesta, por lo que no tenemos datos disponibles). Cerca de 40 por ciento reportaron haber sido agredidos física o verbalmente, siendo amenazados con un arma en muchos casos (los estudiantes transgénero reportaron un grado de violencia mayor). Cerca de uno de cada tres estudiantes GLBT reportó haber faltado a la escuela al temer por su seguridad.

[6] Gay, Lesbian, and Straight Education Network (GLSEN), *National School Climate Survey*, 2003.

Si le preocupa que su hijo esté siendo agredido en la escuela, observe atentamente para detectar los signos del abuso escolar:

- Miedo a ir a la escuela.
- Faltar a clases o enfermedades inexplicables frecuentes que lo mantienen en casa en lugar de ir a clases.
- Cambios súbitos de intereses o en la participación en actividades extraescolares, o bien con ciertos grupos sociales.

Si está preocupado, hable con su adolescente sobre cualquier miedo que tenga y tome medidas para solucionar el asunto.

Si su adolescente es GLBTI, también debe averiguar cuáles son las políticas de la escuela en caso de agresión. Los estudios han demostrado que los adolescentes en escuelas con una política anti agresión que particulariza el caso de los estudiantes según la orientación de género, tienen menos probabilidades de reportar actos de violencia, así como también menos reportes de haber faltado a la escuela como consecuencia del acoso o la violencia.

Si la escuela no ha puesto en práctica este tipo de políticas, ayude a desarrollarla. La red Gay, Lesbian, and Straight Education Network (GLSEN) ofrece recursos para crear espacios seguros y mucha otra información sobre los adolescentes GLBTI y el acoso (www.glsen.org/cgi-bin/iowa/all/home/index.html). La Gay-Straight Alliance for Safe Schools también ofrece información y fuentes (www.gsaforsafeschools.org/about.html).

Mi adolescente es GLBTI: la historia de Keith

Keith tenía problemas en la preparatoria. Frecuentemente peleaba con su padre, quien era miembro del partido conservador. Keith rara vez respetaba las reglas en la casa o en la escuela y se le diagnosticó trastorno bipolar. Veía a un psiquiatra y tomaba medicamentos para controlar sus accesos de ira y el comportamiento maniático.

Keith también sabía que era gay y que su padre desaprobaría su orientación sexual. Temeroso de salir del clóset, Keith comenzó a salir con hombres adultos que contactaba en Internet para tener sexo anónimo y sin protección. Cuando comentó a su psiquiatra sobre estos encuentros sexuales, éste le recomendó hacerse una prueba de detección del SIDA. La prueba dio resultado positivo.

Keith fue remitido a una clínica especializada en adolescentes con VIH. Ahí le practicaron pruebas psicológicas y supo que tenía un coeficiente intelectual (IQ) muy superior a la media. Había estado aburrido en la escuela todos esos años.

Su padre se puso furioso al enterarse de que era gay y de que había incurrido en conductas riesgosas. El encargado del caso de Keith comentó a su padre que el joven sería menos propenso a participar en actividades de alto riesgo si hubiera un ambiente de aceptación en casa. Si saliera con chicos abiertamente no sería necesario tener encuentros anónimos. Al principio, la sugerencia molestó a su padre, pero gracias al apoyo del equipo de tratamiento, los padres de Keith comenzaron a aceptarlo tal como era. Se inscribió en la universidad donde conoció a un joven estable y compasivo (y que además agradaba a los padres de Keith).

Decidieron vivir juntos. La pareja de Keith estaba al tanto del contagio por VIH, pero quería estar con él y esperaba que ambos pudieran comprometerse en una relación monógama de largo plazo. Los padres apoyaban la idea.

Keith se volvió más estable emocionalmente, tomaba sus medicamentos de acuerdo con lo prescrito y dejó de participar en actividades de alto riesgo. Tiene la esperanza de vivir hasta los 50 años y cree que para entonces habrá una cura para el SIDA. El padre de Keith se ha vuelto mucho más sofisticado en relación con la complejidad de las relaciones y es miembro de PFLAG, un grupo de apoyo para padres de personas GLBTI. Irónicamente, el contagio de VIH cambió la vida de Keith para bien.

LA DEPRESIÓN: CUÁNDO DEBEMOS PREOCUPARNOS

Es común que los adolescentes se sientan tristes o desilusionados cuando termina una relación, o si viven en una relación estresante y nociva, pero, en algunos, casos los sentimientos de tristeza pueden llegar a constituir depresión clínica. En general, los síntomas de depresión que duran más de dos semanas son razón suficiente para buscar ayuda profesional. Existe una excepción a esta regla: cuando el adolescente expresa una intención suicida. En ese caso, debe obtener ayuda inmediatamente.

Las señales de alarma en caso de depresión son, entre otros:

- Alejamiento de los amigos.
- Cambios drásticos en los patrones de alimentación.
- Insomnio o dormir demasiado.
- Sentimientos constantes de tristeza, desesperación y accesos de llanto frecuentes.
- Cambios significativos en la conducta o en el desempeño escolar.
- Poca capacidad de concentración, ansiedad o agitación.
- Pérdida de interés en *hobbies* o proyectos personales.
- La idea de no valer nada como persona.
- Regalar sus posesiones queridas (busque ayuda inmediatamente).
- Expresiones, ideas o actos suicidas (busque ayuda de inmediato).

Los adolescentes también pueden fingirse enfermos, rehusarse a ir a la escuela o dejarla intempestivamente. Si está preocupado busque ayuda profesional. Un buen comienzo consiste en visitar al pediatra de su hijo o al médico familiar, quien determinará si es necesario buscar más ayuda. También alerte al consejero escolar o a los maestros si sospecha de un problema.

Esperar lo mejor, preparados para lo peor

Si se siente un tanto desinflado después de leer este capítulo, no lo culpamos. Pensar en los peores escenarios puede ser deprimente.

La información es su mejor arma —que además puede prestar a su adolescente. Incluso si su vida está gloriosamente despejada de señales de alerta (lo cual es probable), debe saber en qué fijarse para detectar los problemas rápida y eficientemente.

Capítulo 9

Hablando del asunto:
Cuándo involucrar a los padres de la
pareja y a la propia familia

Por tentador que parezca, probablemente no será muy útil marginar al novio de su hija o molestarlo hasta que desparezca. Si lo hace, lo más seguro es que provoque un conflicto de enorme magnitud con su hija, además de que tal vez ella decida aferrarse a la relación para demostrar independencia. Lo mismo aplica para su hijo y sus cuitas amorosas.

De hecho, hay pocas circunstancias que justifiquen que usted hable directamente con el novio de su hija esperando resultados positivos. Y en tanto que tampoco existen muchas circunstancias que justifiquen que hable con los padres de la pareja, sí hay algunos que lo ameritan. Estos casos son:

- Si su adolescente tiene menos de 14 años.
- Si la pareja de su adolescente es menor de 14 años.
- Si la pareja de su hijo tiene menos de 16 años y usted sospecha que está en riesgo de quedar embarazada o de pescar una ITS (por ejemplo, si sabe que su adolescente tiene una ITS y que ambos han tenido contacto sexual sin protección).
- Si la conducta tiene lugar en el contexto de otra conducta de alto riesgo —digamos, bajo la influencia de las drogas o el alcohol— y siente que la pareja de su hijo o hija está en riesgo.
- Si al preguntar a su adolescente, él o ella considera que sería útil que usted hablara con los padres de su pareja.

Incluso en estos casos, deberá considerar otros factores. Hágase las siguientes preguntas:

- ¿Qué espero lograr al hablar con los padres de la pareja? Sea honesto. Si está pensando secretamente en formar una alianza entre padres para separar a los muchachos, deberá admitirlo ante usted mismo. Un motivo válido sería garantizar la seguridad de ambos adolescentes.

- ¿Se han involucrado en conductas de alto riesgo? Si siente que cualquiera de los dos está en peligro y que la única forma de reducir el riesgo es hablar con los padres de la pareja, considere hacerlo.
- ¿Puedo lograr el mismo objetivo si hablo con mi hijo, en lugar de hablar con los padres de su pareja?
- ¿Es posible que mis actos empeoren las cosas en lugar de mejorar-las? A menos que existan amenazas serias a la seguridad, lo más probable es que afecte fuertemente la relación con su adolescente si toma la ruta padre-padre, en especial si su hijo o hija no es tan joven.
- ¿Es posible que mi acción provoque que el adolescente sea lasti-mado por sus padres? No olvide que, aunque la familia dé la im-presión de ser "decente" o buena, quizás usted no tiene una idea realista de la dinámica familiar particular. Algunos padres toman las cosas muy mal y se tornan violentos contra el joven. Muchos estados permiten que los mayores de 14 años tengan acceso al cuidado médico sexual y a los anticonceptivos, en parte debido a este tipo de situaciones.

Justo para su edad: alertar a los otros padres

Menos de 15 años. Si su adolescente tiene menos de 14, una conversación con los padres de su pareja es una idea coheren-te, dado que un joven de esa edad no está sexualmente madu-ro para tener relaciones sexuales. Para un adolescente de 14 años, deberá considerar si el riesgo asociado con contactar a la otra parte es mayor o menor que el riesgo asociado con la conducta sexual. Si habla con los padres, dígale a su hijo o hija que piensa hacerlo y pida toda la información sobre la otra familia que él o ella pueda ofrecerle.

15 a 17 años. En el caso de los de 15 y 16 años, deberá ana-lizar los probables efectos negativos de hablar con sus padres —el riesgo para la pareja y el riesgo de que su adolescente se aleje de usted— de cualquier preocupación que tenga. Para los de 17 años, sólo debe considerar la posibilidad de dicho contacto si hay cuestiones de seguridad muy serias en juego, y si la participación de los padres es trascendental.

Más de 18 años. No recomendamos contactar a los padres, dado que cualquier contacto de su parte tiene muchísimas posibilidades de fallar y será visto por su adolescente como intolerablemente intrusivo (esa es nuestra opinión, dicho sea de paso).

SEA PRUDENTE

Si decide hablar con los otros padres, no se sorprenda si le echan la culpa a usted o a su adolescente, especialmente si lo que les revela es desconocido para ellos.

Reduzca los riesgos de una respuesta defensiva tomando en cuenta los siguientes consejos:

- **Mantenga un tono neutral.** Si suena enojado, su adolescente estará más defensivo.
- **No insulte ni haga juicios.** Inicie la llamada o la conversación con una frase como: "No se trata de encontrar culpables", o algo parecido para dar a entender que la motivación del contacto no es culpar a nadie.
- **Exponga su propósito.** Y no, definitivamente no es opción decir: "Mi intención es mantener a su hijo alejado de mi hija". Si piensan que va a decirles cómo ser padres, probablemente se molesten o le cierren la puerta en la nariz. Mejor trate con algo así: "Sólo quería informarles de lo sucedido", o "Quería que lo supieran para que Jimmy se realice unos análisis".
- **Deje en claro qué acciones ha tomado usted.** Puede decir: "Ya he hablado con mi hijo sobre el sexo más seguro y sobre las reglas a respetar en nuestra casa", o "Llevé a mi hija con un médico para que hablaran de control natal y de las infecciones de transmisión sexual".

Una manera de decirlo...

Mamá (hablando por teléfono con la madre del novio de su hija): Hola, Laura. Habla la mamá de Cassie, Michelle.

Laura: Qué tal, Michelle. ¿Cómo has estado?

Mamá: Muy bien, gracias. Llamo porque quería hablarte sobre Cassie y Jimmy. ¿Sabes que están saliendo juntos?

Laura: No, no lo sabía.

Mamá: Creo que se han estado viendo en casas de amigos después de la escuela. Estoy preocupada porque Cassie sólo tiene 14 años y me comentó que ella y Jimmy tuvieron sexo. Y aparentemente no usaron protección alguna. Ella estaba preocupada por un posible embarazo a pesar de que hicimos una prueba y salió negativa.

Laura: Gracias a Dios. Bueno, la verdad es que me gusta mucho lo que me cuentas, pero no estoy segura de qué quieres que haga. Ya sabes cómo son los chicos.

Mamá: Sólo quiero que estés enterada. No creo que les hayan dado mucha información sobre condones y control natal en la escuela, pero ahora que ambos son sexualmente activos es probable que la necesiten. Ya he hablado con Cassie sobre mi idea de que es bueno esperar para tener sexo, pero voy platicar con ella un poco más sobre tema. Y pienso llevarla al ginecólogo para una revisión. ¿Quieres que te avise si encuentran algo?

Laura: Mira, aprecio el hecho de que me llames, pero me molesta que actúes como si Jimmy estuviera enfermo o algo así. Él no es así.

Mamá: No quise decir que tuviera una enfermedad. Sucede que siempre existen riesgos cuando la gente tiene sexo sin protección. Gracias por tu comprensión. Y sólo para que lo sepas, le comenté a Cassie que pensaba hablar hoy contigo, así que es posible que le diga a Jimmy.

Laura: Está bien, gracias. Adiós.

Quizás no sea apropiado involucrar a su adolescente en esta conversación, ni forzarlo a que se siente con su pareja y usted a conversar. Es muy improbable que se sientan cómodos hablando de sexo, como pareja, frente a usted.

Cómo acercarse a los padres de la pareja de su hijo cuando son GLBTI

Si su adolescente es gay, lesbiana, bisexual, transgénero o indeciso (GLBTI), los problemas son muy parecidos a los de un adolescente heterosexual, pero el estigma asociado a los GLBTI hace necesario que sea cuidadoso al hablar con los padres de la pareja. Algunos padres tienen reacciones muy negativas al enterarse de que su adolescente es GLBTI. Incluso se tornan violentos o castigan con severidad excesiva, lo que significa que hablar con los padres de un GLBTI puede tener consecuencias muy serias para el adolescente.

De hecho, debido a que la orientación o identidad de género es un tema con extrema carga emocional, casi en todos los casos le recomendamos evitar hablar con los padres de la pareja. Si tiene una preocupación muy seria por la seguridad de su adolescente —si sabe que tiene una ITS o que ha tenido sexo sin protección— recomendamos que hable directamente con la pareja. En caso de hacerlo, siga los mismos lineamientos para minimizar las probabilidades de una respuesta defensiva: mantenga un tono de voz neutro, evite emitir juicios y deje en claro su propósito. A diferencia de los casos antes analizados, recomendamos que se ponga a disposición de la pareja de su hija o hijo como fuente de apoyo, en especial si el joven no tiene un ambiente familiar positivo. Responda las preguntas usted o dirija a la pareja de su adolescente a los servicios de salud correspondientes.

EN FAMILIA:
CUÁNDO HABLAR Y QUÉ DECIR

Incluso cuando los adolescentes piensan que están siendo discretos (y nada garantiza que se esfuercen por serlo), lo más probable es que, eventualmente, los otros miembros de la familia lleguen a enterarse de ciertos aspectos de su vida privada.

Eso es especialmente válido si su familia tiene una de esas dinámicas en las que todos saben todo. En ese caso, está usted ante un reto —y también ante una bendición. Primero hablemos del reto: ya que acostumbra hablar abiertamente en su casa, necesita una nueva reglamentación para respetar el derecho de su adolescente a la intimidad.

Si su adolescente ha confiado en usted, mantenga esa confianza (a menos que exista una seria preocupación por factores de seguridad y que sólo puedan remediarse enterando a otra persona). Traicionar su confianza puede hacer que su adolescente deje de hablar abiertamente con usted en el futuro.

Y recuerde la bendición: los adolescentes mayores pueden servir de modelo para los hermanos menores. Si su adolescente tiene una relación saludable y amorosa, estamos ante un mensaje que los más chicos captarán. Sucede lo mismo en el caso de los buenos hábitos para tomar decisiones en el campo de la sexualidad.

Los estudios han demostrado que los hermanos mayores pueden tener una poderosa influencia en las actitudes y conductas sexuales de riesgo de los menores.[1] Después de todo, las relaciones entre hermanos son algunas de las más duraderas en la vida. Y dado que los hermanos están más cerca que los padres en edad y estatus dentro de la familia, desempeñan una suerte de papel doble como "ojo avisor", compartiendo perspectivas y experiencias en un estilo que otros miembros de la familia o los amigos no pueden emular.

Los hermanos menores se sienten más cómodos al recibir consejo y apoyo de los hermanos mayores, lo que no sucede con los padres ni con los amigos.

Los hermanos menores se valen de las conductas de los hermanos mayores y las convierten en punto de referencia al conformar sus propias conductas y actitudes. Un estudio, por ejemplo, encontró que los adolescentes con hermanos mayores que creen que el sexo antes de los 17 es inapropiado, tienen mayores probabilidades de retrasar su iniciación sexual.[2]

También es importante hacer notar que los hermanos mayores suelen proteger a los menores y, por lo tanto, tratan de alejarlos del peligro hablándoles del condón o del control natal, por ejemplo. Esto es cierto aun cuando los hermanos mayores tienen sexo de alto riesgo. Por supuesto, la influencia varía según la fortaleza del vínculo. Los estudios han encontrado que los adolescentes que tienen una relación

---

[1] K. Amanda Kowal, y Lynn Blinn-Pike, "Sibling Influences on Adolescents' Attitudes toward Safe Sex Practices", *Family Relations*, julio de 2004.

[2] E. D. Widmer, "Influence of Older Siblings on Initiation od Sexual Intercourse", *Journal of Marriage and the Family*, 1997.

estrecha con sus hermanos mayores suelen acudir a ellos en busca de consejo y apoyo.

Hasta cuando su hijo se niega a convertir su asunto en tema de conversación para la familia —o cuando lo hace sin que usted sepa o sin su consentimiento— usted puede valerse de las continuas conversaciones sobre sexo que seguramente mantiene con el hermano mayor para sugerir que hable o le allane el camino con los menores. Si no ha hablado con sus hijos pequeños, invierta en un buen libro que le explique sobre anatomía, reproducción, sexo y relaciones, y que sea apropiado para la edad de su hijo.

Cuando por fin se decida a hablar con alguno de sus hijos más pequeños, asegúrese de seguir los lineamientos que a continuación ofrecemos:

- **Hable de sus valores.** Abra una conversación (en un tono apropiado para su edad) sobre cómo se siente respecto del sexo, cuándo le parece apropiado que los jóvenes tengan relaciones y por qué piensa así.
- **Hable de responsabilidades y privilegios.** Podría explicarle que, en su casa, sólo pueden dormir en la misma cama los adultos (o las parejas casadas, o cualquiera que sea su regla). O que pasar la noche con otra persona (digamos, cuando están de vacaciones) sólo está bien en el caso de quienes tienen más de 18 años. Recuerde el ejemplo del padre con autoridad. Es correcto poner un límite de edad u otras condiciones para otorgar ciertos privilegios.
- **Hable del sexo más seguro.** Discutan el tema de los condones, el control natal y por qué las relaciones sexuales exigen madurez.
- **Ofrezca responder sus dudas en relación con los hermanos mayores.** Pueden sentir curiosidad por el novio de la hermana, por el amor, el sexo o por el hecho mismo de crecer. Aproveche esa curiosidad para educarlos, pero lleve la conversación a temas generales para evitar revelar información personal.
- **Prepárese para actuar con justicia y advierta sobre la doble moral.** Si permite que su hijo de 17 años duerma en casa de la novia, su hija menor debe tener el mismo trato a la misma edad, a menos que tenga una buena razón para no darle la misma independencia (el hecho de que sea mujer u hombre no cambia nada y no es una buena razón para hacer diferencias).

La historia de Rita

¿Recuerda a Rita y a su hija Lynn (capítulo 3)? Después de que Lynn reveló a su madre que había perdido la virginidad años atrás, ambas hablaron sobre la relación de Lynn con su novio actual.

Lynn dijo que, siendo más joven, sintió que Rita no quería discutir temas sexuales, por lo que evitó tocar el tema. Rita se sorprendió. Ella siempre creyó tener una relación abierta con su hija, y más de una vez le dijo que estaba disponible para conversar sobre cualquier tema. Lynn explicó que otros comentarios de Rita le habían hecho creer que su madre no sería tan abierta al hablar de sexo.

Mientras conversaban, la hermana de 15 años de Lynn, Debbie, entró a la habitación. Al notar que estaban platicando, dudó un instante y luego preguntó si podía unirse a la conversación. Rita dejó la decisión a Lynn, quien dijo que no le molestaba que su hermana estuviera presente. Rita preguntó a Debbie si ella se sentía igual que Lynn (en relación a que no se podía hablar de sexo en la casa). Debbie, aunque tendía por naturaleza a no herir los sentimientos de su madre, admitió que se pondría muy nerviosa si tuviera que hablar de sexo con Rita.

Rita explicó que había crecido en una familia en que no se acostumbraba ventilar los asuntos personales, como el sexo. Reconoció que, a pesar de haber hecho un enorme esfuerzo por ser justo lo opuesto como madre, la incomodidad natural había sido percibida por sus hijas.

Aprovechando la oportunidad, comento a Debbie cómo se sentía respecto del sexo y los adolescentes —que el sexo era algo especial que debía reservarse hasta estar en una relación comprometida, y que preferiblemente no debía llevarse a cabo antes de que un joven tenga edad suficiente para manejar las complejidades. Luego aseguró a Debbie que en verdad estaba abierta a discutir cualquier cosa —incluyendo el sexo— y que trataría por todos los medios de evitar hacer juicios. "Me siento terrible al pensar que Lynn no pudo acudir a mí cuando me necesitaba. Quiero asegurarme de que eso no vuelva a pasar", dijo a Debbie.

Después, ella y Lynn terminaron la conversación sobre qué actitud tomaría la hija con el nuevo novio respecto del sexo. Hablaron de control natal y de los riesgos de estrechar aún más los vínculos emocionales. Rita señaló a Lynn que, después de tener sexo, sería mucho más duro terminar la relación. Hablaron de qué tan seria era la relación de su hija con el novio y sobre si Lynn creía que tenían futuro juntos. Debbie escuchaba en silencio.

Más tarde, cuando Rita estaba sola, Debbie se le acercó con una pregunta que le había estado dando vueltas por la cabeza. "Papá y tú tuvieron sexo antes de casarse?", preguntó. La pregunta dio a Rita la oportunidad de decir a Debbie algo que jamás había dicho a nadie: que había esperado a cumplir 19 años para tener sexo con un hombre que creyó sería su marido. Y así lo hizo. La relación se vino abajo y Rita quedó devastada. En parte, esta experiencia le hizo pensar que sus hijas deberían esperar lo más posible para tener sexo. Debbie y Rita se extendieron en el tema y, conforme Debbie fue madurando, siguieron hablando del sexo y las relaciones.

¡No le diga a la abuela!

Tal vez tenga muchas cosas en común con los miembros de su familia, pero al final de cuentas toda familia está compuesta por individuos. Eso significa que en la mayoría de las familias habrá un rango de valores, y un distinto grado de aceptación de los valores de otras personas. Algunos reciben con brazos abiertos los estilos de vida y las decisiones ajenas; otros no.

Cuando tenga que decidir quién puede o no saber las cosas, es tentador evitar la confrontación o la desaprobación. En general, mientras que nada de malo tiene mantener privadas sus cosas personales, no suele ser sano mentir descaradamente —¿hace hasta lo imposible porque la abuela no se entere de que su nieta pasa los fines de semana en casa del novio, por ejemplo? Si pone una almohada en la cama de su hija para que la abuela crea que la muchacha duerme ahí, probablemente está llevando la mentira demasiado lejos.

A menos que la persona en cuestión tenga problemas emocionales serios o que represente un riesgo de consideración para el adolescente (por ejemplo, un padre que puede abjurar de su hijo o correrlo de la casa), usualmente es mejor ser honesto. Podría sorprenderle lo bien que se adaptan los familiares.

Si oculta la realidad a los hermanos menores, piense en la manera de ser honesto con ellos, siempre de forma apropiada a su edad y procurando que la experiencia sea productiva. Si su hijo de 18 años duerme en casa de su novia todos los fines de semana, por ejemplo, y su hijo de 13 quiere saber dónde está el mayor, bien podría inventar usted una mentira elaborada. Sin embargo, sería mucho mejor explicar la situación. Al hacerlo, claro que puede aprovechar para comentarle sus valores y explicar los derechos y responsabilidades que un muchacho de 18 años tiene en casa. ¿Es posible que su hijo o hija pequeña decida que a los 18 años también dormirá en casa de su pareja? Sí, pero ya tendrá mucho tiempo para hablarle de valores, seguridad y los aspectos emocionales de las relaciones sexuales. Entonces estará segura de que al menos cuenta con todas las herramientas necesarias para tomar una decisión informada.

Pregunte a los expertos...

Pregunta: Mi hija de 17 años ha salido con el mismo chico durante un año. Recientemente, me disponía a sacar las llaves del coche de su bolsa cuando encontré una caja con píldoras anticonceptivas. Al cuestionarla, dijo que no estaba teniendo sexo, pero conforme avanzó la conversación lo aceptó. Peleamos. Su padre y yo tenemos la sólida convicción de que el sexo antes del matrimonio está mal, así que su conducta me molestó mucho. Finalmente, ella salió precipitadamente de la casa sin que resolviéramos nada. Está muy comprometida con su novio y sigue viéndolo.

Este asunto ha provocado mucha tensión en casa. Me da miedo que su hermana de 15 años piense que está bien tener sexo cuando quiera porque permitimos que su hermana mayor ande con este tipo. No estoy segura de qué debo hacer. Por ahora, mi hija de 17 años y yo apenas nos hablamos, y no he dicho nada sobre lo sucedido a mi otra hija.

Respuesta: Estamos ante dos asuntos importantes e independientes: cómo seguir adelante en la relación con su hija mayor, y qué decir a la menor.

Comencemos con la hija de 17 años. El primer paso es reabrir los canales de comunicación con ella. Pregúntele si está dispuesta a sentarse a conversar en privado sobre qué sucede en su vida. Luego, relaje un poco la tensión para tener una conversación útil. Una manera de hacerlo es reconocer que ha estado enojada y que la revelación la tomó por sorpresa. Si en el primer encuentro dijo cosas hirientes y emitió juicios, ofrezca una disculpa ahora. Una vez hecho esto, explique por qué se puso tan enojada —que sus valores son tales y cuáles y que piensa que el sexo antes del matrimonio está mal. Después, sea honesta y explique las implicaciones que estas ideas tienen en relación con su hija. Primero, asegúrele que la ama y respeta. Si la ha pasado mal aceptando que sus valores y los de su hija son diferentes, dígalo también.

Dado que ya es sexualmente activa, su principal preocupación debe ser velar por su seguridad. Y en ese campo hay conductas que debemos reconocerle. Está usando pastillas anticonceptivas, lo que demuestra responsabilidad (y que ha consultado a un médico). Como sea, no nos queda claro si se protegió o no contra las ITS.

Cuando hable con ella, trate de obtener respuesta a las siguientes preguntas, siempre con la debida cautela:

- ¿Han hablado ella y su novio sobre la historia sexual de él?
- ¿Usa condón?
- ¿Se ha realizado exámenes para detectar ITS?
- ¿Lo ha hecho ella?
- ¿Han hablado de qué harían si ella quedara embarazada?

Y, por supuesto, dele el mensaje de que si va a tener sexo necesita protegerse limitando el número de parejas sexuales, evitando conductas de alto riesgo y usando siempre algún método de control natal y condón.

Su segunda preocupación es su hija menor. Es poco probable que ella piense que puede tener sexo cuando quiera porque su hermana tiene relaciones sexuales. Pero sí es probable que tenga preguntas sobre el sexo, el amor y sobre la relación entre la hermana, el papá y usted, entre otras. Si no lo ha hecho, encuentre un momento apropiado para enseñarle e inicie una conversación.

Al igual que hizo en el caso de la hermana mayor, debe hablar de sus valores y por qué piensa que el sexo antes del matrimonio está mal. Reconozca que hay tensión en la casa (ya lo sabe) y explique que está trabajando con su otra hija para mejorar las cosas. Recuérdele que las ama a ambas. Y, cuidando de no revelar información privada de la hermana, ofrezca responder sus preguntas.

En la conversación continua que tenga con ella, asegúrese de hablar de:

- Control natal y protección ante las ITS.
- Los aspectos emocionales de las relaciones sexuales.
- Su derecho a decir "no" en cualquier momento y ante cualquiera.
- Los derechos y responsabilidades que tiene en casa (incluyendo el derecho a hablar de sexo y relaciones).

Procure convertir la conversación en un asunto de largo plazo. Al transitar los años de adolescencia, es un hecho que tendrá nuevas preocupaciones o preguntas que usted puede ayudar a responder.

Los adolescentes GLBTI y la familia

Aunque no recomendamos que se afane gran cosa por ocultar la vida sexual de un adolescente, la realidad es que los GLBTI enfrentan discriminación, acoso y violencia, a veces dentro de la propia familia.

Si siente que su adolescente GLBTI está en peligro físico o que será severamente castigado por alguien de la familia debido a su orientación o identidad de género, necesitará pensar bien las cosas para saber si vale la pena ocultar la verdad.

Si le preocupa el efecto de la noticia entre los hermanos o hermanas menores, busque la ayuda de un buen libro especializado en el tema (encontrará recomendaciones al final de esta obra). Tome en cuenta los deseos del o la adolescente GLBTI. Esto significa respetar los derechos de los jóvenes que no están listos para revelar sus preferencias a toda la familia. Simultáneamente, debe crear un ambiente en que se sienta cómodo para revelar las cosas en el momento oportuno.

Qué hacer y qué no hacer para crear un ambiente de tolerancia en su familia

- No dé por hecho que alguien es heterosexual hasta que se demuestre lo contrario.
- Cuando hable de amor, matrimonio y compromiso, hágalo con neutralidad (por ejemplo, diga algo como: "Cuando seas grande vas a conocer a alguien que amarás y entonces decidirás establecer una relación de compromiso", en lugar de: "Cuando seas grande vas a encontrar a un hombre fabuloso y te casarás con él").
- No tolere los comentarios homófobos. Hágase escuchar cuando los escuche y enseñe a sus adolescentes el daño que pueden provocar.
- Averigüe qué enseñan a sus hijos en la escuela y, de ser necesario, compleméntelo con información relativa a qué significa ser GLBTI. Podrán descubrir que la información es aplicable a un hermano, a ellos mismos, a un padre o a un amigo. O quizás no. Como sea, hablar del asunto ayudará a derrumbar mitos y confusiones.

Existen grupos de apoyo especializados en ayudar a los jóvenes GLBTI y a sus familias a aceptar la identidad de género u orientación. Consulte la sección de fuentes al final de este libro.

RECONOCIMIENTOS

Muchas gracias a Kate Epstein, de la Epstein Literary, y a Jill Alexander, de la Fair Winds Press, por hacer que este libro dejara de ser un concepto para convertirse en realidad, y a Laura B. Smith y Julia Maranan por su excelente edición.

También agradecemos a muchos colegas y amigos por su apoyo, tiempo y experiencia. Ellos son: Irene Addlestone y la organización Teens Against the Spread of AIDS (TASA), en el Children's National Medical Center; Deborah Asher-Hertzber, L.C.S.W.; Michelle Barratt, M.D.; Donald Cavanaugh, de la organización Safe Schools South Florida; Lawrence J. D'Angelo, M. D., del Children's National Medical Center; Marla Eisenberg, Sc.D., M.P.H.; Michael Hertzberg, M.D.; Barbara Huberman, de Advocates for Youth; Katherine Hull y Gretchen Anderton de RAINN; Guy van Syckle, Ph. D.; Adam Ratliff, de PFLAG; Robert Weigl, Ph.D.; Catherine Winter, Ph.D.; y Fred Wyand, de la American Social Health Association.

Y lo más importante, agradecemos a nuestros esposos, Spiro Antoniades y George Lyon, y a nuestras familias por su apoyo, sabiduría y aliento.

Sobre las autoras

Maureen E. Lyon, Ph.D., A.B.P.P. es licenciada en psicología clínica y profesora e investigadora asociada en pediatría en el George Washington University Medical Center y en la División Médica de Adolescentes y Adultos Jóvenes, en el Children's National Center, en Washington, D.C.

Ex profesora de preparatoria y madre de dos hijos (ahora veinteañeros), cursó el doctorado en psicología clínica en la American University, en 1991. Tiene estudios de diplomado en psicología de la salud, por la American Board of Professional Psychology, y es miembro de la Society for Adolescent Medicine.

Todos los trabajos e intereses de la doctora Lyon se relacionan con el estudio de la adolescencia. En 1990 se convirtió en la primera psicóloga en trabajar con adolescentes seropositivos en la Burguess Clinic, en el Departamento de Medicina para Adolescentes y Adultos Jóvenes, en donde aún trabaja y entrena residentes, estudiantes de medicina y también a colegas médicos. Tiene una amplia experiencia en el trato de adolescentes con VIH/SIDA y en la consejería de familias y adolescentes. Actualmente se dedica a la práctica privada con adultos en Alexandria, Virginia, con una especialidad en psicología de la salud. Es coautora del libro *Teenagers, HIV, and AIDS: Insights from Youths Living with the Virus.* Para mayor información sobre la doctora Lyon, visite www.apapo.org/DrMaureenLyon.

Christina Breda Antoniades es periodista independiente con 17 años de experiencia escribiendo para publicaciones impresas y electrónicas, incluyendo el *Washington Post*, la *Baltimore Magazine*, Discovery Channel online y www.revolutionhealth.com. Ha escrito extensamente sobre los temas de la paternidad y la salud. Es madre de tres hijos. Puede obtener mayor información sobre ella en www.christinaantoniades.com.

Fuentes recomendadas

Para adolescentes

Advocates for Youth, Youth Lounge: www.advocatesforyouth.org/youth/index.htm
Coalition for Positive Sexuallity: www.positive.org/Home/index.html
Go Ask Alice (Columbia University): wwwgoaskalice.columbia.edu/index,html
I Wanna Know (American Social Health Association): www.iwannaknow.org
MTV's Think: http://think.mtv.com/Issues/relationshipsexuality
Scarleteen: www.scarleteen.com
Sex, etc: www.sexetc.org
SexTalk: www.sextalk.org
Stay Teen (National Campaign to Prevent Teen Pregnancy): www.stayteen.org
Teenwire (planned Parenthood Federation of America): www.teenwire.com

Para padres

Advocates for Youth: www.advocatesforyouth.org
SIECUS (Sexuality Information and Education Council of the United States): www.siecus.org
Revolution Health National Campaign to Prevent Teen Pregnancy: www.teenpregnancy.org
Parenting Teens Online: www.parentingteensonline.com

Para adolescentes GBLTI y sus familias

Out Proud (The National Coalition or Gay, Lesbian, Bisexual & Transgender Youth): www.outproud.org
Parents, Families & Friends of Lesbians and Gays: http://pflag.org
Matthew's Place: www.matthewshepard.org
National Youth Advocacy Coalition: www.nyacyouth.org
The Trevor Project (un site sobre crisis y prevención del suicidio, con línea de auxilio): www.thetrevorproject.org/home1.aspx
YouthResource (proyecto de Advocates for Youth): www.youthresource.com

Sobre embarazo e its

Centers for Disease Control and Prevention (con información y fuentes sobre its y vih): www.cdc.gov/std

HIVtest.org (información sobre vih e its): 800.458.5231; www.hivtest.org

Not-2-Late (anticoncepción de emergencia): www.Not-2-Late.com

Sex, etc.org (página de Internet y revista operada por adolescentes para adolescentes): www.sexetc.org

The American Social Health Association: www.ashastd.org o www.iwannaknow. org

Planned Parenthood: www.plannedparenthood.org o www.teenwire.com (para adolescentes')

The Body (información sobre VIH/SIDA): www.thebody.com

The National Women's Health Information Center (operado por el U.S. Department of Health and Human Services): www.4woman.gov (para información sobre anticoncepción de emergencia, visite www.4woman. gov/FAQ/birthcont.htm).

Para los temas de la violencia en las citas y el asalto sexual

Choose Respect: www.chooserespect.org/scripts/index.asp

Men Can Stop Rape: www.mencanstoprape.org

National Domestic Violence Hotline: www.ndvh.org

National Sexual Assault Hotline: 800.656.HOPE

Office on Violence Against Women: wwwenditnow.gov/sa/flash.html

rainn (Rape, Abuse, & Incest National Network): www.rainn.org

United States Department of Justice: www.ovw.usdoj.gov/teen_dating_violence.htm

Libros para padres

Always My Child: A Parents's Guide to Understanding Your Gay, Lesbian, Bisexual, Transgendered or Questioning Son or Daughter, Kevin Jennings y Pat Shapiro, Nueva York, Fireside, 2003.

Crossing Paths: How Your Child Adolescence Triggers Your Own Crisis, Lawrence Steinberg y Wendy Steinberg, Nueva York, Simon & Schuster, 2000.

Parents and Adolescents Living Together, Gerald R. Patterson y Marion S. Forgatch, Champaign, Illinois, Research Press, 2005.

Why Do They Act That Way? A Survival Guide to the Adolescent Brain for You and Your Teen, David Walsh, Nueva York, Free Press, 2004.

Libros para adolescentes

s.e.x.: The All-You-Need-to-Know Progressive Sexuallity Guide to Get You Through High School and College, Heather Corinna, Nueva York, Da Capo Press, 2007.

glbto: The Survival Guide for Queer and Questioning Teens, Kelly Heugel, Minneapolis, Free Spirit Publishing, 2003.

The Guy Book: an Owner's Manual, Mavis Jukes, Nueva York, Random House, 2002.

The Teenage Guy's Survival Guide: the Real Deal on Girls, Growing up, and Other Guy Stuff, Jeremy Daldry, Nueva York, Hachette Book Group, 1999.

Hang-Ups, Hook-Ups, and Holding Out: Stuff you Need to Know about your Body, Sex, and Dating, (para mujeres) Melissa Holms y Trish Hutchinson, Deerfielf Beach, Florida, Health Communications Inc., 2007.

Libros para niños y adolescentes jóvenes

It's Perfectly Normal. Changing Bodies, Growing up, Sex and Sexual Health, Robie H. Harris, ilustrado por Michael Enberley, Somerville, Montana, Candlewick Press, 2004.

It's Not he Stork: A Book About Girls, Boys, Babies, Bodies, Families and Friends (para niños más pequeños), Robie H. Harris, ilustrado por Michael Emberley, Somerville, Montana, Candlewick Press, 2008.

It's So Amazing: a Book about Eggs, Sperm, Birth, Babies and Families (para niños más pequeños), Robie H. Harris, ilustrado por Michael Emberley, Somerville, Montana, Candlewick Press, 2004.

The what's Happening to my Body Book for Boys, (para niños de 8 a 15 años), Lynda Madaras y Area Madaras, Nueva York, Newmarket Press, 2007.

The what's Happening to my Body Book for Girls (para niñas de 9 a 12 años), Lynda Madaras y Area Madaras, Nueva York, Newmarket Press, 2007.

Este libro se terminó de imprimir
en agosto de 2010, en los talleres gráficos
de Editores e Impresores Profesionales
EDIMPRO, S.A. de C.V., Tiziano núm. 144,
col. Alfonso XIII, deleg. Álvaro Obregón
01460 México, D.F.